Karl Philipp Moritz
Sämtliche Werke

Band 4
Teil 2

Karl Philipp Moritz
Sämtliche Werke

Kritische und kommentierte Ausgabe

Herausgegeben von
Martin Disselkamp, Anneliese Klingenberg,
Albert Meier, Conrad Wiedemann
und Christof Wingertszahn

Band 4/2

De Gruyter

Karl Philipp Moritz

Schriften zur Mythologie und Altertumskunde

Teil 2:
Götterlehre
und andere mythologische Schriften

I: Text

Herausgegeben
von
Martin Disselkamp

De Gruyter

Kritische und kommentierte Moritz-Ausgabe
gefördert von der Hamburger Stiftung zur Förderung von Wissenschaft und Kultur
und der Berlin-Brandenburgischen Akademie der Wissenschaften

Gedruckt mit Unterstützung der Deutschen Forschungsgemeinschaft

ISBN 978-3-484-15700-2 (Gesamtwerk)
ISBN 978-3-11-054040-6 (Band 4/2)
eISBN 978-3-11-054548-7 (PDF)
eISBN 978-3-11-054574-6 (EPUB)

Bibliografische Information der Deutschen Nationalbibliothek

Die Deutsche Nationalbibliothek verzeichnet diese Publikation in der
Deutschen Nationalbibliografie; detaillierte bibliografische Daten sind im Internet
über *http://dnb.dnb.de* abrufbar.

Satz: pagina GmbH, Tübingen
Druck und buchbinderische Verarbeitung: Hubert & Co. GmbH & Co. KG, Göttingen

Printed in Germany

www.degruyter.com

Inhalt

Texte

Kommentar

Ankündigung eines mythologischen Lehrbuchs von
K. P. Moritz

Wenn das Studium der Mythologie nützlich werden soll; so muß es erst an und für sich interessant gemacht werden. Das wird es aber nicht durch blos historische Bearbeitung, welche bisher in allen mythologischen Lehrbüchern geherrscht hat. – Historisch bearbeitet ermüdet das Studium der Mythologie sehr bald durch seine Trockenheit, und bringt der Jugend schon im Voraus einen Ekel vor den klassischen Dichtern der Alten bey, zu deren Verständniß es doch nützen soll. Ein mythologisches Lehrbuch kann aber nie zu dem wahren Verständniß der Alten führen, wenn es ihre schönen Dichtungen nicht selber, i m p o e t i s c h e n S i n n g e n o m m e n, als schön wieder darstellt, und sie im Ganzen als e i n e h ö h e r e S p r a c h e, als s c h ö - n e S y m b o l e nimmt, wodurch die Alten das Wesen der Dinge bezeichneten; der ungeheuern Masse, Erde, Meer und Luft Umriß und Bildung gaben, und auf die Weise das Leblose gleichsam beseelten, und es sich wieder näher brachten. – Kurz, die Mythologie der Alten muß in dem Sinne genommen werden, wie sie von den Dichtern selbst genommen und angewandt ist. – Ihre Entstehung bleibt immer etwas Untergeordnetes, Zufälliges, worauf es bey einem mythologischen Lehrbuche, welches zu einer Einleitung in die klassischen Dichter bestimmt ist, weit weniger ankommt, als auf den Geist des Ganzen, welcher die Dichtungen beseelt. – Ich habe den Entwurf zu einem solchen mythologischen Lehrbuche, bey meinem Aufenthalt in Rom, zum Theil schon ausgearbeitet, und bin nun gesonnen ihn auszuführen, und dies Werk, welches ohngefähr ein Alphabet stark werden wird, im Verlage der königl. akademischen Kunst- und Buchhandlung, herauszugeben.

Moritz

Götterlehre

oder

mythologische Dichtungen

der Alten.

———————

Zusammengestellt
von

Karl Philipp Moritz.

————————————

Mit fünf und sechzig in Kupfer gestochenen Abbildungen

nach antiken geschnittnen Steinen und andern
Denkmälern des Alterthums.

————————————

Berlin,

bei Johann Friedrich Unger,
1791.

⟨III⟩ Ich habe es versucht, die mythologischen Dichtungen der Alten in dem Sinne darzustellen, worin sie von den vorzüglichsten Dichtern und bildenden Künstlern des Alterthums selbst, a l s e i n e S p r a c h e d e r P h a n t a s i e, benutzt und ihren Werken eingewebt sind, deren aufmerksame Betrachtung, mir durch das Labyrinth dieser Dichtun-
⟨IV⟩ gen zum Leitfaden gedient hat. Die Abdrücke von den│Gemmen aus der Lippertschen Daktyliothek und aus der Stoschischen Sammlung habe ich mit dem H e r r n P r o f e s s o r K a r s t e n s, der die Zeichnungen zu den Kupfern verfertigt hat, gemeinschaftlich ausgewählt, um, so viel es sich thun ließ, diejenigen vorzuziehen, deren Werth zugleich mit in ihrer Schönheit, und der Kunst, womit die Darstellung ausgeführt ist, besteht.

Inhalt. V

Gesichtspunkt für die mythologischen Dichtungen. ⟨1⟩

Die mythologischen Dichtungen müssen als eine Sprache der Phantasie betrachtet werden: Als eine solche genommen, machen sie gleichsam eine Welt für sich aus, und sind aus dem Zusammenhange der wirklichen Dinge herausgehoben.

Die Phantasie herrscht in ihrem eigenen Gebiete nach Wohlgefallen, und stößt nirgends an. Ihr Wesen ist zu formen und zu bilden; wozu sie sich einen weiten Spielraum schaft, indem sie sorgfältig alle abstrakten und metaphysischen Begriffe meidet, welche ihre Bildungen stören könnten.

Sie scheuet den Begriff einer metaphysischen Unendlichkeit und 2 Unumschränktheit am allermeisten, weil ihre zarten Schöpfungen, wie in einer öden Wüste, sich plötzlich darin verlieren würden.

Sie flieht den Begriff eines anfangslosen Daseyns; alles ist bei ihr Entstehung, Zeugen und Gebähren, bis in die älteste Göttergeschichte.

Keines der höhern Wesen, welche die Phantasie sich darstellt, ist von Ewigkeit; keines von ganz unumschränkter Macht. Auch meidet die Phantasie den Begriff der Allgegenwart, der das Leben und die Bewegung in ihrer Götterwelt hemmen würde.

Sie sucht vielmehr so viel wie möglich, ihre Bildungen an Zeit und Ort zu knüpfen; sie ruht und schwebt gern über der Wirklichkeit; weil aber die zu große Nähe und Deutlichkeit des Wirklichen ihrem dämmernden Lichte schaden würde, so schmiegt sie sich am liebsten an die dunkle Geschichte der Vorwelt an, wo Zeit und Ort oft selber noch schwankend und unbestimmt sind, und sie desto freiern | Spielraum 3 hat: Jupiter, der Vater der Götter und Menschen wird a u f d e r I n s e l K r e t a mit der Milch einer Ziege gesäugt, und von den Nymphen des Waldes erzogen.

Dadurch nun, daß in den mythologischen Dichtungen zugleich eine geheime Spur zu der ältesten verlohren gegangenen Geschichte

verborgen liegt, werden sie ehrwürdiger, weil sie kein leeres Traum-
bild oder bloßes Spiel des Witzes sind, das in die Luft zerflattert,
sondern durch ihre innige Verwebung mit den ältesten Begebenheiten, ein Gewicht erhalten, wodurch ihre Auflösung in bloße Allegorie
verhindert wird.

Die Göttergeschichte der Alten durch allerlei Ausdeutungen zu
bloßen Allegorien umbilden zu wollen, ist ein eben so thörichtes Unternehmen, als wenn man diese Dichtungen durch allerlei gezwun-
gene Erklärungen in lauter wahre Geschichte zu verwandeln sucht.

Die Hand, welche den Schleier, der diese Dichtungen bedeckt, ganz
hinwegziehen will, verletzt zugleich das zarte Gewebe der Phantasie,
4 und stößt alsdann statt der gehoften Ent-|deckungen auf lauter Wi-
dersprüche und Ungereimtheiten.

Um an diesen schönen Dichtungen nichts zu verderben, ist es nö-
thig, sie zuerst, ohne Rücksicht auf etwas, das sie bedeuten sollen,
grade so zu nehmen w i e   s i e   s i n d, und soviel wie möglich mit
einem Ueberblick das Ganze zu betrachten, um auch den entfernteren
Beziehungen und Verhältnissen zwischen den einzeln Bruchstücken,
die uns noch übrig sind, allmälich auf die Spur zu kommen.

Denn wenn man z. B. auch sagt: Jupiter bedeutet die obere Luft; so
drückt man doch dadurch nichts weniger, als den Begriff J u p i t e r
aus, wozu alles das mitgerechnet werden muß, was die Phantasie
einmal hineingelegt, und wodurch dieser Begriff an und für sich
selbst eine Art von Vollständigkeit erhalten hat, ohne erst außer sich
selbst noch etwas andeuten zu dürfen.

Der Begriff J u p i t e r bedeutet in dem Gebiete der Phantasie z u -
e r s t sich selbst, so wie der Begriff C ä s a r in der Reihe der wirklichen
5 Dinge den Cäsar selbst bedeutet. Denn wer|würde wohl z. B. bei dem
Anblick der Bildsäule des Jupiter von Phidias Meisterhand, zuerst an
die obere Luft gedacht haben, die durch den Jupiter bezeichnet werden soll, als wer alles Gefühl für Erhabenheit und Schönheit verläug-
net hätte, und im Stande gewesen wäre, das höchste Werk der Kunst,
wie eine Hieroglyphe oder einen todten Buchstaben zu betrachten,
der seinen ganzen Werth nur dadurch hat, weil er etwas außer sich
bedeutet.

Ein wahres Kunstwerk, eine schöne Dichtung ist etwas in sich Fertiges und Vollendetes, das um sein selbst willen da ist, und dessen Werth in ihm selber, und in dem wohlgeordneten Verhältniß seiner Theile liegt; da hingegen die bloßen Hiroglyphen oder Buchstaben an sich so ungestaltet seyn können, wie sie wollen, wenn sie nur das bezeichnen, was man sich dabei denken soll.

Der müßte wenig von den hohen Dichterschönheiten des Homer gerührt seyn, der nach Durchlesung desselben noch fragen könnte: was bedeutet die Iliade? was bedeutet die Odyssee?

Alles, was eine schöne Dichtung bedeutet, liegt ja in ihr selber; sie 6 spiegelt in ihrem großen oder kleinen Umfange, die Verhältnisse der Dinge, das Leben und die Schicksale der Menschen ab; sie lehrt auch Lebensweisheit, nach Horazens Ausspruch, besser als Krantor und Chrysipp.

Aber alles dieses ist den dichterischen Schönheiten untergeordnet, und nicht der Hauptendzweck der Poesie; denn eben darum lehrt sie besser, weil Lehren nicht ihr Zweck ist; weil die Lehre selbst sich dem Schönen unterordnet, und dadurch Anmuth und Reitz gewinnt.

In den mythologischen Dichtungen ist nun die Lehre freilich so sehr untergeordnet, daß sie ja nicht darin gesucht werden muß, wenn das ganze Gewebe dieser Dichtungen uns nicht als frevelhaft erscheinen soll.

Denn der Mensch ist in diesen poetischen Darstellungen der höhern Wesen so etwas Untergeordnetes, daß auf ihn überhaupt, und also auch auf seine moralischen Bedürfnisse wenig Rücksicht genommen wird.

Er ist oft ein Spiel der höhern Mächte, die über alle Rechenschaft 7 erhaben, ihn nach Gefallen erhöhen und stürzen, und nicht sowohl die Beleidigungen strafen, welche die Menschen sich untereinander zufügen, als vielmehr jeden Anschein von Eingriff in die Vorrechte der Götter auf das schrecklichste ahnden.

Diese höhern Mächte sind nichts weniger, als moralische Wesen. Die M a c h t ist immer bei ihnen der Hauptbegriff, dem alles übrige untergeordnet ist. Die immerwährende Jugendkraft, welche sie besitzen, äußert sich bei ihnen in ihrer ganzen üppigen Fülle.

Denn da ein jedes dieser von der Phantasie gebornen Wesen, in gewisser Rücksicht, die ganze Natur mit allen ihren üppigen Auswüchsen, und ihrem ganzen schwellenden Ueberfluß in sich darstellt, so ist es, als eine solche Darstellung, über alle Begriffe der Moralität erhaben. Weil man weder von der ganzen Natur sagen kann, daß sie ausschweife; noch dem Löwen seinen Grimm, dem Adler seine Raubsucht; oder der giftigen Schlange ihre Schädlichkeit, zum Frevel anrechnen darf.

8 Weil aber die Phantasie die allgemeinen Begriffe fliehet, und ihre Bildungen, so viel wie möglich, individuell zu machen sucht, so überträgt sie den Begriff der höhern obwaltenden Macht auf Wesen, die sie als wirklich darstellt, denen sie Geschlechtsregister, Geburt und Nahmen, und menschliche Gestalt beilegt.

Sie läßt so viel wie möglich die Wesen, die sie schaft, in das Reich der Wirklichkeit spielen. Die Götter vermählen sich mit den Töchtern der Menschen, und erzeugen mit ihnen die Helden, welche durch k ü h n e Thaten zur Unsterblichkeit reifen.

Hier ist es nun, wo das Gebiet der Phantasie und der Wirklichkeit am nächsten aneinander grenzt, und wo es darauf ankommt, das, was Sprache der Phantasie oder mythologische Dichtung ist, auch bloß als solche zu betrachten, und vor allen voreiligen historischen Ausdeutungen sich zu hüten.

Denn diese Mischung des Wahren, mit der Dichtung in der ältesten
9 Geschichte, macht an userm Gesichtskreise, so weit wir in die|Ferne zurückblicken, gleichsam den dämmernden Horizont aus. Soll uns hier eine neue Morgenröthe aufgehen, so ist es nöthig, die mythologischen Dichtungen, als alte Völkersagen, so viel wie möglich von einander zu scheiden, um den Faden ihrer allmähligen Verwebungen und Uebertragungen wieder aufzufinden. In dieser Rücksicht die ältesten Völkersagen, welche auf uns gekommen sind, nebeneinander zu stellen, ist das Geschäft einer allgemeinen Mythologie, wozu die gegenwärtige, welche auf die Götterlehre der Griechen und Römer beschränkt ist, nur von fern die Hand bieten kann.

In das Gebiet der Phantasie, welches wir nun betreten wollen, soll uns ein Dichter führen, der ihr Lob am wahrsten gesungen hat.

Meine Göttin.

Welcher Unsterblichen
Soll der höchste Preis seyn?
Mit niemand streit' ich,
Aber ich geb' ihn
Der ewig beweglichen,
Immer neuen,   10
Seltsamsten Tochter Jovis,
Seinem Schooßkinde,
Der Phantasie.

Denn ihr hat er
Alle Launen,
Die er sonst nur allein
Sich vorbehält,
Zugestanden,
Und hat seine Freude
An der Thörin.

Sie mag rosenbekränzt
Mit dem Lilienstängel
Blumenthäler betreten,
Sommervögeln gebieten,
Und leichtnährenden Thau
Mit Bienenlippen
Von Blüthen saugen:

Oder sie mag
Mit fliegendem Haar

Und düsterm Blicke
Im Winde sausen
Um Felsenwände,
Und tausendfarbig,
Wie Morgen und Abend,
Immer wechselnd,
Wie Mondesblicke,
Den Sterblichen scheinen.

Laßt uns alle
Den Vater preisen!
Den alten, hohen,
Der solch eine schöne,
Unverwelkliche Gattin
Den sterblichen Menschen
Gesellen mögen!

Denn uns allein
Hat er sie verbunden
Mit Himmelsband,
Und ihr geboten,
In Freud' und Elend,
Als treue Gattin,
Nicht zu entweichen.

Alle die andern
Armen Geschlechter
Der kinderreichen,
Lebendigen Erde
Wandeln und weiden
Im dunkeln Genuß
Und trüben Schmerzen
Des augenblicklichen,

Beschränkten Lebens,
Gebeugt vom Joche
Der Nothdurft.

Uns aber hat er
Seine gewandteste,
Verzärtelte Tochter,
Freut euch! gegönnt!
Begegnet ihr lieblich,
Wie einer Geliebten,
Laßt ihr die Würde
Der Frauen im Haus.

Und daß die alte
Schwiegermutter Weisheit
Das zarte Seelchen
Ja nicht beleid'ge!

Doch kenn' ich ihre Schwester,
Die ältere, gesetztere,
Meine stille Freundin:
O daß die erst
Mit dem Lichte des Lebens
Sich von mir wende,
Die edle Treiberin,
Trösterin, Hofnung!
                    G ö t h e .

13   # Die Erzeugung der Götter.

Da wo das Auge der Phantasie nicht weiter trägt ist Chaos, Nacht, und
Finsterniß; und doch trug die schöne Einbildungskraft der Griechen
auch in diese Nacht einen sanften Schimmer, der selbst ihre Furcht-
barkeit reitzend macht. — Zuerst ist das Chaos, dann die weite Erde,
der finstere Tartarus — und A m o r, der schönste unter den unsterblichen Göttern.

Gleich im Anfange dieser Dichtungen vereinigen sich die entgegengesetzten Enden der Dinge; an das Furchtbarste und Schrecklichste grenzt das Liebenswürdigste. — Das Gebildete und Schöne entwickelt sich aus dem Unförmlichen und Ungebildeten. — Das Licht
steigt aus der Finsterniß empor. — Die Nacht vermählt sich mit dem
Erebus, dem alten Sitze der Finsterniß und gebiert den A e t h e r und
den T a g. Die Nacht ist reich an mannigfaltigen Geburten, denn sie
hüllt alle die Gestalten in sich ein, welche das Licht des Tages vor
unserm Blick entfaltet.

14   Das Finstere, Irrdische und Tiefe ist die Mutter des Himmlischen,
Hohen, und Leuchtenden. Die Erde erzeugt aus sich selbst den U r a -
n o s oder den Himmel, der sie umwölbet. Es ist die dunkele und feste
Körpermasse, welche von Licht und Klarheit umgeben den Saamen
der Dinge in sich einschließt, und aus deren Schoße alle Erzeugungen
sich entwickeln.

Nachdem die Erde auch aus sich selber die Berge und den P o n t u s
oder das Meer erzeugt hat, vermählt sie sich mit dem umwölbenden
Uranos, und gebiert ihm starke Söhne und Töchter, die selbst ihrem
Erzeuger furchtbar werden.

Hundertärmige Riesen, den K o t t u s, G y g e s, und B r i a r e u s;
ungeheure Cyklopen, den B r o n t e s, S t e r o p e s, und A r g e s;
herrschsüchtige und mit weit um sich greifender Macht gerüstete
Titanen, den C ö u s, K r i u s, H y p e r i o n, und J a p e t; den O c e a -
n u s; die mächtigen T i t a n i d e n, die T h i a, die R h e a, die T h e -
m i s, die M n e m o s y n e, die P h ö b e, die T h e t h y s, und den S a -
t u r n u s oder K r o n o s, den jüngsten unter den Titanen.

Diese Kinder der Erde und des Himmels aber erblicken das Licht des Tages nicht; sondern werden von ihrem Erzeuger, der ihre angebohrne Macht scheuet, sobald sie gebohren sind, wieder in den Tartarus eingekerkert. Das Chaos behauptet noch seine Rechte. Die Bildungen schwan-|ken noch zwischen Unterdrückung und Empö- 15 rung. − Die Erde seufzt in ihren innersten Tiefen über das Schicksal ihrer Kinder, und denkt auf Rache; sie schmiedet die erste Sichel, und giebt sie als ein rächendes Werkzeug dem Saturnus, ihrem jüngsten Sohne.

Die wilden Erzeugungen müssen aufhören; Uranos, der seine eigenen Kinder in nächtlichem Dunkel gefangen hält, muß seiner Herrschaft entsetzt werden. − Sein jüngster Sohn Saturnus überlistet ihn, da er sich mit der Erde begattet, und entmannet seinen Erzeuger mit der Sichel, die ihm seine Mutter gab. Aus den Blutstropfen, welche die Erde auffängt, entstehen in der Folge der Zeit die rächerischen Furien, die furchtbaren, den Göttern drohenden Giganten, und die Nymphen Meliä, welche die Berge bewohnen. − Die dem Uranos entnommene Zeugungskraft befruchtet das Meer, aus dessen Schaum Aphrodite, die Göttin der Liebe empor steigt. − Aus Streit und Empörung der ursprünglichen Wesen gegeneinander entwickelt und bildet sich das Schöne.

Nun vermählen sich die Kinder des Himmels und der Erde, und pflanzen das Geschlecht der Titanen fort. − Cöus mit der Phöbe, einer Tochter des Himmels, zeugt die Latona, welche nachher die Vermählte des Jupiter, und die Asteria, | welche die Mutter der 16 Hecate ward. − Hyperion mit der Thia, einer Tochter des Himmels, zeugt die Aurora, den Helios oder Sonnengott, und die Luna. − Oceanus mit der Tethys, einer Tochter des Himmels, erzeugt die Flüsse und Quellen. − Japet vermählt sich mit der Klymene, einer Tochter des Oceanus, und erzeugt mit ihr die Titanen, Atlas, Menötios, den Prometheus, der die Menschen bildete, und den Epimetheus. − Krius mit der Eurybia, einer Tochter des Pontus, erzeugt die Titanen, Asträus, Pallas und Perses.

Saturnus vermählt sich mit seiner Schwester der Rhea, und mit
ihm hebt eine Reihe von neuen Göttererzeugungen an, wodurch die
Alten in der Zukunft verdrängt werden sollen. Die bleibenden Gestalten gewinnen endlich die Oberhand; aber sie müssen vorher noch
lange mit der alles zerstörenden Zeit, und dem alles verschlingenden
Chaos kämpfen. Saturnus ist zugleich ein Bild dieser zerstörenden
Zeit. Er, der seinen Erzeuger entmannt hat, verschlingt seine eigenen
Kinder, so wie sie geboren werden: denn ihm ist von seiner Mutter,
der Erde, geweißagt worden, daß einer seiner Söhne ihn seiner Herrschaft berauben werde. So rächte sich der an seinem Erzeuger verübte
Frevel; Saturnus fürchtet gleich diesem, die sich empörende Macht,
und während er über seine Brüder, die Titanen herrschte, hielt er
17 den-|noch, gleich dem Uranos, die hundertärmigen Riesen und Cy-
klopen, in dem Tartarus eingekerkert.

Von seinen Kindern fürchtet er Verderben; denn noch lehnet das
Neuentstandene sich gegen seinen Ursprung auf, der es wieder zu
vernichten droht. So wie die Erde seufzte, daß der umwölbende Himmel ihre Kinder in ihrem Schooße gefangen hielt, so seufzt nun
Rhea über die Grausamkeit der alles zerstörenden, ihre eigenen
Bildungen verschlingenden Macht, mit welcher sie vermählt ist. Und
da sie den Jupiter, den künftigen Beherrscher der Götter und Menschen gebähren soll, so fleht sie die Erde und den gestirnten Himmel
um die Erhaltung ihres noch ungebohrnen Kindes an.

Die uralten Gottheiten sind ihrer Herrschaft entsetzt, und haben
nur noch Einfluß durch Weißagung und Rath; sie rathen ihrer Tochter, wie sie den Jupiter, sobald sie ihn gebohren, in eine fruchtbare
Gegend, in Kreta, verbergen soll. – Die wilde umherschweifende
Phantasie heftet sich nun auf einen Fleck der Erde, und findet auf
dem Eilande, wo dies Götterkind erzogen werden soll, den ersten
Ruheplatz.

Auf den Rath ihrer Mutter Erde wickelt die Rhea einen Stein in
Windeln, und giebt ihn dem Saturnus, statt des neugebohrnen
18 Götterkindes, zu verschlingen. Durch diesen bedeutungs-|vollen
Stein, dessen bei den Alten so oft Erwähnung geschieht, sind der

Zerstörung ihre Grenzen gesetzt; die zerstörende Macht hat zum erstenmale das Leblose statt des Lebenden mit ihrer vernichtenden Gewalt ergriffen, und das Lebende und Gebildete hat Zeit gewonnen gleichsam verstohlner Weise sich an das Licht emporzudrängen. Allein es ist noch vor den Verfolgungen seines allverschlingenden Ursprungs nicht gesichert. Darum müssen die Erzieher des Götterkindes auf der Insel Kreta, die K u r e t e n oder K o r y b a n t e n, deren Wesen und Ursprung in geheimnißvolles Dunkel gehüllt ist, mit ihren Spießen und Schilden ein immerwährendes Getöse machen, damit S a t u r n u s die Stimme des weinenden Kindes nicht vernehme. – Denn die zerstörenden Kräfte lauern, das zarte Gebildete, in seinem ersten Aufkeimen, wo möglich, wieder zu zernichten.

Die Erziehung des J u p i t e r auf der Insel Kreta macht eines der reizendsten Bilder der Phantasie; ihn säugt die Ziege A m a l t h e a, welche in der Folge unter die Sterne versetzt, und ihr Horn zum Horn des Ueberflusses erhöhet wird. Die Tauben bringen ihm Nahrung, goldgefärbte Bienen führen ihm Honig zu, und Nymphen des Waldes sind seine Pflegerinnen.

Schnell entwickeln sich nun die Kräfte dieses künftigen Beherrschers der Götter und Menschen.|Das Ende von dem alten Reiche des 19 S a t u r n u s nähert sich. Denn fünf seiner Kinder sind noch, außer dem J u p i t e r, von seiner zerstörenden Macht gerettet. Die den Erdkreis mit heiliger Glut belebende V e s t a, die befruchtende C e r e s, J u n o, N e p t u n, und P l u t o.

Mit diesen kündigt J u p i t e r dem S a t u r n u s, und den T i t a - n e n, welche dem S a t u r n u s beistehen, den Krieg an, nachdem er vorher die C y k l o p e n aus ihrem Kerker befreiet, und diese ihn dafür mit dem Donner und dem leuchtenden Blitze begabt hatten. Und nun scheiden sich die neuern Götter, die vom S a t u r n u s und der R h e a abstammen, von den alten Gottheiten oder den T i t a n e n, welche Kinder des Himmels und der Erde sind.

20   Der Götterkrieg.

Die Titanen sind das Empörende, welches sich gegen jede Oberherrschaft auflehnt; es sind die unmittelbaren Kinder des Himmels und der Erde, deren weit um sich greifende Macht keine Grenzen kennet, und keine Einschränkung duldet.

Jupiter aber hatte sich den Weg zu der Alleinherrschaft schon
gebahnet, indem er die hundertärmigen Riesen, Kottus, Gyges,
und Briareus, und die Cyklopen, die unter dem Uranos und
Saturnus gefangen gehalten wurden, aus ihrem Kerker befreiet,
und dadurch den Donner und Blitz in seine Gewalt bekommen hatte.

Die neuern Götter, mit dem Jupiter an ihrer Spitze, versamm-
leten sich auf dem Olymp; die Titanen ihnen gegenüber auf dem
Othrys, und der Götterkrieg hub an. – Zehn Jahre dauerte schon der
Kampf der neuern Götter mit den Titanen, als der Sieg noch un-
entschieden war, bis Jupiter sich den Beistand der hundertärmigen
Riesen erbat, die ihm die Befreiung aus ihrem Kerker dankten.

Als diese nun an dem Treffen Theil nahmen, so faßten sie unge-
21 heure Felsen in ihre hundert | Hände, um sie auf die Titanen zu
schleudern, welche in geschlossenen Phalangen in Schlachtordnung
standen. Als nun die Götter auf einander den ersten Angriff thaten, so
wallte das Meer hoch auf, die Erde seufzte, der Himmel ächzte, und
der hohe Olymp wurde vom Gipfel bis zur Wurzel erschüttert.

Die Blitze flogen schaarenweise aus Jupiters starker Hand, der
Donner rollte, der Wald entzündete sich, das Meer siedete, und heißer
Dampf und Nebel hüllte die Titanen ein.

Kottus, Gyges, und Briareus standen voran im Göttertreffen,
und mit jedem Wurf schleuderten sie dreihundert Felsenstücke auf
die Häupter der Titanen herab. Da lenkte sich der Sieg auf die Seite
des Donnerers. Die Titanen stürzten nieder, und wurden so weit in
den Tartarus hinabgeschleudert, als hoch der Himmel über der Erde
ist.

Nun theilten die drei siegreichen Söhne des Saturnus das alte
Reich der Titanen unter sich; Jupiter beherrschte den Himmel,
Neptun das Meer, und Pluto die Unterwelt. Die hundertärmigen
Riesen aber bewachten den Eingang zu dem furchtbaren Kerker, der
die Titanen gefangen hielt.

Jupiters Blitz beherrschte nun zwar die Götter, allein sein Reich
stand noch nicht fest. Die│Erde seufzte aufs neue über die Schmach 22
ihrer Kinder, die im dunkeln Kerker saßen. Mit den Blutstropfen
befruchtet, die sie bei der Entmannung des Uranos in ihrem Schooße aufnahm, gebahr sie in den phlegräischen Gefilden die himmelanstürmenden Giganten mit drohender Stirn und Drachenfüßen,
bereit die Schmach der Titanen zu rächen.

Zu Boden geworfen, waren sie nicht besiegt, denn mit jeder Berührung ihrer Mutter Erde gewannen sie neue Kräfte. – Porphy-
rion und Alcyoneus, Oromedon und Enceladus, Rhötus
und der tapfre Mimas huben am stolzesten ihre Häupter empor; sie
schleuderten Eichen und Felsenstücke mit jugendlicher Kraft gen
Himmel, und achteten Jupiters Blitze nicht.

In dem hier beigefügten, nach einem der schönsten Werke des
Alterthums verfertigten Umriß, heben die mächtigen Söhne der Erde,
unter Jupiters Donnerwagen zu Boden gestreckt, dennoch gegen
ihn ihr drohendes Haupt empor. – Macht ist gegen Macht empört –
einer der erhabensten Gegenstände, den je die bildende Kunst be-
nutzte.

Daraus, daß in den mythologischen Dichtungen die Giganten
den Göttern entgegengesetzt│werden, sieht man auch, daß die Alten 23
den Göttern keine ungeheure Größe beilegten. Das Gebildete
hatte bei ihnen immer den Vorzug vor der Masse; und die ungeheuren Wesen, welche die Phantasie sich schuf, entstanden nur um
von der in die hohe Menschenbildung eingehüllten Götterkraft besiegt zu werden, und unter ihrer eigenen Unförmlichkeit zu erliegen.

Gerade die Vermeidung des Ungeheuren, das edle Maaß, wodurch
allen Bildungen ihre Grenzen vorgeschrieben wurden, ist ein Hauptzug in der schönen Kunst der Alten; und nicht umsonst drehet sich

ihre Phantasie in den ältesten Dichtungen immer um die Vorstellung, daß das Unförmliche, Ungebildete, Unbegrenzte, erst vertilgt und besiegt werden muß, ehe der Lauf der Dinge in sein Gleis kömmt.

Die ganze Dichtung des Götterkrieges scheint sich mit auf diese Vorstellung zu gründen. U r a n o s oder die weitausgebreitete Himmelswölbung ließ sich noch unter keinem Bilde fassen; was die Phantasie sich dachte, war noch zu weit ausgebreitet, unförmlich und gestaltlos; dem U r a n o s wurden seine eigenen Erzeugungen furchtbar, seine Kinder, die T i t a n e n, empörten sich gegen ihn, und sein Reich entschwand in Nacht und Dunkel.

24   Der Name der T i t a n e n zeigt schon das weit um sich Greifende, G r e n z e n l o s e, in ihrem Wesen an, wodurch die Bildungen, welche sich die Phantasie von ihnen macht, schwankend und unbestimmt werden. Die Phantasie flieht vor dem Grenzenlosen und Unbeschränkten; die neuen Götter siegen, das Reich der T i t a n e n hört auf, und ihre Gestalten treten gleichsam in Nebel zurück, wodurch sie nur noch schwach hervorschimmern.

An der Stelle des T i t a n e n H e l i o s oder des Sonnengottes steht der ewig junge A p o l l mit Pfeil und Bogen. Unbestimmt und schwankend schimmert das Bild vom H e l i o s durch, und die Phantasie verwechselt in den Werken der Dichtkunst oft beide mit einander. So steht an der Stelle des alten O c e a n u s, N e p t u n mit seinem Dreizack, und beherrscht die Fluthen des Meers.

Demohngeachtet aber bleiben die alten Gottheiten noch immer ehrwürdig, denn sie waren den neuern Göttern nicht etwa wie das Verderbliche und Hassenswürdige dem Wohlthätigen und Guten entgegengesetzt; sondern Macht empörte sich gegen Macht; Macht siegte über Macht, und das Besiegte selbst blieb in seinem Sturz noch groß.

So wie man sich nehmlich unter dem Reiche der T i t a n e n und
25   unter der Herrschaft des S a -|t u r n u s, der seine eigenen Kinder verschlang, noch das Grenzenlose, Chaotische, Ungebildete dachte, worauf die Einbildungskraft nicht haften kann; so verknüpfte man doch wieder mit dieser Vorstellung von dem Ungebildeten, Umherschweifenden, und Grenzenlosen, das keinem Zwange unterworfen ist, den

Begriff von Freiheit und Gleichheit, der unter der Alleinherrschaft des Einzigen, der mit dem Donner bewafnet war, nicht mehr
statt finden konnte.

Man versetzte daher das goldene Zeitalter unter die Regierung des
Saturnus; welcher, nachdem er in dem Götterkriege seiner zerstörenden Macht beraubt war, nach einer alten Sage, dem Schicksal
der übrigen Titanen, die in den Tartarus geschleudert wurden, entfloh, und sich in den mit Bergen umschlossenen Ebenen von Latium verbarg, wohin er das goldene Zeitalter brachte, indem er in
einem Schiffe auf dem Tiberstrome, beim Janus anlangte, und mit
ihm vereint, die Menschen mit Weisheit und Güte beherrschte.

Diese Dichtung ist vorzüglich schön, wegen des Ueberganges vom
Kriegerischen und Zerstörenden, zum Friedlichen und Sanften. Während daß Jupiter noch immer in Gefahr der Herrschaft entsetzt zu
werden, seine Blitze gegen die Giganten schleudert, ist Saturnus
fern von dem verderblichen Götterkriege in Latium ange-|langt, wo 26
unter ihm sich die glücklichen Zeiten bilden, die nachher in den
Liedern der Menschen als ein entflohenes Gut besungen, und vergeblich zurück gewünscht wurden.

So ist er auf einer alten Gemme, wovon hier der Umriß beigefügt
ist, mit der Sense in der Hand, auf einem Schiffe, wovon nur der
Schnabel oder das Vordertheil sichtbar ist, abgebildet, neben dem
Schiffe sieht man einen Theil einer Mauer und eines Gebäudes her-
vorragen, wahrscheinlich weil an den Ufern der Tiber vom Saturnus, die alte Stadt Saturnia auf den nachmaligen Hügeln Roms
erbauet wurde.

Auf diese Weise ist nun Saturnus bald ein Bild der alleszerstö-
renden Zeit, bald ein König, der zu einer gewissen Zeit in Latium
herrschte. Die Erzählungen von ihm sind weder bloße Allegorien,
noch bloße Geschichte, sondern beides zusammengenommen, und
nach den Gesetzen der Einbildungskraft verwebt. Dieß ist auch der
Fall bei den Erzählungen von den übrigen Gottheiten, die wir durch-
gängig als schöne Dichtungen nehmen, und durch zu bestimmte Ausdeutungen nicht verderben müssen. Denn da die ganze Religion der

Alten eine Religion der Phantasie und nicht des Verstandes war, so ist
27 auch ihre Götterlehre ein schöner Traum, der zwar | viel Bedeutung
und Zusammenhang in sich hat, auch zuweilen erhabene Aussichten
giebt, von dem man aber die Genauigkeit und Bestimmtheit der
Ideen im wachenden Zustande nicht fordern muß.

Ob nun Jupiter gleich die Titanen in den Tartarus verbannt,
und über die Giganten zuletzt die Inseln des Meeres mit rauchenden Vulkanen gewälzt hatte, so war dennoch sein Reich noch nicht
befestigt; denn die Erde zürnte aufs neue über die Gefangenschaft
ihrer Kinder, und gebahr, nachdem sie sich mit dem Tartarus begattet
hatte, den Tiphöus, ihren jüngsten Sohn.

Das furchtbarste Ungeheuer, das je aus der dunkeln Nacht emporstieg; dessen hundert Drachenhäupter mit schwarzen Zungen leckten,
und mit feurigen Augen blitzten; das bald verständliche Laute von
sich gab, und bald mit hundert verschiedenen Stimmen der Thiere
des Waldes heulte und brüllte, daß die Berge davon wiederhallten.

Nun wäre es um die Herrschaft der neuen Götter gethan gewesen,
wenn Jupiter nicht schleunig seinen Blitz ergriffen, und ihn unaufhörlich auf das Ungeheuer geschleudert hätte, so lange bis Erd' und
Himmel in Flammen stand, und der Weltbau erschüttert ward, so daß
28 Pluto, | der König der Schatten, und die Titanen im Tartarus über
das unaufhörliche Getöse erbebten, das über ihren Häuptern rollte.

Der Sieg über dies Ungeheuer wurde dem Jupiter am schwersten
unter allen, und drohte ihm selber den Untergang. Er freute sich
daher dieses Sieges nicht, sondern schleuderte den Tiphöus, als er
zu Boden gesunken war, trauervoll in den Tartarus hinab.

Denn dem Herrscher der Götter, drohte stets Gefahr, nicht nur von
fremder Macht, sondern auch von seinen eigenen Entschließungen.
So weißagte ihm, als er sich mit der weisheitbegabten Metis, einer
Tochter des Oceanus vermählt hatte, ein Orakelspruch, daß sie ihm
einen Sohn gebären, und daß dieser zugleich mit der Weisheit seiner
Mutter, und der Macht seines Vaters ausgerüstet, die Götter alle beherrschen würde.

Um dem vorzubeugen zog Jupiter die weisheitbegabte Metis mit schmeichelnden Lockungen in sich hinüber, und gebahr nun selbst die Minerva, welche bewafnet aus seinem Haupte hervorsprang. – Eine ähnliche Gefahr drohte ihm noch einmal, da er sich mit der Thetis begatten wollte, von der ein Orakelspruch geweißagt hatte, sie würde einen Sohn gebähren, der würde mächtiger als sein Vater seyn.

So fürchtet sich in diesen Dichtungen das Mächtigste immer vor noch etwas Mächtigerm. Bei dem Begriff der ganz unumschränkten Macht hingegen hört alle Dichtung auf, und die Phantasie hat keinen Spielraum mehr. Man muß daher die Verstandesbegriffe auf keine Weise hiemit vermengen, da man überdem, eins dem andern unbeschadet, jedes für sich abgesondert, sehr wohl betrachten kann.

In der folgenden Zeit wurden sogar zwei Söhne des Neptun, die derselbe mit der Iphimedia, einer Tochter des Aloeus erzeugte, und welche daher die Aloiden hießen, dem Jupiter furchtbar. Ihre Namen waren, Otus und Ephialtes; sie ragten im Schmuck der Jugend und Schönheit mit Riesengröße zum Himmel empor, und drohten den unsterblichen Göttern, indem sie Berge auf einander thürmten, auf den Olymp den Ossa, und auf den Ossa den Pelion wältzten, um so den Himmel zu ersteigen, welches ihnen gelungen wäre, wenn sie die Jahre der Mannbarkeit erreicht hätten. Aber Apollo erlegte sie mit seinen Pfeilen, ehe noch das weiche Milchhaar ihr Kinn bedeckte.

Selbst die Sterblichen wagten es also sich gegen die Götter aufzulehnen, welche daher auch eifersüchtig, auf jede höhere Entwickelung mensch-|licher Kräfte waren; jede Ueberhebung auf das schärfste ahndeten, und den armen Sterblichen anfänglich sogar das Feuer mißgönnten. Denn die Menschen mußten noch den Haß der Götter gegen die Titanen tragen, weil sie von einem Abkömmling derselben, dem Prometheus, gebildet und ins Leben hervorgerufen waren.

Die Bildung der Menschen.

So untergeordnet ist in diesen Dichtungen der Ursprung der Menschen, daß sie nicht einmal den herrschenden Göttern, sondern einem Abkömmlinge der Titanen, ihr Daseyn danken.

Denn Prometheus, welcher die Menschen aus Thon bildete, war ein Sohn des Japet, der außer ihm noch drei Söhne erzeugt hatte, den Atlas, Menötius, und Epimetheus, die alle den Göttern verhaßt waren.

Japet, der Stammvater der Menschen, lag schon vom Jupiter mit den übrigen Titanen in den Tartarus hinabgeschleudert; sein starker Sohn, Menötius, wurde wegen seiner den Göttern furchtbaren Macht, und übermüthigem Stolz, von Jupiters Blitz erschlagen, in den Erebus hinabgestürzt. Dem Atlas legte Jupiter die ganze Last des Himmels auf seine Schultern; den Prometheus selber ließ er zuletzt an einen Felsen schmieden, wo ein Geier unaufhörlich an seinem Eingeweide nagte; und den Epimetheus ließ er das Unglück über die Menschen bringen.

So verhaßt war den Göttern das Geschlecht des Japet, woraus der Mensch entsprang, auf den in der Folge die unzähligen Leiden sich zusammenhäuften, wodurch er die Schuld des ihm mißgönnten Daseyns vielfach büßen mußte.

Prometheus befeuchtete die noch von den himmlischen Theilchen geschwängerte Erde mit Wasser, und machte den Menschen nach dem Bilde der Götter, so daß er allein seinen Blick gen Himmel empor hebt, indeß alle andern Thiere ihr Haupt zur Erde neigen.

Den Göttern selber also konnte die Phantasie keine höhere Bildung als die Menschenbildung beilegen, weil nichts mehr über die erhabene aufrechte Stellung geht, in welcher sich gleichsam die ganze Natur verjüngt, und erst zum Anschauen von sich selber kömmt.

Denn die Strahlen der Sonne leuchten, aber das Auge des Menschen siehet. – Der Donner rollt, und die Stürme des Meeres brausen, aber die Zunge des Menschen redet vernehmliche Töne. – Die Morgenröthe schimmert in ihrer Pracht, aber die Gesichtszüge des Menschen sind sprechend und bedeutend.

Es scheint als müsse die unermeßliche Natur sich erst in diese zarten Umrisse schmiegen, um sich selbst zu fassen, und wieder umfaßt zu werden. Um die göttliche Gestalt abzubilden gab es nichts | Höheres, als Aug' und Nase, und Stirn und Augenbraunen, als Wang' und Mund und Kinn; weil wir nur von dem, was lebt und diese Gestalt hat, wissen können, daß es Vorstellungen habe wie wir, und daß wir Gedanken und Worte mit ihm wechseln können.

⟨Abb. 3⟩
33

Prometheus ist daher auf den alten Kunstwerken ganz wie der bildende Künstler dargestellt, so wie auch auf dem hier beigefügten Umriß, nach einem antiken geschnittenen Steine, wo zu seinen Füßen eine Vase, und vor ihm ein menschlicher Torso steht, den er, so wie jene, aus Thon gebildet, und dessen Vollendung er zum einzigen Augenmerk seiner ganzen Denkkraft gemacht zu haben scheint.

Als es dem Prometheus gelungen war, die göttliche Gestalt wieder außer sich darzustellen, brannte er vor Begierde, sein Werk zu vollenden: und er stieg hinauf zum Sonnenwagen, und zündete da die Fackel an, von deren Gluth er seinen Bildungen die ätherische Flamme in den Busen hauchte, und ihnen Wärme und Leben gab.

So ist er hier zum zweitenmal abgebildet, sitzend mit der Fackel in der Hand, über der ein Schmetterling schwebt, welcher den beseelenden Hauch andeutet, wodurch die todte Masse belebt wird. Der bildende Künstler ist zum Schöpfer geworden; seine Bildungen werden ihm gleich.

Daß Prometheus selbst ein Schöpfer göttlicher Bildungen wurde, darüber zürnte Jupiter, und dachte darauf, wie er die Menschen verderben wollte. Als daher Prometheus einst einen Stier schlachtete, und um den Jupiter zu versuchen, das Fleisch und die Knochen jedes in eine Haut gewickelt besonders legte, damit Jupiter wählen möchte, so wählte dieser mit Fleiß den schlechtern Theil, um wegen des Betruges auf den Prometheus zürnen zu können, und seinen Zorn an den Sterblichen auszulassen, die er nun plötzlich des Feuers beraubte.

34

Denn an dem Prometheus selber seinen Haß auszuüben wagte
Jupiter damals noch nicht; er suchte ihm nur sein Werk zu verderben;
aber auch dies gelang ihm nicht; denn Prometheus, der den Jammer
der Menschen nicht dulden konnte, stieg wiederum zum Sonnenwagen, und entwendete aufs neue den ätherischen Funken, den er in
dem Marke der röhrichten Pflanze verbarg, und ihn den Sterblichen
vom Himmel wiederbrachte.

Als nun Jupiter von fern den Glanz des Feuers unter den Menschen
erblickte, so dachte er aufs neue, wie er sie durch ihre eigene Thorheit
strafen wollte; während daß Prometheus fortfuhr die Menschen alle
nützliche Künste zu lehren, welche der Gebrauch des Feuers möglich
macht, und was die größte Wohlthat war, ihnen den Blick in die |
Zukunft benahm, damit sie unvermeidliche Uebel nicht voraus sehen
möchten.

Dem Jupiter also gleichsam zum Trotz suchte Prometheus seine
Menschenschöpfung und Menschenbildung zu vollenden, ob er gleich
selber wußte, daß er dereinst schrecklich würde dafür büßen müssen.
– Dieß ungleiche Verhältniß der Menschen zu den herrschenden Göttern gab nachher den Stoff zu den tragischen Dichtungen, deren Geist
in den folgenden Zeilen athmet, worin ein Dichter unserer Zeiten den
Prometheus, im Nahmen der Menschen, deren Jammer er
in seinem Busen trägt, redend einführt.

35

Prometheus.

Bedecke deinen Himmel, Zevs,
Mit Wolkendunst,
Und übe, dem Knaben gleich,
Der Disteln köpft,
An Eichen dich und Bergeshöhn;
Mußt mir meine Erde
Doch lassen stehn,

Und meine Hütte, die du nicht gebaut,
Und meinen Herd,
Um dessen Gluth
Du mich beneidest.

Ich kenne nichts ärmers   36
Unter der Sonn' als euch Götter!
Ihr nähret kümmerlich
Von Opfersteuern
Und Gebetshauch
Eure Majestät,
Und darbtet, wären
Nicht Kinder und Bettler
Hoffnungsvolle Thoren.

Da ich ein Kind war,
Nicht wußte wo aus noch ein,
Kehrt' ich mein verirrtes Auge
Zur Sonne, als wenn drüber wär'
Ein Ohr zu hören meine Klage,
Ein Herz wie mein's
Sich des Bedrängten zu erbarmen.

Wer half mir
Wider der Titanen Uebermuth?
Wer rettete vom Tode mich
Von Sklaverey?
Hast du nicht alles selbst vollendet,
Heilig glühend Herz?
Und glühtest jung und gut,
Betrogen, Rettungsdank
Dem Schlafenden da droben?

37 Ich dich ehren? Wofür?
    Hast du die Schmerzen gelindert
    Je des Beladenen?
    Hast du die Thränen gestillet
    Je des Geängsteten?
    Hat nicht mich zum Manne geschmiedet
    Die allmächtige Zeit,
    Und das ewige Schicksal
    Meine Herrn und deine?

    Wähntest du etwa,
    Ich sollte das Leben hassen,
    In Wüsten fliehen,
    Weil nicht alle
    Blüthenträume reiften?

    Hier sitz' ich, forme Menschen
    Nach meinem Bilde,
    Ein Geschlecht, das mir gleich sey,
    Zu leiden, zu weinen,
    Zu genießen und zu freuen sich,
    Und dein nicht zu achten,
    Wie ich!
                              Göthe.

Nun ließ aber Jupiter, der über den Raub des Feuers noch immer
38 zürnte, eine weibliche Ge-|stalt von Götterhänden bilden, die er mit
allen Gaben ausgeschmückt, Pandora nannte, und sandte sie mit allen
verführerischen Reitzen, und mit einer Büchse, worin das ganze Heer
von Uebeln, das den Menschen drohte, verschlossen war, zum Prometheus, der bald den Betrug erkannte, und dieß gefährliche Geschenk der Götter ausschlug.
    Da konnte Jupiter seinem Zorn nicht länger Einhalt thun, sondern
ließ den Prometheus, für seine Klugheit zu büßen, an einen Felsen

schmieden; und das Unglück kam demohngeachtet über die Menschen; denn der unvorsichtige Epimetheus, des Prometheus Bruder, ließ sich, obgleich gewarnt, durch die Reitze der P a n d o r a bethören, welche, sobald er sich mit ihr vermählt hatte, die Büchse eröfnete, woraus sich plötzlich alles Unheil über die ganze Erde, und über das Menschengeschlecht verbreitete.

Sie machte schnell den Deckel wieder zu, ehe noch die Hofnung entschlüpfte, welche, nach Jupiters Rathschluß, allein zurück blieb, um einst noch zu rechter Zeit, den Sterblichen Trost zu gewähren. Die verführerischen Reitze zu der sinnlichen Lust, brachten also auch nach dieser Dichtung zuerst das Unglück über die Menschen. Der thörichte Epimetheus vereitelte bald die vorsehende Weisheit des Prometheus. Vernunft und Thor-|heit waren sogleich bei der Bildung und Entstehung des Menschen miteinander im Kampfe. 39

Prometheus duldete nun an den Felsen geschmiedet, in seiner Person, die Qualen des Menschengeschlechts, das ihm seine Bildung dankte; die immerwährende Unruhe, und die rastlose stets unbefriedigte Begier der Sterblichen. − Es ist der vom Jupiter gesandte Geier, der dem Prometheus an der immer wieder wachsenden Leber, dem Sitz der Begierden, nagt.

So ist dieser Dulder für die Menschheit abgebildet, die Hände auf den Rücken gefesselt, sitzend, an den Felsen geschmiedet mit dem Geier auf dem Knie. −

Die vier Abbildungen auf der hier beigefügten Kupfertafel, geben einen vollständigen Ueberblick von dieser Dichtung der Alten: Prometheus bildet den Menschen; er raubt die ätherische Flamme; Pandora, sitzend, eröfnet die Büchse, woraus das Unglück über die Menschen kömmt; und Prometheus duldet an den Felsen geschmiedet.

Nachdem aus der Büchse der Pandora sich das Unglück über die Menschen verbreitet hatte, schickte Jupiter eine Sündfluth, welche das Menschengeschlecht vollends vertilgte, so daß niemand übrig blieb, als ein einziges Paar, D e u k a l i o n , ein Sohn des Prometheus, und P y r r h a , eine Tochter des Epimetheus, deren schwimmender Na-|chen, sich auf dem Berge Parnassus niederließ, wo ein Orakel der 40 Themis war, das sie wegen der Zukunft um Rath befragten.

Und das Orakel that den Ausspruch, sie sollten, um die einsame
Erde wieder zu bevölkern, mit verhülltem Antlitz, die Gebeine
ihrer Mutter hinter sich werfen. Sie deuteten diesen geheimnißvollen Ausspruch auf die Steine, welche sie als die harten und
festen Theile ihrer Mutter Erde hinter sich warfen, und gleichsam
von der wunderbaren neuen Bildung ehrfurchtsvoll ihre Blicke weg-
wandten.

Und als sie sich umsahen, war aus den harten Kieselsteinen
ein neues Geschlecht der Menschen entsprossen, deren harte Herzen
keine Gefahr und keine Drohung scheuen; die kühn das Meer be-
schiffen; den wilden Stürmen trotz bieten, und in der blutigen Feldschlacht dem Tod' ins Angesicht sehen.

Es ist merkwürdig, daß in diesen alten Dichtungen der Ursprung
der Menschen immer schon ihre Anlage zum Unbiegsamen, Harten
und Kriegerischen in sich faßt. So mußte Kadmus in dem einsamen
Böotien, auf den Befehl der Götter, die Zähne des von ihm er-
legten Drachen in die Erde säen, um seine gefallenen Krieger zu
ersetzen.

Und aus dieser Saat des Kadmus keimten geharnischte Männer auf,
41 die ihre Schwerdter | gegen einander kehrten, und eher vom Streit
nicht ruhten, bis nur noch fünfe von ihnen übrig waren, die dem
Kadmus beistanden.

In diese Bilder hüllte die Phantasie der Alten die Entstehung der
Menschen ein, die im ewigen Zwiste mit sich selber von außen oder
von innen, die Spitze ihrer inwohnenden Kraft gegen sich selber kehren, und gleichsam mit angestammter Grausamkeit, in ihr eigenes
Eingeweide wüthen.

Die Qualen des Prometheus dauerten daher so lange, bis ein Sterblicher durch Tapferkeit und unüberwindlichen Muth sich den Weg
zur Unsterblichkeit und zum Sitz der Götter bahnte, und das Menschengeschlecht mit dem Jupiter gleichsam wieder aussöhnte. – Es ist
Herkules, Jupiters und Alkmenens Sohn, der endlich mit seinen
Pfeilen den Geier tödtet, und mit Jupiters Einwilligung den Prometheus von seiner langen Qual befreiet.

Allein die goldenen Jahre der Sterblichen versetzte die Phantasie in jene Zeiten hin, wo noch kein Jupiter mit dem Donner herrschte, unter die Regierung des Saturnus, wohin man sich alles längst Vergangene, die graue Vorzeit dachte, die zwar gleich dem Saturnus, der seine Kinder verschlang, die vorüberrollenden Jahre in Vergessenheit begrub, aber auch keine Spur von blutigen Kriegen, zerstörten Städten, und unter-|jochten Völkern zurückließ, welches den Hauptstoff 42 der Geschichte ausmacht, seitdem die Menschen anfingen, ihre Begebenheiten aufzuzeichnen.

Wie die Götter lebten die Menschen damals, als noch Freiheit und Gleichheit herrschte, in Sicherheit, ohne Mühe und Sorgen; und von den Beschwerlichkeiten des Alters unbedrückt. Die Erde trug ihnen Früchte, ohne mühsam bebaut zu werden; unwissend was Krankheit war, starben sie, wie von sanftem Schlummer übermannt; und wenn der Schooß der Erde ihren Staub aufnahm, so wurden die Seelen der Abgeschiedenen, in leichte Luft gehüllt, die Schutzgeister der Ueberlebenden.

So schildern die Dichter jene goldnen Zeiten, worauf die Phantasie, von den geräuschvollen Scenen der geschäftigen Welt ermüdet, so gern verweilt. − Nachher aber wurden die Sterblichen die Mühebeladensten unter allen Geschöpfen, und die Dichter schildern die Arbeit und Beschwerden des kummervollen Lebens der Menschen immer im Gegensatz gegen den sorgenfreien Zustand der seeligen Götter.

Um die Flüchtigkeit und Vergänglichkeit des Lebens zu bezeichnen, wurde zum dankbaren Andenken des Prometheus in Athen ein schönes Fest gefeiert; ihm war nemlich in einiger Entfernung|von der 43 Stadt ein Altar errichtet, von welchem man bis zur Stadt einen Wettlauf mit Fackeln hielt. Wer mit brennender Fackel das Ziel erreichte, trug den Preis davon. Der erste, dessen Fackel unterwegens auslöschte, trat seine Stelle dem Zweiten, dieser die seinige dem Dritten ab, und so fort; wenn alle Fackeln verlöschten, so trug keiner den Sieg davon.

Die Alten liebten in ihren Dichtungen vorzüglich den tragischen Stoff, wozu das Verhältniß der Menschen gegen die Götter, so wie sie es sich dachten, nicht wenig beitrug. Auf die armen Sterblichen wird wenig Rücksicht genommen; sie sind den Göttern oft ein Spiel: ihnen bleibt nichts übrig, a l s   s i c h   d e r   e i s e r n e n   N o t h w e n d i g k e i t, u n d   d e m   u n w a n d e l b a r e n   S c h i c k s a l   z u   f ü g e n, dessen O b e r h e r r s c h a f t   s i c h   ü b e r   G ö t t e r   u n d   M e n s c h e n   e r - s t r e c k t.

44   # Die Nacht und das Fatum,

das

über Götter und Menschen herrscht.

Als Jupiter einst auf den Gott des Schlafs erzürnt war, so hüllte diesen die Nacht in ihren Mantel, und Jupiter hielt seinen Zorn zurück, d e n n   e r   f ü r c h t e t e   s i c h, d i e   s c h n e l l e   N a c h t   z u   b e t r ü b e n.

Es giebt also etwas, wovor die Götter selber Scheu tragen. Es ist das nächtliche geheimnißvolle Dunkel, worin sich noch etwas über Göt- ter und Menschen Obwaltendes verhüllt, das die Begriffe der Sterb- lichen übersteigt.

Die Nacht verbirgt, verhüllt; darum ist sie die Mutter alles Schö- nen, so wie alles Furchtbaren.

Aus ihrem Schooße wird des Tages Glanz gebohren, worin alle Bildungen sich entfalten.

Und sie ist auch die Mutter:

Des in Dunkel gehüllten S c h i c k s a l s;

Der unerbittlichen Parzen L a c h e s i s, K l o t h o und A t r o p o s;

45   Der rächenden N e m e s i s, die verborgene Vergehungen straft;

Der Brüder S c h l a f   und   T o d, wovon der eine die Menschen sanft und milde besucht, der andre aber ein eisernes Herz im Busen trägt. –

Sie ist ferner die Mutter der ganzen Schaar d e r   T r ä u m e;

Der fabelhaften Hesperiden, welche an den entferntesten
Ufern des Oceans die goldne Frucht bewahren;
  Des Betruges, der sich in Dunkel hüllt;
  Der hämischen Tadelsucht;
  Des nagenden Kummers;
  Der Mühe, welche das Ende wünscht;
  Des Hungers;
  Des verderblichen Krieges;
  Der Zweideutigkeiten im Reden, und
  Des Meineides.
Alle diese Geburten der Nacht sind dasjenige, was sich entweder
dem Blick der Sterblichen entzieht, oder was die Phantasie selbst gern
in nächtliches Dunkel hüllt.

Eine hier beigefügte Abbildung der Nacht, wie sie den Tod und den
Schlaf in ihren Mantel hüllt, | und aus einer Felsengrotte zu ihren   46
Füßen, die phantastischen Gestalten der Träume hervorblicken, ist
von dem neuern Künstler, der die Umrisse zu diesem Werk gezeich-
net, nach einer Beschreibung des Pausanias entworfen.

Pausanias erzählt nemlich, daß er auf dem Kasten des Cypselus auf
der einen Seite desselben, die Nacht in weiblicher Gestalt abgebildet
gesehen, wie sie zwei Knaben mit verschränkten, oder über einander
geschlagenen Füßen in ihren beiden Armen hielt, wovon der eine
weiß, der andre schwarz war; der eine schlief, der andere zu schlafen
schien.

In der hier beigefügten Abbildung ist der Tod durch eine umge-
kehrte Fackel und der Schlaf durch einen Mohnstengel bezeichnet.
Die Nacht selbst ist, als die fruchtbare Gebährerin aller Dinge in
jugendlicher Kraft und Schönheit dargestellt.

So ist sie auch auf einer antiken Gemme, deren Umriß ebenfalls
hier beigefügt ist, abgebildet, wie sie unter dem umschattenden Wip-
fel eines Baumes, dem Morpheus und seinen Brüdern Mohn austhei-
let. Der bildende Traumgott Morpheus, ein Sohn des Schlafs, steht in
schöner jugendlicher Gestalt vor ihr, und empfängt den Mohn aus
ihren Händen, indeß die Brüder des Morpheus, ebenfals Götter der

⟨Abb. 4⟩
47 Träume und Kinder des Schlafes, hinter ihr gebückt gehen, um | die
übrigen von ihr ausgestreueten Mohnstengel aufzulesen.

Man sieht, wie die Alten das Dunkle und Furchtbare in reitzende
Bilder einkleideten; und wie sie demohngeachtet für das höchste
Tragische empfänglich waren, indem sie sich unter dem von der
Nacht gebohrnen unvermeidlichen Schicksal oder dem Fatum das
Höhere Obwaltende dachten, dessen altes Reich, und dessen dunkle
Pläne weit außer dem menschlichen Gesichtskreise liegen;

Dessen Spuren man in dem vielfältigen Jammer laß, der die
Menschheit drückt; indem man das Unbekannte ahndete, unter
dessen Macht die untergeordneten Kräfte sich beugen müssen, und
ein wunderbares Gefallen selbst an der Darstellung schrecklicher Ereignisse, und verwüstender Zerstörung fand, indem die Einbildungskraft mit Vergnügen sich in das Gebiet der Nacht und der öden Schattenwelt verirrte.

Demohngeachtet stellt sich uns in den schönen Dichtungen der
Alten kein einziges ganz hassens und verabscheuungswürdiges Wesen
dar. – Die unerbittlichen Parzen, welche die Nacht gebohren hat, und
selbst die rächerischen Furien, sind immer noch ein Gegenstand der
Verehrung der Sterblichen.

48 Selbst die Sorgen und der drückende Kummer gehören in der Vor-
stellungsart der Alten mit | zu dem Gebiet des dunkeln Obwaltenden,
daß die stolzen Wünsche der Sterblichen hemmt, und dem Endlichen
seine Grenzen vorschreibt.

Alle diese furchtbaren Dinge treten mit in der Reihe der Göttergestalten auf, und werden nicht als ausgeschlossen gedacht, weil sie
sich in dem nothwendigen Zusammenhange der Dinge
mit befinden.

Dieser nothwendige Zusammenhang der Dinge oder die Noth-
wendigkeit selber, welche die Griechen Eimarmene nannten,
war eben jene in furchtbares Dunkel gehüllte Gottheit, welche mit
unsichtbarem Scepter alle übrigen beherrschte und deren Dienerinnen die unerbittlichen Parzen waren.

K l o t h o hält den Rocken, L a c h e s i s spinnt den Lebensfaden, und A t r o p o s mit der furchtbaren Scheere schneidet ihn ab.

Die Parzen bezeichnen die furchtbare, schreckliche Macht, der selbst die Götter unterworfen sind, und sind doch weiblich und schön gebildet, s p i n n e n d, und in den Gesang der Sirenen stimmend.

Alles ist leicht und zart bei der unbegrenzten höchsten Macht. Nichts Beschwerliches, Unbehülfliches findet hier mehr statt; aller Widerstand des Mächtigern erreicht auf diesem Gipfel seine Endschaft.

Es bedarf nur der leichtesten Berührung mit den Fingerspitzen, um 49 den Umwälzungen der Dinge ihre Bahnen, dem Mächtigen seine Schranken vorzuschreiben. Es ist d i e l e i c h t e s t e A r b e i t v o n w e i b l i c h e n H ä n d e n, wodurch der geheimnißvolle Umlauf der Dinge gelenkt wird.

Das schöne Bild von dem zart gesponnenen, mit der leichtesten Mühe zerschnittenen Lebensfaden ist durch kein andres zu ersetzen. − Der Faden reißt nicht, sondern wird absichtlich von der Hand der Parze mit dem trennenden Eisen durchschnitten. − Die Ursache des Aufhörens liegt in der Willkür der höhern Mächte, bei denen das schon fest beschlossen ist, was Götter und Menschen noch zu bewirken oder zu verhindern sich bemühen.

Vergeblich wünscht Jupiter, dem Fatum zuwider, seinem Sohne Sarpedon im Treffen vor Troja, das Leben zu erhalten. Weh mir, ruft er aus, daß mein Sarpedon jetzt, n a c h d e m S c h l u ß d e s S c h i c k - s a l s, durch die Hand des Patroklus fallen muß! und ob er nun gleich dem Fatum zuwider ihn gerne retten möchte; s o m u ß e s s i c h d o c h s o f ü g e n, daß er auf den Rath der Juno, ihn erst durch die Hand des Patroklus fallen läßt, und ihn dann dem Tode und dem süßen Schlummer übergiebt, die ihn in seine Heimath | bringen, wo seine 50 Freunde und Brüder ihn beweinen.

Dem Ulysses ist vom Schicksal bestimmt, nach der Zerstörung von Troja zehn Jahre umher zu irren, und ohne seine Gefährten, nach vielen Kummer, in seine Heimath wieder zurückzukehren. − Und gerade da, wo alles am angenehmsten und einladendsten scheinet,

lauert immer die meiste Gefahr; wie in dem ruhigen Hafen der Läs-
trigonen; bei dem Gesange der Sirenen, und beim Zaubertrank der
Circe. –

Ulysses mag das Ziel seiner Wünsche noch so nahe vor sich sehen,
so wird er doch immer wieder weit davon verschlagen; seine Thränen
und seine heißesten Wünsche sind vergebens, – bis endlich, d a e s
d a s S c h i c k s a l w i l l, die Phäazier, auf ihrem Schiffe, ihn s c h l a -
f e n d in seine Heimath bringen.

An die Vorstellung von den Parzen schloß sich in der Phantasie der
Alten das Bild von den rächerischen Furien an, und diese beiden
Dichtungen gehen zuweilen unmerklich ineinander über.

Auch die quälenden Furien sind furchtbare, schreckliche und dennoch v e r e h r t e geheimnißvolle Wesen; aus den Blutstropfen, welche
bei der ersten Gewaltthätigkeit, bei der Entmannung des Uranos die
Erde auffing, erzeugt; mit Schlangenhaaren, und Dolchen in den
Händen; uner-|bittliche Göttinnen, den Frevel und das Unrecht zu
strafen.

⟨Abb. 5⟩
51

In ähnlicher Gestalt, wie die erste Figur, nach einem antiken geschnittenen Steine aus der Stoschischen Sammlung, auf der hier beigefügten Kupfertafel, mit dem Dolch und fliegendem Haar, scheint
man sich zuweilen dasjenige gedacht zu haben, was man das f e i n d -
s e e l i g e S c h i c k s a l, oder das s c h w a r z e V e r h ä n g n i ß nannte,
und womit man den erhabenen Begriff der N o t h w e n d i g k e i t noch
nicht verknüpfte, in welchem sich alles in Harmonie auflößt, und das
Schreckenvolle verschwindet.

Lachesis, diejenige von den Parzen, welche den Faden spinnt, und
irgendwo d i e s c h ö n e T o c h t e r d e r N o t h w e n d i g k e i t genannt
wird, ist hier, ebenfalls nach einem geschnittenen Steine aus der Stoschischen Sammlung, in jugendlicher Schönheit abgebildet, sitzend
und spinnend, einen Rocken vor, den andern hinter sich, u n d z u
i h r e n F ü ß e n e i n e k o m i s c h e u n d e i n e t r a g i s c h e M a s k e.

Da man selten Abbildungen von den Parzen findet, so hat dieß
Denkmal aus dem Alterthum einen desto größern Werth; und das
B e d e u t e n d e in dieser Darstellung macht dasselbe doppelt anzie-

hend. Die tragische und komische Maske zu den Füßen der Parze ist
eine der glücklichsten Anspie-|lungen auf das Leben, wenn man einen 52
Blick auf dasselbe mit allen seinen ernsten und komischen
Scenen wirft, wozu der zarte jungfräuliche Finger der hohen Schicksalsgöttin den Faden drehet, indem die einen ihr nicht wichtiger
als die andern sind.

Auf eine ähnliche Weise, in ruhiger Stellung, sich auf eine Säule
stützend, in der Linken den Rocken sorglos haltend, und gleichsam
mit dem Schicksalsfaden spielend, ist die Parze noch einmal
auf einem andern geschnittenen Steine in der Stoschischen Sammlung abgebildet, wovon der Umriß ebenfalls hier beigefügt ist.

Diese ruhige Stellung der hohen Schicksalsgöttin, womit sie auf die
weitaussehenden Plane gleichsam lächelnd herabsieht, ist eine vorzüglich schöne Idee des alten Künstlers, von dem sich diese Bildung
herschreibt. – Während daß Götter ihre ganze Macht, und Sterbliche
alle ihre Kräfte aufbieten, um ihre Endzwecke und Absichten durch-
zusetzen, hält die hohe Göttin, spielend den Faden in der Hand, an
welchem sie die Umwälzungen der Dinge, und die stolzesten Ent-
würfe der Könige lenkt. –

Die alten Götter. 53

Die Scheidung zwischen den alten und neuen Göttern giebt den mythologischen Dichtungen einen vorzüglichen Reitz. Die alten Gottheiten sind, wie wir schon bemerkt haben, gleichsam in Nebel zurück
getreten, woraus sie nur noch schwach hervorschimmern, indeß die
neuen Götter in dem Gebiete der Phantasie ihren Platz behaupten,
und durch die bildende Kunst bestimmte Formen erhalten, in welche
sich die verkörperte Macht und Hoheit kleidet, und ein Gegenstand
der Verehrung der Sterblichen in Tempeln und heiligen Hainen wird.

Durch die alten Gottheiten aber sind die neuen gleichsam vorge-
bildet. – Das Erhabene und Göttliche, was immer schon da

w a r , läßt die Phantasie in erneuerter und jugendlicher Gestalt, von unsterblichen oder von sterblichen Müttern, wieder gebohren werden, und giebt ihm Geschlechtsfolge, Nahmen und Geburtsort, um es näher mit den Begriffen der Sterblichen zu vereinen, und mit ihren Schicksalen zu verweben.

54 Weil demohngeachtet aber die Phantasie sich an keine bestimmte Folge ihrer Erscheinungen bindet, so ist oft eine und dieselbe Gottheit, unter verschiedenen Gestalten, m e h r m a l da. Denn die Begriffe vom Göttlichen und Erhabenen w a r e n i m m e r ; allein sie hüllten sich von Zeit zu Zeit in menschliche Geschichten ein, die sich, ihrer Aehnlichkeit wegen, ineinander verlohren, und labyrintisch verflochten haben; so daß in dem Zauberspiegel der dunkeln Vorzeit, fast alle Göttergestalten, gleichsam i m v e r g r ö ß e r n d e n W i d e r s c h e i n e , s i c h n o c h e i n m a l d a r s t e l l e n ; welches die Dichter wohl genutzt haben, deren Einbildungskraft, durch den Reitz des Fabelhaften in dieser dunkeln Verwebung mehrerer Geschichten, einen desto freiern Spielraum fand.

Amor.

Ist der älteste unter den Göttern. Er war v o r a l l e n E r z e u g u n g e n da, und regte zuerst das unfruchtbare C h a o s an, daß es die Finsterniß gebahr, woraus der Aether und der Tag hervorging.

Der komische Dichter Aristophanes führt diese alte Dichtung scherzend an, indem er die Vögel redend einführt, wie sie alle den geheimnißvollen ursprünglichen Wesen F l ü g e l beilegen, um sie |
55 dadurch sich ähnlich zu bilden, und ihren eigenen erhabenen Ursprung in ihnen wieder zu finden.

Sie lassen daher den Amor selbst ehe er das Chaos befruchtet, aus einem E i hervorgehen. Die schwarzgeflügelte Nacht, heißt es, brachte das erste Ei in dem weiten Schooße des Erebus hervor, aus dem nach einiger Zeit der reitzende Amor, mit goldenen F l ü g e l n versehen, hervorkam, und indem er sich mit dem g e f l ü g e l t e n Chaos vermählte, zuerst das Geschlecht der Vögel erzeugte.

Man sieht also, daß diese Dichtungen, von den komischen Dichtern eben sowohl scherzhaft, als von den tragischen Dichtern tragisch genommen wurden; weil man sie einmal als eine Sprache der Phantasie betrachtete, worin sich Gedanken jeder Art hüllen ließen, und selbst die gewöhnlichsten Dinge einen neuen Glanz und eine blühende Farbe erhielten.

Die Dichtung vom Amor bleibt auch selber noch in der scherzhaften Einkleidung des komischen Dichters schön. – Dieser älteste Amor ist vorzüglich der erhabene Begriff von der alles erregenden und befruchtenden Liebe selber. – Unter den neuen Göttern wird Amor von der Venus gebohren, und Mars ist sein Erzeuger. – Es ist der geflügelte Knabe mit Pfeil und Bogen. – Die Wirkung von seinem Geschoß sind die schmer-|zenden Wunden der Liebe – und seine 56 Macht ist Göttern und Menschen furchtbar.

Die himmlische Venus.

Sie ist das erste Schöne, was sich aus Streit und Empörung der ursprünglichen Wesen gegen einander entwickelt und gebildet hat. – Saturnus entmannet den Uranos. Die dem Uranos entnommene Zeugungskraft befruchtet das Meer; und aus dem Schaume der Meereswellen steigt Aphrodite, die Göttin der Liebe, empor. In ihr bildet sich die himmlische Zeugungskraft zu dem vollkommenen Schönen, das alle Wesen beherrscht, und welchem von Göttern und Menschen gehuldigt wird.

Unter den neuen Göttern ist Venus eine Tochter des Jupiter, die er mit der Dione einer Tochter des Aether erzeugte. – Sie trägt unter den Göttinnen den Preis der Schönheit davon. – Sie ist mit dem Vulkan vermählt, und pflegt mit dem Mars, dem rauhen Kriegsgott, verstohlner Liebe.

Die Vorstellungen von den Göttern sind erhabener, je dunkler und unbestimmter sie sind, und je weiter sie in das Alterthum zurücktreten; sie werden aber immer reitzender und mannichfaltiger je näher das Göttliche mit dem Menschlichen sich verknüpft; und jene

⁵⁷ erhabenen Vorstellungen | schimmern dennoch immer durch, weil die
Phantasie die Zartheit und Bildsamkeit des Neuen mit der Hoheit des
Alten wieder überkleidet.

Aurora.

H y p e r i o n, ein Sohn des Himmels und der Erde, erzeugte mit der
T h i a, einer Tochter des Himmels, die A u r o r a, den H e l i o s, und
die S e l e n e. Anstatt des Helios und der Selene treten unter den
neuen Göttern A p o l l und D i a n a auf. Aurora aber schimmert, selbst
unter den neuen Gottheiten, in ursprünglicher Schönheit und Jugend
hervor.

Sie vermählt sich mit dem A s t r ä u s aus dem Titanengeschlechte,
einem Sohne des K r i u s, und gebiehrt die s t a r k e n W i n d e, und
den M o r g e n s t e r n. − Man siehet, daß sie zu den alten Göttergestalten
gehört, die eigentlich als erhabene N a t u r e r s c h e i n u n g e n
betrachtet wurden, und welche die Einbildungskraft nur gleichsam
mit w e n i g e n g r o ß e n U m r i s s e n, als zu Personen gebildete Wesen
darstellte. − Sie erscheint in der Frühe, aus der dunkeln Luft, mit
Rosenfingern den Schleier der Nacht aufhebend, und leuchtet den
Sterblichen eine Weile, und verschwindet wieder vor dem Glanz des
Tages.

⁵⁸   ## Helios.

Der Lenker des Sonnenwagens ist ebenfalls eine von den Göttergestalten,
die nur durch wenige große Umrisse, als zu Personen gebildete
Wesen dargestellt sind. Denn es ist immer die leuchtende Sonne
selbst, welche in den Bildern vom Helios durchschimmert.

Das Haupt des Helios ist mit Strahlen umgeben. Er leuchtet den
sterblichen Menschen und den unsterblichen Göttern. Er siehet und
höret alles, und entdeckt das Verborgene. Ihm waren auf der Insel
Sicilien die feisten Rinder heilig, die ohne Hirten weideten, und an
denen er sich ergötzte, so oft er am Himmel aufging und unterging.

Als die Gefährten des Ulysses einige dieser Rinder geschlachtet hatten so drohte der Sonnengott, daß er in den Orkus hinabsteigen, und unter den Todten leuchten wolle, wenn Jupiter den Frevel nicht rächte. Und Jupiter zerschmetterte bald das Schiff des Ulysses, dessen Gefährten alle ein Raub der Wellen wurden. Zuweilen führt der Sonnengott auch von den Titanen, aus deren Geschlechte er war, den Nahmen T i t a n ; und von seinem Erzeuger, mit dem er in den alten Dichtungen zuweilen verwechselt wird; den Nahmen H y p e r i o n , der das Hohe und Erhabene bezeichnet.

Unter den n e u e n G ö t t e r n heißt der Lenker des Sonnenwagens 59 A p o l l o , und ist ein Sohn Jupiters, der ihn und die D i a n a mit der L a t o n a erzeugte, die aus dem Titanengeschlechte eine Tochter des C ö u s und der P h ö b e war.

Dieser Apollo ist eine bis auf die feinsten Züge a u s g e b i l d e t e Göttergestalt, von der Phantasie mit dem Reitze ewiger Jugend und Schönheit geschmückt; der fernhintreffende Gott, den silbernen Bogen spannend, und der Vater der Dichter, die goldne Zitter schlagend.

Da nun Apollo nicht zu gleicher Zeit auf Erden der Gott der Dichtkunst und der Tonkunst seyn, die Götter im Olymp mit Saitenspiel und Gesang ergötzen, und auch den Sonnenwagen lenken kann; so scheint es, als habe die Phantasie der Dichter, den Apollo und Helios sich zu e i n e m Wesen gebildet, daß sich gleichsam in sich selbst verjüngt, indem es im Himmel als leuchtende Sonne v o n A l t e r s h e r auf und untergeht, und auf Erden in jugendlicher Schönheit, n e u g e b o h r e n , wandelnd, mit goldenen Locken, ein unsterblicher Jüngling, die Herzen der Götter und Menschen mit Saitenspiel und Gesang erfreuet.

Selene.

Das Geschäft der Selene oder der Luna, ebenfalls einer Tochter des Hyperion, ist, mit ihrem | sanften Scheine die Nacht zu erleuchten. – 60 Unter den n e u e n Gottheiten heißt diejenige, welche den Wagen des Mondes lenkt, D i a n a , und ist eine Tochter des Jupiter, die er, so wie den Apollo, mit der Latona erzeugte.

Diana ist gleich dem Apoll mit Köcher und Bogen abgebildet; denn sie ist zugleich die Göttin der J a g d . In ihr hat sich die Tochter Hyperions verjüngt, mit der sie, so wie Apollo mit dem Helios, gleichsam ein Wesen ausmacht; indem sie am Himmel v o n A l t e r s h e r, als Luna, allnächtlich den Wagen des Mondes lenkt, und auf Erden in jugendlicher Schönheit n e u g e b o h r e n, von ihren Nymphen begleitet, mit Köcher und Bogen einhergeht, und in den Wäldern sich mit der Jagd ergötzt.

So wie Selene und Helios, von dem Titanen Hyperion, sind Apollo und Diana, vom J u p i t e r erzeugt, der die Titanen verdrängt hat, und von dem sich nun die Reihe der neuen Göttererzeugungen herschreibt, weswegen er d e r V a t e r d e r G ö t t e r heißt.

Hekate.

Der Titane C ö u s erzeugte mit der P h ö b e , einer Tochter des Himmels, außer der Latona auch die A s t e r i a . Diese vermählte sich mit dem P e r -|s e s einem Sohne des Titanen K r i u s , und gebahr ihm die H e k a t e, welche, obgleich aus dem Geschlecht der Titanen entsprossen, vom Jupiter vorzüglich geehrt wurde.

Denn sie gehört zu den nächtlichen geheimnißvollen Wesen, deren Macht sich weit erstreckt. Sie ist zugleich eine Art von Schicksalsgöttin, in deren Händen das Loos der Menschen steht; sie theilt nach Gefallen Sieg und Ruhm aus; sie herrscht über Erde, Meer, und Lüfte; den neugebohrnen Kindern giebt sie Wachsthum und Gedeihen; und alle verborgenen Z a u b e r k r ä f t e stehen ihr zu Gebote.

Auch diese alte geheimnißvolle Gottheit läßt die Phantasie in der Gestalt der n ä c h t l i c h l e u c h t e n d e n Diana sich verjüngen, und mit dieser gleichsam neu wieder geboren werden. — Die neue Gottheit, worauf Gedanke und Einbildung einmal haftet, zieht das Aehnliche und Verwandte in sich hinüber, und überformt es in sich.

Oceanus.

Ein Sohn des Himmels und der Erde, vermählte sich mit der Tethys, einer Tochter des Himmels, und erzeugte die Flüsse und Quellen. Er nahm an dem Götterkriege keinen Antheil; demohngeachtet aber ist er unter die alten Gottheiten | zurückgewichen, die durch die Vereh- 62 rung der neuen Götter gleichsam in Schatten gestellt sind. Denn als Jupiter die Titanen besiegt hatte, so theilte er sich mit seinen Brüdern, dem Neptun und Pluto, in die Oberherrschaft, so daß Jupiter den Himmel, N e p t u n d a s M e e r, und Pluto die Unterwelt beherrschte.

Neptun ist also der König über die Gewässer, und des Oceanus wird selten mehr gedacht; obgleich die äußersten Grenzen der Erde, da wo nach der alten Vorstellungsart, die Sonne ins Meer sank, das eigentliche Gebiet des a l t e n O c e a n u s sind, das aber gleichsam zu entfernt liegt, als daß die Phantasie darauf hätte haften können.

N e p t u n hingegen bezeichnet die Meeresfluthen, in so fern sie mit Schiffen befahren werden, und er entweder Stürme erregt, oder mit seinem mächtigen Dreizack die Meereswogen bändigt. Darum wurden ihm allenthalben Tempel erbaut, Altäre geweiht, und Opfer dargebracht.

Als Juno einst, bei dem Kriege vor Troja, um den Jupiter zu überlisten, sich den Liebeeinflößenden Gürtel der Venus erbat, so that sie es unter dem Vorwande, sie wolle sich dieses Gürtels bedienen, um an den Grenzen der Erde, bei dem Oceanus und der Tethys, von denen sie zu der Zeit des Saturnus liebevoll gepflegt und erzogen sey, einen alten Zwist, wodurch dies Götterpaar schon lange entzweiet wäre, beizulegen. −

Diese beiden alten Gottheiten werden also wie ganz entfernt von 63 der Regierung und den Geschäften der neuen Götter dargestellt; und ihrer nur gedacht, indem ihre alten Zwiste der Juno zum Vorwande dienen, den Gürtel der Venus zu erhalten, womit sie den Jupiter überlisten will.

Die Oceaniden.

Die Söhne und Töchter des Oceanus sind die Flüsse und Quellen. Die Töchter des Oceans werden von dem ersten tragischen Dichter der Griechen aufgeführt, wie sie den Prometheus, der an den Felsen geschmiedet ist, beklagen, und über die Tyrannei des neuen Herrschers der Götter mit ihm seufzen.

Metis.

Eine Tochter des Oceans vermählte sich mit dem Jupiter; allein sie ward ihm furchtbar, weil sie einen Sohn gebähren sollte, der über alle Götter herrschen würde. – Jupiter zog sie in sich hinüber und gebahr selbst von ihr die Minerva aus seinem Haupte.

Eurynome.

Eine Tochter des Oceans vermählte sich ebenfalls mit dem Jupiter, 64 und gebahr ihm die Gra-|zien Aglaja, Thalia, und Euphrosine, deren Augen Liebe einflößen, und die freundlich unter den Augenbrauen hervorblicken.

Styx.

Die geehrteste unter den Töchtern des Oceans, die mit dem Pallas aus dem Titanengeschlechte, einem Sohne des Krius sich vermählte, und ihm die mächtigen Söhne, Kampf und Sieg, Gewalt und Stärke gebahr.

Auf den Rath ihres Erzeugers ging die Styx mit ihren Söhnen, in dem Götterkriege, zu dem Jupiter über; und seit der Zeit haben ihre Söhne beständig beim Jupiter ihren Sitz.

Gewalt und Stärke mußten auf den Befehl des Jupiter den Prometheus zu dem Felsen führen, woran er geschmiedet wurde. Jupiter siegte mit List über die Titanen, indem er die stärksten von ihnen zu seiner Parthei zu ziehen wußte.

Die drei Söhne des Titanen Krius, Pallas mit der Styx, Perses mit der Asteria der Mutter der Hekate, und Asträus mit der Aurora vermählt, treten in Dunkel zurück, und die folgenden Dichtungen scheinen vorauszusetzen, daß sie in dem Götterkriege, gegen den Jupiter| gestritten, und mit ihrem Erzeuger und den übrigen Titanen in den 65 Tartarus geschleudert sind.

Bei diesen Titanen im Tartarus und bei der furchtbaren Styx, dem unterirdischen Quell, dessen Wasser im nächtlichen Dunkel vom hoch sich wölbenden Felsen träufelt, und den Fluß bildet, über welchen keine Rückkehr statt findet, schwören die Götter den schrecklichen unverletzlichen Schwur, von dessen Banden keine Macht im Himmel und auf Erden befreien kann.

Die hohen Götter können nur bei dem Tiefen schwören, wo Nacht und Finsterniß herrscht, wo aber auch zugleich die Grundfeste der Dinge ist, auf der die Erhaltung des Daseyns aller Wesen beruht.

Denn da, wo sich die schwarze Styx ergießt, ist der finstre Tartarus mit eherner Mauer umschlossen, und von dreifacher Nacht umgeben. Hier ist es, wo die Titanen im dunkeln Kerker sitzen. Hier sind aber auch zugleich nach der alten Dichtung die Grundsäulen der Erde, des Meeres und des gestirnten Himmels.

Hier an den entfernten Ufern des Oceans ist auch die unaufhörlich mit schwarzen Wolken bedeckte Wohnung der Nacht; und Atlas der Sohn des Japet steht davor, mit unermüdetem Haupt und Händen die Last des Himmels tragend. Da, wo Tag und Nacht einander sich stets begegnen, und niemals beisammen wohnen.

Hier war es auch, wo Kottus, Gyges, und Briareus in den Tiefen des 66 Oceans ihre Behausung hatten, und den Eingang zu dem Kerker der Titanen bewachten.

Mnemosyne.

Auch diese schöne Bildung der Phantasie gehört zu den alten Gottheiten; denn sie ist eine Tochter des Himmels und der Erde. Ihr
schöner Nahme bezeichnet das D e n k e n d e, sich Z u r ü c k e r i n -
n e r n d e, welches in ihr aus der Vermählung des Himmels mit der
Erde entstand. – Sie blieb jungfräulich unter den Titanen, bis Jupiter
sich mit ihr vermählte, und d i e M u s e n mit ihr erzeugte, die den
Schatz des Wissens unter sich theilten, den ihre erhabene Mutter
vereint besaß.

Themis.

Auch diese war eine Tochter des Himmels und der Erde, welche
Prometheus bei dem tragischen Dichter, der ihn leidend darstellt,
seine M u t t e r nennt, die ihm, wie auch die Erde, als eine Gestalt
unter vielen Nahmen, die Zukunft weißagte.

Wir haben schon bemerkt, daß die alten Götter noch durch Rath
67 und Weißagung Einfluß hat-|ten. Die Erde selber war das älteste Ora-
kel, und an diese schloß sich am nächsten die Themis an, welche nach
der Ueberschwemmung der Erde, dem Deukalion und der Pyrrha, auf
dem Parnaß, den schon angeführten Orakelspruch ertheilte, sie sollten, um das Menschengeschlecht wieder herzustellen, die Gebeine
ihrer Mutter mit verhülltem Antlitz hinter sich werfen.

Die Themis lehrte den Prometheus in die Zukunft blicken, und da
die Titanen in dem Götterkriege seinem Rath nicht folgten, so ging er
mit ihr zum Jupiter über, dem er durch klugen Rath die Titanen
besiegen half, wofür dieser ihn nachher mit Schmach und Pein be-
lohnte.

Mit der Themis aber vermählte sich Jupiter, und erzeugte mit ihr
die Eunomia, Dice, und Irene, welche auch Horen genannt wurden;
Göttinnen der Eintracht befördernden Gerechtigkeit und Gefährtinnen der Grazien, welche ebenfalls Töchter des Jupiter, Hand in Hand
geschlungen, ein schönes Sinnbild wohlwollender Freundschaft sind.

Themis selber behauptet auch unter den neuen Gottheiten, als die Göttin der G e r e c h t i g k e i t ihren Platz. So wie sie dem Prometheus die Zukunft enthüllte, nahm sie sich auch der Menschen an, die sein Werk waren, und durch die Befolgung ihres Orakelspruchs nach der Deukalio-|nischen Ueberschwemmung, aufs neue aus h a r t e n   S t e i -   68 n e n wieder gebildet wurden. – Auch erwähnen die alten Dichtungen der A s t r ä a einer Tochter der Themis, die von den Schutzgöttinnen der Sterblichen am längsten bei ihnen verweilte, bis sie zuletzt gen Himmel entfloh, da der Frevel der Menschen überhand nahm, und weder G e r e c h t i g k e i t noch S c h e u mehr galt.

Weil die Themis dem Jupiter die Zukunft oder den Schluß des Schicksals enthüllte, so läßt eine besondere Dichtung auch die Parzen Lachesis, Klotho und Atropos, die Töchter der alten Nacht, vom Jupiter wieder erzeugt, und von der Themis gebohren werden. Die Parzen sind also in diesen Dichtungen eine doppelte Erscheinung, einmal als Töchter der alten Nacht und als Dienerinnen des Schicksals, über den Jupiter weit erhaben; und dann als Töchter des Jupiter, die n a c h d e m W i l l e n d e s S c h i c k s a l s , seine Rathschlüsse vollziehen.

Die d o p p e l t e n E r s c h e i n u n g e n der Göttergestalten, sind in diesem traumähnlichen Gewebe der Phantasie nicht selten; was vor dem Jupiter da war, wird, da der Lauf der Zeiten mit ihm aufs neue beginnt, noch einmal wieder von ihm erzeugt, um seine Macht zu verherrlichen, und ihn zum Va t e r d e r G ö t t e r zu erheben. – Die Dichter haben von jeher das Schwankende in die-|sen Dichtungen zu   69 ihrem Vortheil benutzt, und sich ihrer als einer h ö h e r n S p r a c h e bedient, um das Erhabene anzudeuten, was oft vor den trunkenen Sinnen schwebt, und der Gedanke nicht fassen kann.

Pontus.

Die Erde erzeugte aus sich selber den Uranos oder den Himmel, der sie umwölbet; die hohen Berge mit ihren waldigten Gipfeln; und den P o n t u s oder das unfruchtbare Meer; hierauf gebahr sie erst, indem

sie sich mit dem Himmel vermählte den entfernten grundlosen
O c e a n .

Den P o n t u s oder das m i t t e l l ä n d i s c h e bekannte befahrne
Meer, trägt die Erde, so wie die Berge, gleichsam i n i h r e m S c h o o -
ß e , das heißt in dieser Dichtung, sie hat diese großen Erscheinungen
aus sich selbst erzeugt; und aus den aufsteigenden Nebeldünsten hat
sie den umwölbenden Luftkreis um sich her gewebt.

Da aber, wo der Himmel sich gleichsam mit ihr vermählt, indem
seine Wölbung auf ihr zu ruhen scheint, am ä u ß e r s t e n w e s t l i -
c h e n H o r i z o n t e , wo die Sonne ins Meer sinkt, breitet sich erst in
weiten Kreisen der unbekannte unbegrenzte Ocean um sie her, der
nach der alten Dichtung, aus der Berührung oder Begattung des Himmels und der Erde gebohren ward.

70   Der Pontus oder das Meer, das die Erde in ihrem Schooße trägt,
vermählte sich mit seiner Mutter Erde, und erzeugte mit ihr den
sanften N e r e u s , den T h a u m a s , die E u r y b i a , die ein eisernes
Herz im Busen trägt, den P h o r k y s und die schöne C e t o .

Nereus.

In dem Nereus gab die Dichtung der sanften ruhigen Meeresfläche
Persönlichkeit und Bildung. Er ist wahrhaft und milde, und vergißt
des Rechts und der Billigkeit nie; liebt Mäßigung und haßt Gewalt.
Mit ruhigem Blick schaut er in die Zukunft hin, und sagt die kom-
menden Schicksale vorher.

Ein Dichter aus dem Alterthum führt ihn redend ein, wie er bei
W i n d und M e e r e s s t i l l e , dem Paris, welcher die Helena aus
Griechenland entführt, das Schicksal von Troja vorher verkündigt.

Er vermählte sich mit der D o r i s , der schönen Tochter des Ocean;
und dieses Götterpaar, sich zärtlich umarmend, und auf den Wellen
des Meeres sanft emporgetragen, ist eines der schönsten Bilder der
Phantasie aus jenen Zeiten, wo man den großen unübersehbaren
71 Massen so gern Form und Bildung gab. – Nereus, der Gott | der ru-
higen Meeresfläche, erzeugte mit der D o r i s , der Tochter des Ocean:

Die Nereiden.

Ihrer ist eben so wie der Töchter des Ocean eine große Zahl. — Das wüste Meer wurde durch diese Bildungen der Phantasie ein Aufenthalt hoher Wesen, die da, wo Sterbliche ihr Grab finden würden, ihre glänzende Wohnung hatten, und von Zeit zu Zeit sich auf der stillen Meeresfläche zeigten, welches zu reitzenden Dichtungen Anlaß gab.

So stieg einst G a l a t e a , eine Tochter des Nereus, aus den Wellen empor, welche der Riese Polyphem erblickte, der sich plötzlich vom Pfeil der Liebe verwundet fühlte, und so oft sie nachher sich zeigte, ihr sein Leid vergeblich klagte.

T h e t i s , eine Tochter des Nereus, welche mit der Tethys, einer Tochter des Himmels und Vermählten des Oceans, nicht zu verwechseln ist, wurde, eben so wie die M e t i s , dem Jupiter, der sich mit ihr vermählen wollte, furchtbar, als ihn die Prophezeihung schreckte: sie würde einen Sohn gebähren, der würde mächtiger als sein Vater seyn.

Durch die Veranstaltung der Götter wurde sie daher mit dem Könige Peleus vermählt, der | den Achill mit ihr erzeugte, welcher mäch- 72 tiger als sein Vater wurde; denn die Thetis tauchte ihn in den Styx, wodurch er, ausgenommen an der Ferse, woran sie ihn hielt, unverwundbar ward, aber auch gerade an dieser einzigen verwundbaren Stelle, in dem Kriege vor Troja, die tödtliche Wunde empfing.

Noch sagt die Dichtung, daß diese Thetis einst, da die neuen Götter den Jupiter binden wollten, und der wahrsagende Nereus ihr dieß entdeckte, den hundertärmigen B r i a r e u s aus der Tiefe des Meers hervorrief, der sich neben den Donnerer setzte, worauf es keiner der Götter wagte, die Hand an den Jupiter zu legen.

Mit der A m p h i t r i t e , einer Tochter des Nereus, vermählte sich N e p t u n ; sie tritt also unter den neuen Gottheiten majestätisch auf, und wird abgebildet, wie sie gleich dem Gott, dem sie vermählt ist, den mächtigen Dreizack in der Hand hält, und die wilden Fluthen bändigt.

Von funfzig Töchtern des Nereus sind die Nahmen aufgezeichnet, allein nur wenige unter ihnen sind in die fernere Geschichte der

Götter verflochten; die übrigen machen das Gefolge glänzend, wenn
Thetis oder Amphitrite aus dem Meer emporsteigt.

73   Thaumas.

Das S t a u n e n und die Ve r w u n d e r u n g über die großen Erscheinungen der Natur, ist aus dem Meer erzeugt, und wird, obgleich nur
mit wenigen Umrissen, in dem T h a u m a s, einem Sohne des Pontus
als persönlich dargestellt.

Thaumas vermählt sich mit der E l e k t r a, einer Tochter des Ocean,
und erzeugt mit ihr die b e w u n d e r n s w ü r d i g s t e E r s c h e i n u n g,
den vielfarbigten Regenbogen, der wegen der S c h n e l l i g k e i t, womit seine Füße die Erde berühren, indeß sein Haupt noch in die
Wolken ragt, unter dem Nahmen I r i s, als die B o t i n der Götter
dargestellt wird, die in der neuen Göttergeschichte zum öftern han-
delnd wieder auftritt.

T h a u m a s mit der Elektra erzeugte auch die s c h n e l l e n geflügelten H a r p y e n, Aello und Ocypete, den Sterblichen e i n S c h r e-
c k e n, die, gleich den reißenden Wirbelwinden, dem Meer entsteigen, und unaufhaltsam ihren Raub mit sich hinwegführen.

                               Eurybia.

Eine Tochter des Pontus, die ein eisernes Herz im Busen trägt, und
mit dem Titanen K r i u s sich vermählt, dem sie die starken Söhne,
A s t r ä u s, P a l l a s, und P e r s e s gebiehrt; sie ist eine dunkle Erscheinung, die in Nacht zurücktritt.

Phorkys und die schöne Ceto

oder

die Erzeugung der Ungeheuer.

Phorkys, ein Sohn des P o n t u s , erzeugte mit der schönen Ceto, einer Tochter des Pontus:

Die G r ä e n : D i n o , P e p h r e d o , und E n y o ; die ewigen alten drei schwanenweißen Jungfrauen, die von ihrer Geburt an g r a u waren, nur einen Zahn und ein Auge hatten, und an den äußersten Grenzen der Erde wohnten, wo die Behausung der Nacht ist, und wo sie nie von der Sonne, noch von dem Lichte des Mondes beschienen wurden.

Die G o r g o n e n , Schwestern der Gräen, mit furchtbarem Antlitz und Schlangenhaaren, E u r y a l e , S t h e n o , und M e d u s a .

Den D r a c h e n , der an den äußersten Grenzen der Erde die goldenen Aepfel der Hesperiden bewacht.

Aus dem Blute der Medusa, da sie vom Perseus enthauptet wurde, sprang C h r y s a o r mit goldnem Schwerdte, und der g e f l ü g e l t e P e g a s u s hervor.

Chrysaor vermählte sich mit der Kallirhoe, einer Tochter des Oceans, und erzeugte mit ihr den dreiköpfigten G e r y o n und die E c h i d n a , halb | Nymphe mit schwarzen Augen und blühenden Wangen, und halb ein ungeheurer Drache; mit dieser erzeugte T y - p h a o n , ein heulender Sturmwind:

Den dreiköpfigten Hund C e r b e r u s ;

Den zweiköpfigten Hund O r t h r u s ;

Die L e r n ä i s c h e S c h l a n g e ;

Die f e u e r s p e i e n d e C h i m ä r a , mit dem Antlitz des Löwen, dem Leib der Ziege, und dem Schweif des Drachen, − und zuletzt gebahr die Echidna, nachdem sie sich mit dem O r t h r u s begattet hatte,

Den n e m ä i s c h e n Löwen, und

Die räthselhafte S p h i n x mit dem jungfräulichen Antlitz und den Löwenklauen.

Dieß ist die Nachkommenschaft des Phorkys und der schönen Ceto. – Die Erzeugung der Ungeheuer endigt sich mit der Geburt des G e - h e i m n i ß v o l l e n und R ä t h s e l h a f t e n, worin die alten Aussprüche und dunkeln Sagen der Vorzeit gehüllet sind. –

Und so wie die Nacht die Mutter des Verborgenen, Unbekannten ist, wie z. B. der Hesperiden, die an den entferntesten Ufern des Oceans die goldnen Aepfel bewahren; so läßt die Phantasie die Ungeheuer, wie z. B. den Drachen, der diese goldene Frucht bewacht, dem M e e r entstammen.

76   Allein diese Ungeheuer entstehen nur, um in der Folge die Tapferkeit und den Muth zu prüfen, und von Götterentstammten Helden besiegt zu werden, die durch kühne Thaten sich den Weg zur Unsterblichkeit bahnen.

Die Flüsse.

Auch den Flüssen gab die Einbildungskraft Persönlichkeit. – Sie gehören als Söhne des Oceans zu den alten Gottheiten, und sind zum Theil in die folgende Göttergeschichte als handelnde Wesen mit verflochten, wie z. B. S k a m a n d e r, A c h e l o u s, P e n e u s, A l p h ä u s, I n a c h u s.

Die Bildung der Flußgötter giebt zu schönen Dichtungen Anlaß; der Stammvater eines Volks, z. B. dessen Ursprung nicht weiter zu erforschen ist, heißt der Sohn des Flusses, an welchem seine Nachkommen wohnen. Durch diese Dichtungen knüpfte die leblose Natur sich näher an die Menschen an, und man dachte sich gleichsam näher mit ihr v e r w a n d t.

Proteus.

Ein Sohn des Oceans und der Tethys; der Hüter der Meerkälber; welcher gleich der geheim-|nißvollen Natur, die unter tausend ab- 77 wechselnden Gestalten den forschenden Blicken der Sterblichen entschlüpft, sich in Feuer und Wasser, Thier und Pflanze verwandeln konnte, und nur denen, die unter jeder Verwandelung ihn mit starken Armen fest hielten, zuletzt in seiner eigenen Gestalt erschien, und ihnen das W a h r e entdeckte.

Chiron.

Schon Saturnus pflog einer verstohlnen Liebe mit der P h i l y r a , einer Tochter des Flußgottes Asopus. Indem er sich mit ihr begattete, verwandelte er sich, um die eifersüchtigen Blicke der R h e a zu täuschen, in ein Pferd, und erzeugte mit der Philyra den Chiron, der halb Mensch halb Pferd, dennoch Schätze hoher Weisheit in sich schloß, und in der Folge der Erzieher von Königen und Helden ward, die ihm ihre Tugenden und ihre Bildung dankten.

Atlas.

Unter den Nachkommen der Titanen ist Atlas einer von den großen Göttergestalten, die in die Folge der fabelhaften Geschichte zum öftern wieder verflochten werden: Jupiter vermählte sich mit seiner Tochter der M a j a , und erzeugte mit ihr den M e r k u r , welcher daher ein Enkel des Atlas heißt.

Nemesis.   78

Sie ist, wie die Parzen, eine Tochter der Nacht; sie hemmet Stolz und Uebermuth, straft und belohnt nach gerechtem M a a ß , und ahndet verborgnen Frevel. Sie gehört unter den alten Gottheiten zu den hohen geheimnißvollen Wesen, die von Göttern und Menschen mit

Ehrfurcht betrachtet werden. Und unter den neuen Göttern behauptet sie bleibend und herrschend ihren Platz.

Prometheus.

Der Weiseste unter den Titanen, dessen schöpferischer Genius die Menschen bildete, hat, wie die meisten alten Gottheiten, nur noch durch Weißagung und Rath in die Folge der Göttergeschichte Einfluß; seine große Erscheinung tritt in Nebel zurück.

79

Jupiter,

der Vater der Götter.

In der Darstellung der alten Götter spielt die Phantasie der Dichter mit lauter großen Bildern. – Es sind die großen Erscheinungen der Natur; der Himmel und die Erde, das Meer, die Morgenröthe, die Macht der sich empörenden Elemente unter dem Bilde der Titanen, die strahlende Sonne und der leuchtende Mond, welche alle nur mit wenigen Zügen, als persönliche Wesen dargestellt, in Reihe und Glied mit stehen, und mehr Stoff für die Dichtkunst als für die bildende Kunst darbieten.

Aus dem Nebel dieser Erscheinungen treten die neuen Göttergestalten in Sonnenglanz hervor. – Der mächtige Donnergott mit dem Adler zu seinen Füßen; Neptun, der Erderschütterer, mit dem mächtigen Dreizack; die majestätische Juno; der ewig junge Apoll mit dem silbernen Bogen; die blauäugigte Minerva mit Helm und Spieß; die goldne Aphrodite; die jungfräuliche Diana mit Köcher und Bogen; der eherne Kriegsgott, Mars; Merkur, der schnelle Götterbote. –

80   Auf den Jupiter selber fällt der höchste Glanz zurück; denn er ist der Erzeuger der strahlenden Gestalten, die in jugendlicher Schönheit neu hervorgehen. – Neptun und Pluto, Juno, Vesta und die befruchtende Ceres sind unter den neuen Göttern mit ihm zu-

gleich vom Saturnus erzeugt, und von der Rhea gebohren; vom Jupiter selber ist die größre Zahl der neuen Götter entsprossen.

Unter den alten Gottheiten erzeugte Jupiter schon:

Mit der M e t i s, einer Tochter des Oceans, die Minerva;

Mit der M n e m o s y n e, einer Tochter des Himmels, die Musen;

Mit der T h e m i s, einer Tochter des Himmels, die Göttinnen der Eintracht und Gerechtigkeit;

Mit der E u r y n o m e, einer Tochter des Oceans, die Grazien;

Mit der L a t o n a, einer Tochter des Cöus und der Phöbe, den Apoll und die Diana;

Mit der M a j a, einer Tochter des Atlas, den Merkur.

Allein alle diese hohen Göttinnen und erhabnen Mütter himmlischer Wesen, treten dennoch in Schatten zurück, gegen die herrschende J u n o, die vor allen das Recht behauptet, die Vermählte des Donnergottes zu seyn, und deren E i f e r s u c h t dem | Jupiter, nach- 81 dem er schon lange die Titanen besiegt, und die Giganten überwunden hat, noch oft den Glanz seiner Göttermacht verleidet.

In die G ö t t e r e h e des Jupiter und der Juno trug die Dichtung auch die menschlichen Verhältnisse hinüber, welche nach den Begriffen einer G o t t h e i t d e s V e r s t a n d e s freilich thöricht und lächerlich waren, aber nicht nach dem Begriff einer G o t t h e i t d e r P h a n t a s i e, deren nachahmende Bildungskraft sich eben sowohl ihre Götter nach dem Bilde der Menschen, als ihre Menschen nach dem Bilde der Götter schuf, leise ahndend, daß die Menschheit beides in sich vereinigt.

In diesem Sinne ist Juno auch d i e G ö t t i n d e r E h e, und gebahr dem Jupiter die L u c i n a oder I l i t h y a, welche den Schwangern bei ihrer Entbindung beisteht. Mit ihr erzeugte Jupiter auch die H e b e, oder die Göttin der Jugend, ein Sinnbild der Fortpflanzung, wodurch die Gattung immer neu gebohren, in ewiger Jugend sich erhält. Diese Göttin ist dereinst dem Herkules, wenn er durch große und schöne Thaten sich die Unsterblichkeit erworben, zum Lohn der Tugend und Tapferkeit bestimmt.

Juno gebahr aber auch dem Jupiter den unversöhnlichen M a r s , den schrecklichen Kriegesgott, auf welchen Jupiter oftmals zürnte, und | ihn vom Himmel zu schleudern drohte, aber seiner schonte, w e i l e r s e i n e i g e n e r S o h n w a r .

82

Den V u l k a n gebahr die Juno ohne Begattung, dem Jupiter zum Trotz, weil dieser die Minerva aus seinem Haupte geboren hatte. − Es sind die beiden b i l d e n d e n G o t t h e i t e n , in deren Hervorbringung Jupiter und Juno wetteifern. − Was nun aber die Entwickelung des Hohen und Göttlichen verhindert und erschwert, das ist bei den Erzeugungen des Jupiter

Die Eifersucht der Juno.

Eben so wie Jupiter, da er kaum gebohren war, nur mit Mühe vor den Nachstellungen der verfolgenden zerstörenden Macht gerettet werden konnte, und seine Wächter um seine Lagerstatt ein wildes Getöse erheben mußten, damit Saturnus die Stimme des w e i n e n d e n K i n - d e s nicht vernehmen möchte;

So suchte auch die Tochter des Saturnus, das neugebildete Hohe und Göttliche, wo möglich, in seinem Keime zu zerstören, und seine Geburt mit furchtbarer Macht zu hindern, damit es nie das Licht des Tages erblicken möchte.

Als die s a n f t e L a t o n a den Apollo und die Diana, dem Jupiter gebähren sollte, so ließ Juno|sie durch einen Drachen verfolgen, u n d b e s c h w u r d i e E r d e , i h r k e i n e n P l a t z z u r E n t b i n d u n g z u v e r g ö n n e n . − Die Insel D e l o s war, als ein schwimmendes Eiland, das keine bleibende Stätte hatte, nicht mit unter dem Schwur begriffen; hier fand Latona erst, wo ihr Fuß ruhen konnte. Dieses Eiland war es, wo sie zwischen einem Oehlbaum und Palmbaum zuerst die Diana und dann den Apollo gebahr.

83

Da S e m e l e , die Tochter des Kadmus in Theben, vom Jupiter den Bachus gebähren sollte, so wußte Juno, unter der Gestalt ihrer Amme, sie mit schwarzem Trug zu überreden, sie solle den Jupiter schwören lassen, er wolle ihr eben so erscheinen, als wenn er der Juno Bett bestiege; Jupiter erschien ihr in der Gestalt des Donnergottes, und Semele ward ein Raub der Flammen; den jungen Bachus rettete Jupiter und verbarg ihn in seine Hüfte.

Und als nachher Alkmene vom Herkules, dem Sohne des Jupiter, entbunden werden sollte, so setzte sich Juno vor der Thür des Hauses auf einem Steine nieder, mit beiden Händen ihre Knie umschlungen, und machte auf die Weise der Mutter des Herkules die Entbindung schwer. Den Herkules selbst verfolgte sie von seiner Kindheit an, wodurch sein Heldenmuth geprüft, seine Brust gestählt, und | ihm der Weg zur Unsterblichkeit und zum Sitz der Götter ge- 84 bahnet wurde.

Von der Eifersucht der Juno ist, nach einer wohlerfundenen Dichtung, selbst ein Gestirn am Himmel ein unauslöschliches Zeichen. Sie verwandelte nemlich die vom Jupiter geliebte Nymphe Kallisto in eine Bärin, die nachher von ihm unter die Sterne versetzt ward. Da bat die Juno den Ocean, er möchte diese neue glänzende Gestalt am Himmel nicht in seinen Schooß aufnehmen – und dieß Gestirn geht niemals unter.

Die Eifersucht der Juno haucht diesen Dichtungen Leben ein, so wie die Winde das stille Meer aufregen. Auch ist diese Eifersucht an sich selbst erhaben, weil sie nicht ohnmächtig, sondern mit Götterkraft und Hoheit verknüpft, den Gott des Donners selber auf dem höchsten Gipfel seiner Macht beschränkt.

Vesta,

Die den Erdkreis mit heiliger Gluth belebt, ist selbst unter den neuen Göttern ein geheimnißvolles Wesen; sie blieb jungfräulich unter den Töchtern des Saturnus und der Rhea, und der keusche Schleier hüllt ihre Bildung ein. –

85 ## Ceres.

Mit ihr, der alles befruchtenden und alles ernährenden Göttin, die vom Saturnus erzeugt, und aus dem Schooß der Rhea geboren ward, erzeugte Jupiter die jungfräuliche Proserpina, die, vom Pluto entführt, in der Unterwelt die Königin der Schatten ward.

Pluto und Proserpina sind also unter den neuen Göttern die Beherrscher des Orkus oder der Schattenwelt. — Der Tartarus ist eine der größren Erscheinungen aus dem Zeitraume der alten Götter; — er ist, tief unter dem Orkus, mit eherner Mauer umgeben, und dreifacher Nacht umgossen, der Aufenthalt der Titanen, die ewiges Dunkel gefangen hält.

Diese sind nun besiegt, und Jupiter, Neptun, und Pluto haben sich in die Herrschaft über Erde, Meer, und Luft getheilt. — Das Chaos hat sich gebildet; — die Elemente haben sich gesondert; — aber des Himmels Glanz umgiebt den herrschenden

Jupiter.

Er hat auf dem Olymp den höchsten Sitz; — er winket mit den Augenbrauen, und der Olymp erbebt; — er ist das umgebende Ganze selber; — vor ihm beugt sich der Erdkreis; er lächelt, und der ganze Himmel heitert mit einemmal sich auf. —

86 Mit seiner Macht und Hoheit vereint sich die ganze Fülle der Jugendkraft, welche durch nichts gehemmt ist. — Der Himmel faßt die Fülle seines Wesens nicht. — Um seine Götterkraft in manchem Heldenstamme auf Erden fortzupflanzen, richtete er auf die Töchter der Sterblichen seine Blicke; und damit sie Semelens Schicksal nicht erführen, hüllte der Allesdurchwebende in täuschende Gestalten seine Gottheit ein.

Von seinem hohen Sitze senkte er sich, in dem goldnen Regen, in Danaens Schooß hernieder, und erzeugte mit ihr den tapfern Perseus, der die Ungeheuer mit mächtigem Arm besiegte.

Mit dem majestätischen S c h w a n e n h a l s e schmiegte er sich an L e d a s Busen, und sie gebahr den edelmüthigen P o l l u x , und die göttliche H e l e n a , das schönste Weib auf Erden, aus Jupiters Umarmung.

In der Kraft des m u t h i g e n S t i e r s , lud er mit sanftem Blick, die jungfräuliche Europa auf seinen Rücken ein, und trug sie durch die Meeresfluthen an Kretas Ufer, wo er den M i n o s mit ihr erzeugte, der den Völkern Gesetze gab, und über sie mit Macht und Weisheit herrschte.

Auch die T h i e r g e s t a l t e n sind in diesen Dichtungen heilig, wo man unter dem Bilde der Gott-|heit die g a n z e N a t u r verehrte, und nichts Unedles in der Vorstellung lag, den höchsten unter den Göttern in irgend einer der Gestalten der allumfassenden Natur sich verhüllt zu denken.

Daß nun eine widerstrebende, eifersüchtige, und d o c h a u c h e r - h a b e n e M a c h t die höchste Macht zu beschränken, und ihre Plane zu vereiteln sucht; daß Jupiters v e r s t o h l n e n U m a r m u n g e n die tapfern Söhne entstammen, ist ganz in dem Geiste dieser Dichtungen, wo alles Schöne und Starke, was sich entwickeln und bilden soll, mit Widerstand und Schwierigkeiten kämpfen, und manche Noth und Gefahr bestehen muß, bis sein Werth erprobt ist.

Von nun ist die Göttergeschichte in die Geschichte der Menschen verflochten und verwebt. − Die Götterkriege haben nun aufgehört, und was die seeligen Götter noch b e s c h ä f t i g t , das sind die Schicksale der Sterblichen, mit denen ihre Macht, den einen hebend und den andern stürzend zum öftern gern ihr Spiel treibt; − zum öftern aber auch der hohen Heldentugend und Tapferkeit sich annimmt; zuerst am Kampf des Helden sich ergötzt, und dann mit Unsterblichkeit den Sieger lohnt. −

Nun ist es aber das Verhältniß des Donnergottes zu der hohen Juno, worin die Ve r w i c k e - | l u n g dieser Geschichten größtentheils sich gründet. Ihre verfolgende Eifersucht ist es, die den Helden ihre schwere Laufbahn vorschreibt. − So bildet sich das Gewebe dieser Dichtungen aus einem erhabenen Punkte, und knüpft sich immer wieder an die Majestät der herrschenden Gottheit an.

89

Die neue Bildung

des

Menschengeschlechts.

Nachdem das Menschengeschlecht nun einmal da war, so schien es
unvertilgbar zu seyn. — Jupiter schickte vergeblich seine Sündfluth; —
es wuchs aus Kieselsteinen, und keimte aus Drachenzähnen wieder
auf. — Dem Schlamm der feuchten Erde entsproßten Menschen, und
Menschen entstammten den Eichen des Waldes, der ihnen Nahrung
gab.

Allein das goldene Zeitalter war entflohen, und noch waren die
Künste nicht erfunden, die das harte Leben der Menschen sanft und
erträglich machen. — Des Feuers beraubt, war dieß Geschlecht nun
das unseeligste unter allen, und mußte durch manche Noth sein un-
verschuldetes Daseyn büßen. —

Bis selbst, durch diese Noth gedrungen, der langverborgene Götterfunken sich endlich in den Tiefgesunkenen wieder regte, und sie
90 a u s e i g e n e r | K r a f t nun wurden, wozu kein Gott sie bilden konn-
te; indem sie jedes Gut, mit unverdrossenem Fleiß, sich selbst ver-
schaften, dessen Besitz sie nun der Wohlthat keines Gottes mehr ver-
dankten.

Als Hasser des Prometheus und der Titanen Feind, suchte Jupiter
durch die Beraubung des Feuers, die Menschen zu verderben. — Aber
als die über ihren eigenen Zorn erhabene, ruhige, mit dem Schicksal
einverstandene Macht, sahe er aus der Unterdrückung, die sein eigenes Werk war, ein neues Geschlecht hervorgehen, das durch Aus-
harren, Kraft, und Duldung, den Göttern ähnlich ward. — So stellt ein
Dichter aus dem Alterthum in folgenden Zeilen, den Jupiter nicht als
den Hasser, sondern als den Wohlthäter und V a t e r d e r M e n s c h e n
dar.

Selbst der Vater beschied dem Feldbau Müh, und bestellt’ ihn
Erst durch Kunst, mit Sorgen den Geist der Sterblichen schärfend;

Daß nicht starrte sein Reich in des Schlummers dumpfer
Betäubung.

Nie vor Jupiter bauten das Fruchtfeld ackernde Pflüger;
Weder Mal noch Theilung durchschnitt die gemeinsamen Fluren:
Alle suchten für alle; ja selbst die Erde, da niemand   91
Forderte, trug unsklavisch und gern. Doch Jupiters Rathschluß
Gab ihr tödtendes Gift der schwarz aufschwellenden Natter,
Sandte die hungrigen Wölfe zum Raub' und regte das Meer auf,
Schüttelt' ihr Honig den Bäumen herab, und entrückte das Feuer,
Hieß auch stocken den Wein, der in schlängelnden Bächen
umherfloß;

Daß der Gebrauch allmälig die mancherlei Künste mit regen
Sinnen erzwäng' und den nährenden Halm in Furchen erzeugte,
Auch das verborgene Feuer entschlüg' aus den Adern des Kiesels.
Jetzo führte zuerst der Strom die gehöhleten Erlen;
Jetzo gab dem Gestirne der Steuerer Zahlen und Nahmen,
Merkend Plejad' und die leuchtende Bärin Lykaons.
Jetzo laurte die Schling' im Gesträuch, und die Rute voll zähes
Vogelleims; es drohten die Hund' um den mächtigen Bergwald.
Dort nun fuhr in die Tiefe des breiten Stromes das Wurfnetz   92
Rauschend hinab, dort schwebt' in dem Meer das triefende
Zuggarn.

Jetzo starrte das Eisen, es klang die knarrende Säge;
Denn sonst pflegte der Keil den klüftigen Stamm zu zerspalten;
Jetzo kamen die Künst' und Erfindungen. Alles besieget;
Unverdrossener Fleiß, und die Noth des dringenden Mangels.
Virgil.
Von Voß übersetzt.

Da nun Prometheus in Schatten zurückgewichen ist, und eine neue
Menschenerzeugung anhebt, so sind, außer dem Deukalion die
Stammväter oder neuen Schöpfer des Menschengeschlechts, mit de-
nen es gleichsam aus der Vergessenheit wieder emporragt: Ogyges,
Cekrops und Inachus.

Ogyges.

In die Zeiten des Ogyges fällt eine Ueberschwemmung, die noch älter
als die Deukalionische ist. – Der Gesichtskreis schließt sich mit dieser
O g y g i s c h e n   F l u t h, über welche selbst die fabelhafte Geschichte
nicht weiter hinausgeht.

93   Ogyges, welcher die Gegend beherrschte, die in der Folge der Zeit
A t t i k a und B ö o t i e n hieß, erzeugte mit der Thebe, einer Tochter
des Jupiter, den E l e u s i n u s, der damals schon die Stadt E l e u s i s
erbauete, in welcher nachher die Eleusinischen Geheimnisse gestiftet
wurden.

Inachus.

Auf den Inachus, einen Sohn des Oceans, wird ein großer Theil der
ältesten Geschichte zurückgeführt. – Dieser Inachus war ein Strom,
der die Fluren von Argolis im Peloponeß bewässerte. – Die Dichtung
gab ihm Persönlichkeit, und machte ihn selber zum Stammvater des
Menschengeschlechts, das an seinen Ufern sich ausgebreitet hatte.

Sein Sohn P h o r o n e u s lehrte die Menschen den Gebrauch des
Feuers wieder, und beredete sie, sich gemeinschaftliche Wohnplätze
zu erbauen, da sie vorher zerstreut in Wäldern lebten. – Er war einer
der ältesten Wohlthäter des gleichsam wiedergebohrnen Menschengeschlechts.

J o, eine Tochter des Inachus, wurde vom Jupiter geliebt und von
der Juno verfolgt, in die Gestalt einer Kuh verwandelt, in rasender
94 Wuth auf dem ganzen Erdkreise umhergetrieben, bis sie | endlich in
Aegypten einen Ruheplatz fand, wo sie göttlich verehrt wurde, und
Jupiter den E p a p h u s mit ihr erzeugte. – Von diesem E p a p h u s
stammte ein königlich Geschlecht, das lange nachher in Griechenland wieder herrschte, und dessen Recht zur Oberherrschaft auf seinen Ursprung vom a l t e n   I n a c h u s sich stützte.

Mit der L y b i a, einer Tochter des ägyptischen Königes E p a -
p h u s, erzeugte Neptun den B e l u s und A g e n o r. –

Agenor herrschte zu Tyrus; Kadmus, welcher Theben erbauete,
und die erste Schrift nach Griechenland brachte, war
sein Sohn, und die vom Jupiter entführte Europa seine Tochter. –
Die Tochter des Kadmus war Semele, die den Bachus gebahr.

Belus, der andere Enkel des Epaphus, erzeugte den Danaus,
und Aegyptus. Danaus kam nach Griechenland, und herrschte
über Argos; von ihm stammte Akrisius ab, mit dessen Tochter,
der Danae, Jupiter in einem goldnen Regen sich vermählte, und
den Perseus mit ihr erzeugte.

Alcäus war ein Sohn des Perseus; und eine Enkelin des Alcäus
war Alkmene, die Mutter des Herkules. – Dieß sind die vor-
nehmsten | Erzeugungen aus dem von Inachus abgeleiteten Helden- 95
stamme.

Weil man nun nicht weiter als bis auf den Inachus, den Stamm der
ältesten Könige und Helden zurückzuführen vermochte; so heißt es
nachher in der Dichtersprache: du magst vom alten Inachus dein
Geschlecht herleiten, so bleibst du doch ein Opfer des unerbittlichen
Orkus!

Cekrops.

Mit ihm bildete sich in der Gegend von Attika ein Geschlecht von
Menschen, die er lehrte, in Hütten zusammen zu wohnen; und unter
denen er zuerst den Ehestand einführte, weswegen man ihn mit
doppeltem Antlitz, einem männlichen und weiblichen
gebildet hat. – Aus dem nachmaligen Stamme der atheniensischen
Könige, welche vom Erechtheus die Erechthiden hießen, war
Theseus der berühmteste Held.

Athen wurde nachher die gebildetste unter den Städten Griechenlands, und bis in die älteste fabelhafte Geschichte derselben, ist
die Idee von bildender Kunst die herrschende. – Neptun und
Minerva, die auch Pallas Athene heißt, wetteiferten, nach wessen
Nahmen die neu sich bildende Stadt benannt werden sollte; Mi-|nerva 96
trug den Sieg davon, und nach ihrem Nahmen wurde die Stadt
Athen genannt.

Deukalion.

Obgleich Deukalion als der eigentliche Wiederhersteller des vertilg-
ten Menschengeschlechts betrachtet wurde; so sehen wir doch, wie
ältere Sagen sich an diese Dichtung anschließen, und die neue Menschenschöpfung oder Menschenbildung des Deukalion nur auf einen Theil von Griechenland beschränken.

Amphyktion, ein Sohn des Deukalion, stiftete zuerst eine heilige Verbindung unter mehreren Völkern, die durch gemeinschaftliche Berathschlagungen gleichsam zu einem Volke
sich vereinigten. – Diese heilige Stiftung wurde lange nachher nach
seinem Nahmen die Versammlung der Amphyktionen genannt.

Hellen, der zweite Sohn des Deukalion, herrschte in Thessalien, und erzeugte den Aeolus; den Stammvater vieler Helden.
Die berühmtesten aus dem Aeolischen Heldenstamme, sind Meleager, Jason, und Bellerophon. Meleager überwand den Kalydonischen Eber; Bellerophon besiegte die Chimära; und Jason
erbeutete das goldne Fließ.

Die alten Einwohner

97

von

Arkadien.

Unter diesen dachte man sich die ältesten Menschen, die schon
vor irgend einer Zeitrechnung da waren; welches man in die Dichtung einkleidete, sie wären eher, als der Mond, gewesen. –
Auch bei diesem Geschlechte der Menschen artete die ursprüngliche
Einfalt und Unschuld der Sitten dergestalt in Laster und Bosheit aus,
daß Jupiter einst so lange seine Blitze auf Arkadien fallen ließ, bis
endlich selbst die Erde ihre Arme ausstreckte und ihn
um Erbarmung flehte.

Der Dodonische Wald.

In Chaonien, einer Gegend von Epirus, war der Dodonische Ei-
chenwald, worin sich ein Orakel des Jupiter befand, und in welchen
man auch den Aufenthalt von dem uralten Geschlecht der Menschen
versetzte, die noch keine andere Nahrung als Eicheln kannten.

Die menschenähnliche Bildung der Götter. 98

Wir haben schon bemerkt, daß die Phantasie sich eben sowohl ihre
Götter nach dem Bilde der Menschen, als ihre Menschen nach dem Bilde der Götter schuf. −

Das Unendliche, Unbegrenzte, ohne Gestalt und Form, ist
ein untröstlicher Anblick. − Das Gebildete sucht sich an dem
Gebildeten fest zu halten. − Und so wie dem Schiffer, der
Land erblickt, sein Muth erhöhet, und seine Kraft belebt wird; so ist
für die Phantasie der tröstliche Umriß einer Menschenbildung das
sichere Steuer, woran sie auf dem Ocean der großen Erscheinungen
der Natur sich fest hält. −

Dieß Gefühl war bei den Alten vorzüglich lebhaft. − Die unend-
lichen Massen, die den Menschen umgeben, Himmel, Erd' und Meer,
erhielten in ihrer heitern Imagination Bildung und Form. − Man
suchte die Zartheit des Gebildeten, mit der Stärke des Ungebil-
deten zu vereinen; und gleich wie in dem hohen aufrechten|Körper- 99
bau des Menschen, die Festigkeit des Eichenstammes sich mit der
Biegsamkeit des zarten Halms verknüpft; so verband sein schöpferischer Genius auch mit der Stärke des tobenden Elements, und mit der
Majestät des rollenden Donners, die Züge der redenden Men-
schenlippe, die winkenden Augenbrauen, und das sprechende
Auge. −

Jupiter.

Die Bildung, welcher die schaffende Phantasie den Donner in die Hand gab, mußte über jede Menschenbildung erhaben, und doch mit ihr harmonisch seyn; weil eine d e n k e n d e Macht bezeichnet werden sollte, die nur durch Züge des redenden Antlitzes ausgedrückt werden kann; und bis zu dem Gipfel hub die bildende Kunst der Griechen, durch ihren Gegenstand selbst geheiligt, sich empor; daß sie menschenähnliche, und doch über die Menschenbildung erhabene Göttergestalten schuf, in welchen alles Z u f ä l l i g e ausgeschlossen, und alle w e s e n t l i c h e n Züge von Macht und Hoheit vereinigt sind.

So wie nun aber der Begriff der M a c h t in der Vorstellungsart der Alten von ihren Göttern und Helden fast immer der herrschende ist; so ist auch in ihren erhabensten Götterbildungen der Ausdruck der M a c h t das Ueberwiegende.

100   Jupiters schweres Haupt, aus dem die Weisheit gebohren ward, senkt sich vorwärts über; – es waltet über den Wechsel der Dinge; – es wägt die Umwälzungen. – Doch zieht die ewig heitre Stirn sich nie in s i n n e n d e Falten.

Am unbeschränktesten ist die Macht des Donnergottes; – es ist die mindermächtige Juno, die den Jupiter ü b e r l i s t e t; – und Merkur der Götterbote, der nur die Befehle der höhern Mächte vollzieht, ist der L i s t i g s t e unter den Göttern.

Auch stellt die bildende Kunst der Alten den Jupiter am häufigsten dar, wie er gleichsam in seiner ganzen Macht sich fühlt, und dieser Macht sich freut. – So ist er auf der hier beigefügten Kupfertafel, nach dem Abdrucke einer antiken Gemme in der Lippertschen Daktyliothek, sitzend abgebildet, den Donner in der Rechten, den Zepter in der Linken, und den Adler zu seinen Füßen.

Auf eben dieser Kupfertafel befindet sich noch, ebenfalls aus der Lippertschen Daktyliothek, der Umriß einer Büste des Jupiter, mit dem Mantel bekleidet, und mit der königlichen Binde um das Haupt; daneben ein Jupiterskopf mit Widderhörnern; und unten zur Gegeneinanderstellung, ein geschleierter Saturnuskopf, mit einer Kugel auf|

⟨Abb. 6⟩
101

demselben, und einem sichelähnlichen Zepter, der im Nacken her-
vorragt.

Der Kopf mit Widderhörnern bezeichnet den Jupiter A m m o n ,
der in L y b i e n , wo er Orakelsprüche ertheilte, unter dieser Gestalt
verehrt wurde.

Und in dieser Bildung tritt selbst Jupiter unter die a l t e n G ö t-
t e r g e s t a l t e n zurück, wo er, nicht mit dem Donner bewafnet, n u r
w e i ß a g e n d seine Gottheit offenbart, obgleich die bildende Kunst
der Alten auch in diese Darstellung den Ausdruck der Macht des
Donnergottes zum Theil übertragen hat.

In dem geschleierten Saturnuskopf aber tritt eine alte in Schatten
zurückgewichene Göttergestalt im Gegensatz gegen die n e u e h e r r-
s c h e n d e auf. – Es ist der seines alten Reichs entsetzte Erzeuger des
Jupiter; den aber die Sterblichen noch immer, als den Stifter des
goldnen Zeitalters, unter einer s a n f t e r n u n d m i l d e r n Gestalt
verehrten.

Bart und Haupthaar sind beim Jupiter bezeichnend in Ansehung
der inwohnenden Kraft und jugendlichen Stärke, welche in den
dichtgekräuselten Locken sich zusammendrängt.

»Er winket mit den schwarzen Augenbraunen; – er schüttelt die
ambrosischen Locken auf | seinem unsterblichen Haupte, – und der 102
Olymp erbebt. –«

Bei dem ältesten Dichter spricht Jupiter selber, indem er den übrigen Göttern drohet, auf folgende Weise, die Macht seines Wesens
aus: Eine goldne Kette will ich aus meiner Hand vom Himmel zur
Erde senken; versucht es, all' ihr Götter und Göttinnen, und hängt das
Gewicht eurer ganzen vereinten Macht an diese Kette; es wird euch
nicht gelingen, den höchsten Jupiter vom Himmel zur Erde herabzuziehen; dieser aber wird die Kette, mit leichter Hand, u n d m i t i h r
E r d' u n d M e e r g e n H i m m e l h e b e n , u n d s i e a n s e i n e m
h o h e n S i t z b e f e s t i g e n , d a ß d i e W e l t a n i h r s c h w e b e n d
h ä n g t .

Hieraus erhellet deutlich, daß man sich zu dem erhabensten Begriff vom Jupiter das u m g e b e n d e G a n z e selber als Urbild dachte.

— Da sich nun in dem Begriff dieser Umgebung a l l e s veredelt; was
Wunder denn, daß man die Helden, deren Erzeuger man nicht wußte,
Söhne des Jupiter nannte, der in täuschenden Verwandlungen sie mit
ihren Müttern erzeugte. —

Denn mit dieser Gottheit, die das Spielende und Zarte, so wie das
Majestätische und Hohe in sich vereinte, und selber sich in tausend
Gestalten hüllte, konnte die Phantasie noch frei in kühnen Bildern
103 scherzen; sie durfte sich mit an die goldne Kette | hängen, den Jupiter
vom Himmel herab zu ziehen; so wurde sie selber zum Himmel empor gezogen. —

Und hier ist es, wo demohngeachtet die Gottheit über die Menschheit, selbst in diesen Dichtungen, überschwenglich sich emporhebt. —
In den folgenden Zeilen hat ein neuer Dichter diesen Abstand ganz
im Geiste der Alten besungen:

Gränzen der Menschheit.

Wenn der uralte,
Heilige Vater
Mit gelassener Hand
Aus rollenden Wolken
Segnende Blitze
Ueber die Erde sä't,
Küß' ich den letzten
Saum seines Kleides,
Kindliche Schauer,
Treu in der Brust.

Denn mit Göttern
Soll sich nicht messen
Irgend ein Mensch.
Hebt er sich aufwärts,

Und berührt
Mit dem Scheitel die Sterne,
Nirgends haften dann
Die unsichern Sohlen,   104
Und mit ihm spielen
Wolken und Winde.

Steht er mit festen,
Markigen Knochen
Auf der wohlgegründeten,
Dauernden Erde;
Reicht er nicht auf,
Nur mit der Eiche
Oder der Rebe
Sich zu vergleichen.

Was unterscheidet
Götter von Menschen?
Daß viele Wellen
Vor jenen wandeln,
Ein ewiger Strom:
Uns hebt die Welle,
Verschlingt die Welle,
Und wir versinken.

Ein kleiner Ring
Begränzt unser Leben,
Und viele Geschlechter
Reihen sich dauernd
An ihres Daseyns
Unendliche Kette.
                    G ö t h e .

105 Nichts Höheres aber konnte man sich denken, als den umwölbenden
Aether, in welchem alle Bildungen und Gestalten ruhen; dieser war
daher auch Jupiters höchstes Urbild. — So sang ein Dichter aus dem
Alterthum: Du siehst den erhabenen ungemessenen Aether, der mit sanfter Umgebung die Erd' umfaßt; den
sollst du für die höchste Gottheit, du sollst für Jupiter
ihn halten!

Juno.

Unter der Juno dachte man sich das Erhabne mit der Macht vereinte
Schöne. — Der Juno hohes Urbild war der Luftkreis, welcher die
Erde umgiebt; dieser vermählte sich mit dem ewigen Aether,
der auf ihm ruht. —

In der vom Glanz der Sonne durchschimmerten Atmosphäre bildet
sich der vielfarbigte Regenbogen. Dieser ist wiederum das Urbild der
schnellen Götterbotin, welche die Befehle der Juno vollzieht. Es ist
die glänzende Iris, eine Tochter des Thaumas, welche, wenn sie in
den Wolken steht, die Gegenwart der hohen Himmelskönigin verkündigt.

Der Regenbogen spiegelt den majestätischen Schweif der Pfau-
en, die den Wagen der Juno in den Wolken ziehn. — Alles ist
106 übereinstim-|mend in dieser schönen Dichtung; die Harmonie des
Ganzen wird durch kein einziges Bild gestört.

Die erhabene Juno heißt die herrschende, großäugigte,
weißarmigte; — es ist nicht sanfter Reitz der Augen, der ihre Bildung zeichnet; sondern Ehrfurcht einprägende Größe — und von dem
übrigen Umriß dieser Göttergestalt berührt die Dichtkunst nur die
Schönheit des mächtigen Arms.

So wie nun aber gleich den Stürmen, die das Meer aufregen, die
Eifersucht der Juno den Dichtungen Leben einhaucht; so sind ihr
Urbild auch die tobenden Elemente, wovon das ganze Spiel der
menschlichen Leidenschaften im Kleinen ein Abdruck ist.

Die Elemente sind im Streit; sie zürnen in Ungewittern, verdrängen und unterdrücken einander; berauben und rächen sich. – Der Felsen kracht im tobenden Meere, und unter dem Windstoß heult die Welle. – Dieß alles aber beschränkt sich nur auf die niedre Atmosphäre.

Ueber dieser ist alles bleibend und regelmäßig. – Alles hat Raum genug; – im stillen Aether vollenden die Weltkörper ihre Bahnen, und nichts verdrängt, nichts hemmt das andre. –

Krieg und Empörung sind erst da, wo das ungemessene Ganze sich in die kleinern Punkte zusammendrängt, wo es sich aneinanderreibt, stößt | und lebendig wird. – Da ist die immerwährende Werkstatt der ¹⁰⁷ Bildung und Zerstörung; aber auch der Sitz der Wehklage, des Zorns, des Jammers. – Da muß Hektor fallen; – Hekuba muß ihr Haar zerraufen, – und Troja ein Raub der Flammen werden. –

Aber der Gipfel des hohen Olymp ragt über die Wolken in den umwölbenden Aether empor. – Dahin versetzt die Einbildungskraft den Wohnsitz der seeligen Götter, die, selbst über Sorgen und Ungemach erhaben, bei frohem Saitenspiel, den süßen Nektar schlürfen, und lächeln, daß sie der mühebeladenen Sterblichen wegen sich entzweien konnten.

So knüpft die Phantasie die menschenähnliche Gestalt der Götter beständig wieder an ihr himmlisches Urbild an. – Der Schwan in Ledas Schooße umwölbt im blauen Aether Erde, Meer, und Luft. – Juno, die Königin, umströmt den Erdkreis in dem zarten durchsichtigen Nebeldunste, worin der Regenbogen mit glänzenden Farben spielt. –

Als Juno sich einst empörte, hing Jupiter in dem Luftkreise, den sie selbst beherrschte, schwere Amboße an ihre Füße. – Das Hohe und Erhabene mußte die Schmach des Niederziehens dulden – und alle Himmlische trauerten bei dem Anblick. –

Da wir nichts Uebermenschliches kennen, so konnte mit den ¹⁰⁸ erhabenen aus der Natur genommenen Bildern auch nur das Menschliche sich verknüpfen. – Es ist daher als ob die Menschheit selber in diesen Dichtungen sich näher mit der großen Natur verwebte, und sich in süßen Träumen an sie anschmiegt.

Juno bezeichnet nun in einer höhern Sprache die hohe Gebietende, über den sanften Liebreitz selbst erhabene Schönheit. – Als Juno
den Jupiter mit Liebreitz fesseln wollte, so mußte sie erst den Gürtel
der Venus leihen, deren sanftere Schönheit schon vorher den Preis
davon trug, als der Hirt auf Idas Gipfel den kühnen entscheidenden
Ausspruch that.

Da nun Juno sich schmückt, dem Jupiter zu gefallen, so ordnet sie,
in ihrem Schlafgemach, ihr glänzendes Haar in Locken; sie salbet sich
mit dem Oehle der Götter, wovon der Wohlgeruch, sobald es nur
geregt wird, vom Himmel bis zur Erde sich verbreitet.

Sie zieht ihr göttliches Kleid an, das von der Minerva selbst gewebt
ist, und hakt es auf der Brust mit goldenen Haken zu. – Sie umgürtet
sich mit ihrem Gürtel, und bindet an ihre Füße die glänzenden Schuhe; den Gürtel der Venus aber verbirgt sie in ihrem Busen. –

⟨Abb. 7⟩
109   So vollendet sich diese schöne Dichtung, indem sie von ihrem hohen Urbilde allmälig niedersteigt, und bei der Darstellung der Königin des Himmels, auch nicht den kleinsten weiblichen
Schmuck vergißt. – Auf der hier beigefügten Kupfertafel befindet
sich im Umriß, nach antiken geschnittenen Steinen aus der Lippertschen Daktyliothek, außer einem Kopf der Juno, noch eine Abbildung
von ihr, wo sie der bildende Künstler, sitzend auf Jupiters Adler, den Zepter in der Hand, und einen Schleier über sich schwebend
haltend, ihr Haupt mit Sternen umgeben, gleichsam auf dem Gipfel
ihrer Hoheit, darstellt.

Apollo.

Das erste Urbild des Apollo ist der Sonnenstrahl in ewigem
Jugendglanze. – Den hüllt die Menschenbildung in sich ein, und
hebt mit ihm zum Ideal der Schönheit sich empor, wo der Ausdruck
der zerstörenden Macht selbst in die Harmonie der jugendlichen
Züge sich verliert. –

Die hohe Bildung des Apollo stellt die ewig junge Menschheit in
sich dar, die gleich den Blättern auf den immergrünenden Bäumen;

nur durch den allmäligen Abfall und Zerstörung des Ver-
welkten, sich in ihrer immerwährenden Blüthe, und frischen Farbe
erhält.

Der Gott der Schönheit und Jugend, den Saitenspiel und Gesang 110
erfreut, trägt auch den Köcher auf seiner Schulter, spannt den silbernen Bogen, und sendet zürnend seine Pfeile, daß sie verderbliche
Seuchen bringen, oder er tödtet auch mit sanftem Geschoß die
Menschen.

Unter den Dichtungen der Alten ist diese eine der erhabensten und
liebenswürdigsten, weil sie selbst den Begriff der Zerstörung, ohne
davor zurückzubeben, in den Begriff der Jugend und Schönheit wieder auflößt, und auf diese Weise dem ganz Entgegengesetzten
dennoch einen harmonischen Einklang giebt.

Daher scheint auch die bildende Kunst der Alten in der schönsten
Darstellung vom Apollo, die unsre Zeiten noch besitzen, ein Ideal von
Schönheit erreicht zu haben, die alles Uebrige in sich faßt, und deren
Anblick, wegen des unendlich Mannichfaltigen, was sie in sich be-
greift, die Seele mit Staunen erfüllt.

Apollo und Diana sind die verschwisterten Todesgötter, – sie theilen sich in die Gattung: – Jener nimmt sich den Mann, und diese das
Weib zum Ziele; und wen das Alter beschleicht, den tödten sie mit
sanftem Pfeil; damit die Gattung sich in ewiger Jugend erhalte,
während daß Bildung und Zerstörung immer gleichen Schritt hält.

Gleich den vom Vater der Götter gesandten Tauben, die vor der 111
gefahrvollen Scylla vorbeifliegend, beständig eine aus ihrer Mitte
verlieren, die vom Jupiter sogleich ersetzt wird, damit die Zahl
voll bleibe; macht auch ein Menschengeschlecht unmerklich
dem andern Platz, und wer von Alter und Schwachheit übermannt,
entschlummert, den hat in der Dichtersprache Diana oder Apollo mit
sanftem Pfeil getödtet.

Daß dieß die Vorstellungsart der Alten war, erhellet aus ihrer Spra-
che. – Das kleine glückliche Eiland, wo ich gebohren bin, erzählt der
Hirt Eumäus dem Ulysses, liegt unter einem gesunden wohlthätigen
Himmelsstrich; keine verhaßte Krankheit raft da die Men-

schen hin; sondern wenn nun das Alter da ist, so kommen Diana und
Apoll mit ihrem silbernen Bogen, und tödten die Menschen mit ihrem s a n f t e n P f e i l. —

Wenn Ulysses in der Unterwelt den Schatten seiner Mutter frägt,
wie sie gestorben sey; so giebt sie ihm zur Antwort: mich hat nicht
Dianens s a n f t e r Pfeil getödtet, auch hat mich k e i n e K r a n k h e i t
dahin geraft; sondern mein Verlangen nach dir, und mein Kummer
um dich, mein Sohn, haben mich des süssen Lebens beraubt.

Wenn aber der Gott mit dem silbernen Bogen auf das Heer der
112 Griechen zürnend, eine Pest | in ihr Lager schickt, die plötzlich Mann
auf Mann dahin raft, das unaufhörlich die Scheiterhaufen der Verstorbenen lodern; so schreitet er wie die Nacht einher, spannt den
silbernen Bogen, und sendet die v e r d e r b l i c h e n P f e i l e in das
Lager der Griechen.

Allein der jugendliche Gott des Todes zürnt nicht immer; der, dessen Pfeil verwundet, heilt auch wieder; — er selbst wird unter dem
Nahmen der H e i l e n d e mit einer Hand voll Kräuter abgebildet; —
auch zeugte er den sanften A e s k u l a p, der Mittel für jeden Schmerz
und jede Krankheit wußte; und selbst durch seine Kunst vom Tod'
erretten konnte.

Gleichwie nun in den wohlthätigen und verderblichen Sonnen-
strahlen, und in der befruchtenden und Verwesung brütenden Son-
nenwärme, das Bildende mit dem Zerstörenden sich vereint, so war
auch hier das Furchtbare mit dem Sanften in der Göttergestalt verknüpft, die jene Strahlen und jene Wärme, als ihr erhabnes Urbild in
sich faßte.

Daher giebt diesen Trost ein Dichter aus dem Alterthum, indem er
das Gemüth zu sanfter Freud' aufheitert: »wenn du jetzt trauern
mußt, so wird es nicht stets so seyn! N i c h t i m m e r s p a n n t A p o l l o
d e n B o g e n, z u w e i l e n w e c k t e r a u c h a u f s n e u e w i e d e r
z u m S a i t e n s p i e l d i e s c h w e i g e n d e M u s e !«

113 Bei allen diesen Dichtungen schimmert das Bild vom H e l i o s
durch; — es ist der erfreuende Sonnenstrahl, welcher das Herz zu
Saitenspiel und Gesang belebt. — So ehrte Aurora den M e m n o n,

ihren früh verstorbenen Sohn, indem seine metallene Gedächtniß-
säule in Aegypten, so oft die Strahlen der aufgehenden Sonne sie
berührten, mit s a n f t e m K l a n g ertönte.

Aber es ist auch der alles entdeckende, alles enthüllende Strahl, der
in dem w a h r s a g e n d e n Apollo sich verjüngt. − Eben eine solche
verjüngte Erscheinung ist A p o l l o d e r H i r t; denn nach der alten
Dichtung wurden schon die Heerden, die ohne Hirten weiden, v o n
d e r a l l s e h e n d e n S o n n e g e h ü t e t.

Alle diese großen Bilder aber fügen sich in zartere Umrisse, da
Apollo vom Jupiter erzeugt, und von der sanften Latona geboren
wird. − er weidet die Heerden des Admet; begeistert die wahrsagende
Pythia; und führt die Chöre der Musen an. − Nach seiner Geburt
entwickelt sich schnell die in ihm wohnende Götterkraft.

Auf D e l o s entwindet er sich dem Schooß der Mutter. − Die hohen
Göttinnen Themis, Rhea, Dione und Amphitrite, sind bei seiner Geburt zugegen; − sie wickelten ihn in zarte Windeln; − allein er sog die
Brust der Mutter nicht; − ihm reichte Themis Nektar und Ambrosia
dar. −

Und als ihn nun zum erstenmal die Götterkost genährt, da hielten
seine Bande ihn nicht mehr; auf seinen Füßen stand der blühende
Götterknabe, und auch das Band der Zunge war gelöst: Die goldne
Zitter, sprach er, soll meine Freude seyn, der gekrümmte Bogen meine Lust, und in Orakelsprüchen will ich die dunkle Zukunft prophezeihen. −

Und als er dieß gesagt, so schritt er schon als ewig blühender Jüngling majestätisch über die Berge und Inseln einher; er kam zur felsigten Pytho, und stieg von da zum Olymp hinauf, s c h n e l l w i e e i n
G e d a n k e, in die Versammlung der übrigen Götter. − Da herrschte
auf einmal Gesang und Saitenspiel; die Grazien und die Horen tanzten, und die Musen sangen mit wechselnden Stimmen, die Freuden
der seeligen Götter, und d e n K u m m e r d e r M e n s c h e n, d i e
k e i n M i t t e l f i n d e n, d e m T o d e u n d d e m A l t e r z u e n t g e-
h e n. −

114

Als er nun vom Olymp herabstieg, so tödtete er den Drachen Python, auf dem Fleck, wo künftig seine Orakelsprüche sich über den
Erdkreis verbreiten sollten.

Den getödteten Drachen ließ d i e S o n n e in V e r w e s u n g ü b e r -
g e h e n; von dieser Verwesung ward er Python, und Apollo selbst von
dieser That der P y t h i s c h e benannt. − Hier stand auf | einem hohen
Felsen der Tempel des Apollo; und über der Oefnung einer Höhle
stand der Dreifuß, auf welchem die Priesterin saß, die auch den Nahmen P y t h i a führte, und durch deren Mund der Gott die Zukunft
offenbarte.

〈Abb. 8〉
115

So ist er auf der hier beigefügten Kupfertafel nach einem antiken
geschnittenen Steine, der als ein Meisterwerk der griechischen Kunst
berühmt ist, abgebildet, wie er a u f d e m H a u p t e d e r P y t h i a,
w e l c h e d i e O p f e r s c h a a l e i n d e r H a n d h ä l t, s e i n e L e y e r
s t i m m t. − Er flößte der Priesterin, die seine Göttersprüche verkündigen sollte, selber die himmlischen Harmonien ein, die ihr den Blick
in die Zukunft gaben.

Die andre Abbildung des Apollo, ebenfalls nach einer antiken Gemme, stellt ihn dar, auf einen attischen Pfeiler gelehnt; in der Linken
den Bogen; die Leyer zu seinen Füßen. − Man sieht in ihm den Gott,
den, nach des Dichters Ausdruck, der blitzende Bogen schmückt, der
aber auch den Chören der Musen sich zugesellt, und der die zer-
schellten Glieder durch h e i l e n d e K u n s t erquickt. −

Neptun.

So wie die hohen Göttergestalten P o n t u s, O c e a n u s, und N e r e u s
in Schatten zurückgewichen sind, steigt nun in herrschender Majestät |

116 Neptun empor, den mächtigen Dreizack in der Hand, womit er die
empörten Wogen ebnet, daß auf der stillen Meeresfläche sich sanfte
Furchen bilden.

Was s c h n e l l s i c h f o r t b e w e g t, ergötzt den Herrscher der
Wasserwogen; zu Lande lenkt er R o ß und Wagen; und auf dem Meere sind die schnellen Schiffe seine Lust. − Er schlug die Erde mit
seinem Dreizack, da sprang das R o ß hervor. −

Mit der Medusa erzeugte er den g e f l ü g e l t e n P e g a s u s, der noch aus ihrem Blute hervorsprang, als sie vom Perseus enthauptet ward. – Ceres verwandelte sich in ein Pferd, um seiner Umarmung zu entfliehen, allein er verfolgte sie in ähnlicher Gestalt, und zeugte mit ihr den A r i o n das edelste, mit der Schnelligkeit des Windes begabte Roß, das Könige und Helden trug, und bei den Kampfspielen in Griechenland seinen Reiter abwarf, und selbst für sich den Preis davon trug.

Wir sehen in diesen Dichtungen die Thierwelt mit der Götterwelt immer nahe verknüpft. – Das Thier wird als ein hohes Sinnbild der Natur betrachtet, worin die Gottheit selbst sich wieder darstellt. In der ägyptischen Götterlehre hüllte die Gottheit sich in lauter Thiergestalten, welches in einer sinnreichen Dichtung heißt, die Götter wären aus Furcht vor den Giganten nach | Aegypten geflohen, und 117 hätten dort sich alle in Thiere verwandelt.

Obgleich mit dem Donnergott von einem Vater erzeugt, ist dennoch Neptun, gleich dem Element, das er beherrscht, die untergeordnete Macht. – Da Iris in dem Kriege vor Troja dem Neptun die Drohung des Jupiter überbringt; er möge sich ja mit des Donnerers Macht nicht messen, und ablassen den Griechen beizustehen; so antwortet ihr der Erderschüttrer:»Jupiter sey so mächtig er wolle, so hat er doch sehr stolz geredet! sind wir nicht alle drei vom Saturnus erzeugt, und von der Rhea gebohren? ist nicht unter uns das Reich getheilt? Er mag seine Söhne und Töchter, aber nicht mich mit solchen Worten schrecken!« – Iris stellt ihm vor: »d e n ä l t e r n B r u d e r s c h ü t z t d i e M a c h t d e r E r y n n e n!« Und Neptun giebt dem Donnrer nach, und sagt die sanften Worte:»Du hast sehr wohl gesprochen, o Göttin, und es ist gut, wenn auch ein Bote das Nützliche weiß.«

Das Urbild des Neptun ist die ungeheure Wasserfläche, d i e g l e i c h s a m a u f d a s E r h a b e n e z ü r n t, u n d e s s i c h g l e i c h z u m a c h e n s t r e b t. – Als die Griechen in der Belagerung von Troja nahe am Ufer des Meeres um ihre Schiffe eine Mauer, zu einem Bollwerk gegen die Feinde errichtet hatten; so zürnte Neptun darüber und beklagte sich beim Jupiter:»Der Ruhm dieser | Mauer, sagte er, 118

wird sich verbreiten, so weit sich das Licht erstreckt; der meinigen
aber, die ich einst dem Laomedon um Troja erbaute, wird man vergessen!«

Da antwortete ihm Jupiter: »o du großer Erderschüttrer; mich
sollt' es nicht wundern, wenn ein andrer, nicht so mächtiger Gott, ein
solches Werk sich anfechten ließe; aber dein Ruhm verbreitet sich ja
schon so weit sich das Licht erstreckt, – und du wirst ja, so bald die
Griechen hinweg sind, die Mauer ins Meer versenken, und die Ufer
mit Sand bedecken, daß keine Spur von ihr übrig bleibt.« – Mit diesen
Worten verwieß Jupiter dem Neptun diese Art von kindischer Miß-
gunst gegen ein Werk der sterblichen Menschen.

Allein es ist das zürnende Element, und seine gleichsam kindische
gedankenlose Macht, die durch den Mund der Götter spricht; wenn
nun die Dichtung dem tobenden Elemente Bildung und Sprache
giebt, so drücken seine Worte auch die Natur seines Wesens aus; das
Wort bezeichnet selbst die u n b e h ü l f l i c h e Macht, und sinkt wieder
u n t e r die Menschenrede herab, in welcher der l e i c h t e Gedanke
herrscht.

Auch die Erzeugungen des Neptun sind größtentheils ungeheuer. –
Die A l o i d e n, seine Söhne, welche auf den Olymp den Ossa wälzten,
119 wurden selbst dem Jupiter furchtbar. – Den | ungeheuren Polyphem,
einen Sohn des Neptun, hatte der k l u g h e i t b e g a b t e Ulysses seines
Auges beraubt; von der Zeit an verfolgte Neptun den Ulysses mit
unversöhnlichem Haß.

Er vereitelte ihm so lang er konnte die Rückkehr in sein Vaterland;
und da diese nach dem Schluß des Schicksals dennoch zuletzt erfolgen
mußte, so nahm er an dem unschuldigen Schiffe der gastfreien Phäacier, die den Ulysses nach Ithaka gebracht hatten, seine Rache, indem
er es auf der Rückkehr in einen Fels verwandelte.

So gefahrvoll war es, selbst für den G ü n s t l i n g d e r M i n e r v a,
die ungeheure Macht des starken Elementes, und was mit ihr v e r-
w a n d t war, zum Zorn gereitzt zu haben. –

Als einst die Musen auf dem Helikon Gesang und Seitenspiel so
mächtig ertönen ließen, daß alles rund umher belebt ward, und selbst

der Berg zu ihren Füßen hüpfte. – Da zürnte Neptun und sandte den Pegasus hinauf, daß er dem zu kühn gen Himmel sich Erhebenden Grenzen setzen sollte; als dieser nun auf dem Gipfel des Helikon mit dem Fuße stampfte, war alles wieder in dem ruhigern, sanftern Gleise, und unter seinem stampfenden Fuße brach der Dichterquell hervor, der von des Rosses Tritt die Hippokrene heißt.

Im Kriege vor Troja saß Neptun auf der Spitze des waldigten Samos, und sahe dem Tref-|fen zu. – Er zürnte heftig auf den Jupiter, daß er 120 den Trojanern Sieg gab. – Er stieg vom Berge hinunter; der Berg erbebte unter seinem Fußtritt. – Drei Schritte that er vorwärts, und mit dem vierten war er in A e g e, wo tief im Meere sein Pallast ist. –

Er bestieg seinen Wagen, und fuhr auf den Wellen daher. – Die Heere der Wasserwelt stiegen empor, und erkannten ihren König. – Das Meer wich ehrfurchtsvoll zu beiden Seiten, – und schnell flog der Wagen des Gottes, daß die eherne Axe unbenetzt blieb. –

In dem zornigen Blick des Neptun mahlt sich das tobende Element; – so ist er auf der hier beigefügten Kupfertafel, nach einem antiken geschnittenen Steine aus der Lippertschen Daktyliothek im Umriß abgebildet; in der Rechten den Dreizack haltend, und mit der erhobenen Linken die Zügel zusammenfassend, woran er die stolzen Rosse vor seinem Wagen lenkt, während daß sein Gewand im Sturmwinde flattert. –

Auf eben dieser Kupfertafel ist Neptun, nach einer andern Gemme aus Lipperts Daktyliothek, noch einmal abgebildet, wie er m i t d e m g a n z e n G e w i c h t s e i n e r M a c h t, den Dreizack auf der Schulter, die Hand auf den Rücken haltend, aus dem Meere auf einen Felsen steigt. –

Die Dichtkunst sowohl als die bildende Kunst stellt zwar den König ⟨Abb. 9⟩ der Gewässer in ähnlicher Majestät, wie den Jupiter dar; nur bleibt 121 der Ausdruck von Macht und Hoheit immer untergeordnet. –

Es ist nicht die ruhige, erhabene, mit dem Wink der Augenbraunen gebietende Macht, mit deren Lächeln sich der ganze Himmel aufheitert, und welche nur selten zürnen darf, weil sie am wenigsten beschränkt ist. – Vielmehr ist beim Neptun der Ausdruck des Zorns

der herrschende. − Er schilt die Winde, die auf die Veranlassung der
Juno ohne seinen Wink die Wellen des Meeres aufthürmten; und sein
quos ego! womit er sie bedrohet, ist dasjenige, dessen Ausdruck die
bildende Kunst, auch in neuern Zeiten, am öftersten versucht hat.

Minerva.

Als die blauäugigte Göttin aus Jupiters unsterblichem Haupte mit
glänzenden Waffen hervorsprang, so bebte der Olymp; die Erd' und
das Meer erzitterte; und der Lenker des Sonnenwagens hielt seine
schnaubenden Rosse an, bis sie die göttlichen Waffen von ihrer Schulter nahm.

Aus keiner Mutter Schooß gebohren, war ihre Brust so kalt,
122 wie der Stahl, der sie | bedeckte. − Sie näherte sich dem
männlich Großen, und weiblicher Zärtlichkeit war ihr Busen
ganz verschlossen.

Der Mangel an weiblicher Zärtlichkeit aber ist mit Zerstörungs-
sucht verknüpft, welche stets mit jenem in gleichem Grade zunimmt.
− Es ist die sanfte Venus, die nur aus Liebe zum Adonis mit ihm die
Rehe verfolgt; die kältere Diana findet an der Jagd und an der
Zerstörung selbst schon ihre Lust, indeß sie doch zuweilen noch mit
verstohlner Zärtlichkeit sich an Endymions Schönheit weidet.

Der kalten jungfräulichen Minerva aber ist jedes Gefühl von Zärtlichkeit und schmachtender Sehnsucht fremd; − sie findet daher auch
gleich dem Kriegesgott am Schlachtgetümmel und an zerstörten
Städten ihr Ergötzen, nur daß sie nicht von jenem die rauhe Wildheit
hat, weil sie zugleich die friedlichen Künste schützt.

Zurückschreckende Kälte macht den Hauptzug in dem Wesen dieser erhabenen Götterbildung aus, wodurch sie zur grausamen
Zerstörung, und zur mühsamen Arbeit des Webens, zur Erfindung nützlicher Künste, und zur Lenkung der aufgebrachten Gemüther der Helden, gleich fähig ist.

Als Achill im Begriff war gegen den Agamemnon sein Schwerdt zu
123 ziehen, so stand plötz-|lich, ihm allein nur sichtbar, die blauäugigte

Göttin hinter ihm, mit schrecklichem Blick – bei seinem gelben Haar
ihn fassend – und hielt mit weisem Rath den jungen Held zurück, –
daß er am silbernen Griff sein Schwerdt wieder in die Scheide drückte.

So ist die himmlische P a l l a s mitten im Kriege selbst noch Frie-
densstifterin. – Die wilde Bellona hingegen, welche mit fliegendem
Haar, die Geißel in der einen, die Waffen in der andern Hand, den
Wagen des Kriegesgottes lenkt, ist eine untergeordnete Göttergestalt.
In ihr ist nicht die erhabene Friedensstifterin, die Erfinderin der
Künste noch mitten im wüthenden Treffen sichtbar; sondern nur die
rasende Wuth; die Grausamkeit; die Mordlust; und die Zerstörung
f ü r   s i c h   a l l e i n.

Daß in Minervens hoher Götterbildung, so wie beim Apollo, das
ganz Entgegengesetzte sich zusammenfindet, macht eben diese Dichtung schön, welche hier gleichsam zu einer höhern Sprache wird, die
eine ganze Anzahl harmonisch ineinander tönender Begriffe, die
sonst zerstreut und einzeln sind, in einem Ausdruck zusammenfaßt.

So ist Minerva die verwundende und die heilende; die zerstörende
und die bildende; eben die Göttin, welche am Waffengetümmel und
an der tobenden Feldschlacht sich ergötzt, lehrt auch die | Menschen   124
die Kunst zu weben, und aus den Oliven das Oehl zu pressen.

Die furchtbare Zerstörerin der Städte, wetteifert mit dem Neptun
nach wessen Nahmen die gebildetste Stadt, die je den Erdkreis zierte,
genannt werden sollte; und als der König der Gewässer mit seinem
Dreizack das kriegerische Roß hervorrief, so ließ sie den friedlichen
Oehlbaum aus der Erde sprossen, und gab der Stadt, worin die Künste
blühen sollten, ihren sanftern Nahmen.

Die Wildheit des Kriegerischen war bei dieser Göttergestalt durch
ihre Weiblichkeit gemildert, und die Weichheit und Sanftheit des
Friedens und der bildenden Künste, lag unter der kriegerischen Gestalt verdeckt. – Was man sich selten zusammendenkt, und was in
diesem s c h ö n e n   G a n z e n der Natur doch eingehüllt noch schlummert, das rief die hohe Dichtung in eine einzige vielumfassende Göttergestalt herauf, und hauchte dem neu sich bildenden Begriffe Leben ein.

Ohngeachtet des Entgegengesetzten stört doch keins der Bilder, welche diese Dichtung in sich vereinigt, die Harmonie des Ganzen. – Alles deutet auf k a l t e überlegende Weisheit, welche nie die Stimme der Leidenschaft hört, und zugleich in das Zurückschreckende der gänzlichen Unzärtlichkeit sich einhüllt.

125 Das versteinernde Haupt der Medusa drohet auf dem Schilde, welcher Minervens Brust bedeckt; – es ist der düstre freudenlose Nachtvogel, der über ihrem Haupte schwebt. – Sie selber ist es, die den duldenden, standhaften, k a l t e n , und verschlagenen Ulysses in Schutz nimmt, und die aufgebrachten Helden zur Kaltblütigkeit zurückruft. –

Auch wird in diesen Dichtungen die sanfte kriegerische Macht der ungestümern als überlegen dargestellt. Da nemlich in dem Kriege vor Troja zuletzt die Götter selber, nachdem sie die Parthei der Griechen oder Trojaner nahmen, sich zum Streit auffordern; so tritt der wilde Kriegsgott Mars gegen die sanfte und erhabnere Pallas auf, und rennt mit seiner Lanze wüthend gegen ihren Schild an, wogegen selbst Jupiters Blitze nichts vermögen.

Sie aber tritt ein wenig zurück, und hebt mit starker Hand vom Felde einen ungeheuren Grenzstein auf, den schleudert sie gegen die Stirne des Kriegesgottes, daß er darnieder fällt, und sieben Joch Landes deckt. –

Demohngeachtet aber läßt die Dichtung auch die Züge dieser männlichstarken erhabnen Göttin ganz leise wieder ins We i b l i c h e übergehen. – Denn da sie die Flöte erfunden hatte, und in der klaren 126 Fluth sich spiegelnd, sahe, daß durch das Blasen | sich ihr Gesicht entstellte, so warf sie die Flöte weg, die Marsyas nachher zu seinem Unglück fand.

Auch war sie, gleich der Juno, eifersüchtig, daß Venus den goldnen Apfel, als den Preis der Schönheit, aus Paris Hand erhielt. Sie ruhte gleich der Juno nicht eher, bis Troja in Flammen stand, des Priamus Geschlecht vertilgt, und ihre Rache befriedigt war. – Die Götterbildung wird menschenähnlich, und stellt die Rachsucht selbst, wegen der M a c h t , mit der sie ausgeübt wird, in hoher d i c h t e r i s c h e r Schönheit dar.

Eine einfache und schöne Darstellung der Minerva im Brustbilde, nach einem antiken geschnittnen Steine aus der Lippertschen Daktyliothek, befindet sich auf der hier beigefügten Kupfertafel; und darunter das Haupt der Medusa, wie es die Alten gebildet haben, so daß es groß in seinen Zügen und schrecklich, dennoch schön ist. – Dieß Haupt, vom Körper abgesondert, macht in seinen großen Zügen gleichsam für sich ein Ganzes aus, und stellt sich wie eine furchtbare Erscheinung dar; – so fürchtet Ulysses in der Unterwelt als sich die Schatten schaarenweise zu ihm drängen, daß Proserpina endlich das Haupt der Gorgo ihm entgegen senden möchte, und eilet, dem tödtlichen Anblick zu entfliehen.

Mars.

⟨Abb. 10⟩
127

Auch dem Furchtbaren und Schrecklichen, dem verderblichen Kriege selber, gab die Einbildungskraft der Alten Persönlichkeit und Bildung, und milderte selbst dadurch den Begriff des Wilden und Ungestümen, das durch die Heere wie ein Wetter hinfährt; Wagen zertrümmert; Helme zerschellt; den Tapfern wie den Feigen, im wirbelnden Sturme zu Boden wirft; und über der grauenvollen Verwüstung triumphiert.

Die menschenähnliche Bildung, worin die Dichtung diese furchtbare Erscheinung hüllte, und sie dem Chor der seeligen Götter zugesellte; gab nun dem Krieger auch ein hohes Urbild, das über ihm in Majestät gehüllt war, und das er durch Kühnheit und Tapferkeit nachahmend in sich übertrug.

Demohngeachtet verliert sich zuweilen in den Dichtungen die menschenähnliche Bildung des Mars wieder in den Begriff des streitenden Heers. – Als er selbst im Treffen vor Troja, mit Hülfe der Minerva, von dem tapfern Diomedes verwundet wurde, so brüllte er wie zehntausend Mann im Schlachtgetümmel, – und Furcht und Entsetzen kam die Trojaner und Griechen an, als sie den ehernen Kriegsgott brüllen hörten. – Dieser aber erschien dem | Diomed wie nächtliches Dunkel, das vor dem Sturme hergeht, als er in Wolken gehüllt zum Himmel aufstieg.   128

Und als er nun hier beim Jupiter sich beklagte, so schalt ihn dieser
mit zürnenden Worten: belästige mich nicht mit deinen Klagen, U n -
b e s t ä n d i g e r, der du mir der verhaßteste unter allen Göttern bist,
die den Olymp bewohnen. – Denn du hast nur Gefallen an Krieg und
Streit – in dir wohnet ganz d i e G e m ü t h s a r t d e i n e r M u t t e r, –
und wärst du der Sohn eines andern Gottes und nicht mein Sohn, so
lägst du längst schon tiefer, als Uranos Söhne liegen.

Die U n b e s t ä n d i g k e i t des Mars, welche ihm auch Minerva vor-
wirft, die ihn einen U e b e r l ä u f e r schilt, der es bald mit dem einem
Heer, bald mit dem andern hält, ist wiederum der Begriff des Krieges
selber, den die Dichtkunst hier als ein Wesen darstellt, das gleichsam
um sein selbst willen da ist, unbekümmert, wer überwunden wird
oder siegt; wenn nur das Schlachtgetümmel fortwährt.

So zürnen die erhabenern und eben deswegen auch sanftern Gottheiten, Minerva und Jupiter auf den ungestümen und unbeständigen
Mars, – der aber demohngeachtet als ein hohes Wesen seinen Sitz
unter den himmlischen Göttern hat, und dem auf Erden Tempel und
Altäre geweiht sind.

129   Auch wußte der wilde Mars mit seinem jugendlichen Ungestüm
die sanfte Venus selbst zu fesseln, die ihrem Gatten dem kunstreichen
bildenden Vulkan, den zerstörenden Kriegsgott vorzog, mit dem sie
ein verstohlnes Liebesbündniß knüpfte. –

Aus diesem verstohlnen Bündniß des Sanften mit dem Ungestümen, entstand H a r m o n i a, der Venus schöne Tochter, die mit Kadmus, dem Stifter und Erbauer von Theben, sich vermählte. –

Auf der Untreue der Venus verweilt die bildende Kunst der Alten
und ihre Dichtkunst gern. – Vulkanus zürnt vergeblich; die Schönheit
bindet sich an kein Gesetz; sie ist über allen Zwang erhaben; und das
v e r d e r b l i c h e J u g e n d l i c h e, ist, was ihr wohl gefällt.

So wie nun Venus mit Zärtlichkeit den Kriegesgott fesselt; so hält
Minerva ihn mit Weisheit von seinem Ungestüm zurück. – Denn als
einst Jupiters drohendes Verbot den Göttern untersagt hatte, in den
Krieg der Trojaner und Griechen sich zu mischen, und Mars vernahm,
sein Sohn Askalaphus sey erschlagen; so ließ er seine Diener, das

S c h r e c k e n und das E n t s e t z e n die Pferde vor seinen Wagen spannen, und legte seine leuchtenden Waffen an.

Zürnt nicht, ihr Götter, sprach er, daß ich den Tod meines Sohnes
räche, wenn Jupiter|selbst auch seine Blitze auf mich schleudert. – Da   130
sprang Minerva zu, riß ihm den ehernen Spieß aus seiner starken
Hand, den Helm vom Haupte, den Schild von seiner Schulter. – Rasender, sprach sie, willst du uns alle ins Verderben stürzen, wenn aufs
höchste Jupiters Zorn gereitzt ist! – Laß ab zu zürnen, denn mancher
ist erschlagen, der stärker war als dein Sohn, und mancher Stärkere
wird noch fallen; – wer kann die Sterblichen vom Tode befreien! – so
sprach sie, und brachte den Mars zu seinem Sitz zurück.

Wer sieht nicht, durch alle diese menschenähnlichen Darstellungen der Götter, die großen Bilder und Gedanken durchschimmern,
welche diesen Dichtungen Hoheit und Würde geben; – es sind immer
die Begriffe von wilder Zerstörung, Sanftheit des Erhabenen, hohem
Reitz des Schönen, und von lenkender Weisheit, die auf mannichfaltige Weise ineinander spielen, und unter der Decke des Menschenähnlichen sich verhüllen.

Auf der hier beigefügten Kupfertafel ist nach einem antiken geschnittenen Steine aus der Lippertschen Daktyliothek, der Kriegesgott abgebildet, wie er, sich mit der Rechten stützend, und Spieß und
Schild in der Linken tragend, vom Gipfel des umwölkten Olymps
herniedersteigt. – Auf eben dieser Tafel ist Venus mit dem Liebesgott,| ⟨Abb. 11⟩
ebenfalls nach einem antiken geschnittenen Steine, im Umriß abge-   131
bildet.

Venus.

Man verehrte in dieser reitzenden Göttergestalt, den heiligen Trieb
der alle Wesen fortpflanzt. – Die Fülle der Lebenskraft, die in die
nachkommenden Geschlechter sich ergießt. – Den Reitz der Schönheit, der zur Vermählung anlockt; – sie war es, welche den Blick der
Götter selbst auf Jugend und Schönheit in sterblichen Hüllen lenkte,
und triumphirend ihrer Macht sich freute, bis auch sie erlag, dem

blühenden Anchises sich in die Arme werfend; von welchem sie A e -
n e a s , den göttergleichen Held gebahr. −

So wie nun aber jener sanfte wohlthätige Trieb, auch oft verderb-
lich wird, und über ganze Nationen Krieg und Unheil bringt, so stellt
die sanfteste unter den Göttinnen, sich in den Dichtungen der Alten,
auch als ein furchtbares Wesen dar.

Sie hatte den Paris, der ihr vor allen Göttinnen den Preis der
Schönheit zuerkannte, das schönste Weib versprochen; nun stiftete sie
selbst ihn an, dem griechischen Menelaus seine Gattin, die Helena, zu
entführen, und flößte dieser selbst zuerst den Wankelmuth und die
Treulosigkeit in den Busen ein.

So hielt sie dem Paris ihr Wort, ganz unbekümmert, was für Zerstörung und Jammer daraus entstehen würde. − Im Kriege vor Troja
hüllte sie den Paris, als Menelaus im Zweikampf ihn tödten wollte, in
nächtliches Dunkel ein, und führte ihn in sein duftendes Schlafgemach, wo sie selber die Helena zu ihm rief. −

Und als diese, ihre Schuld bereuend, sich weigerte, der Liebesgöttin
Ruf zu folgen, so sprach Venus mit zürnenden Worten: Elende! reitze
mich nicht, damit ich nicht eben so sehr dich hasse, als ich bis jetzt
dich liebte. − Unter den Trojanern und Griechen stifte ich dennoch
verderblichen Hader an, dich aber soll ein unseeliges Schicksal treffen! −

Und nun läßt die gebietende Venus, dem rechtmäßigen erzürnten
Gatten gleichsam zum Trotz, den wollüstigen Paris die Freuden der
Liebe genießen. − Wenn nun diese Göttergestalt zugleich die k a l t e
Weisheit der Minerva, oder den Ernst der Themis, in sich vereinte, so
würde sie freilich nicht so u n g e r e c h t , um die verderbliche Lust
eines einzigen Lieblings zu begünstigen, der alles verwüstenden Zerstörung, die sie dadurch veranlaßt, ruhig zusehn.

Dann wäre sie aber auch nicht mehr a u s s c h l i e ß e n d die Göttin
der Liebe; sie bliebe kein Gegenstand der Phantasie; und wäre nicht
mehr | die hohe dichterische Darstellung desjenigen, was in der gan-
zen Natur mit unwiderstehlichem Reitze unaufhörlich fortwirkt, unbekümmert, ob es Spuren blutiger Kriege oder glücklich durchlebter
Menschenalter hinter sich zurück läßt. −

Ueberhaupt ist es das Mangelhafte, oder die gleichsam fehlen - den Züge, in den Erscheinungen der Göttergestalten, was denselben den höchsten Reitz giebt, und wodurch eben diese Dichtungen ineinander verflochten werden.

Der hohen Juno mangelt es an sanftem Liebreitz; sie muß den Gürtel der Venus borgen. – Die überlegende Weisheit fehlt dem mächtigen Kriegesgotte; Minerva lenkt seinen Ungestüm.

Venus besitzt den höchsten Liebreitz; aber Minerva, der es ganz an weiblicher Zärtlichkeit mangelt, ist ihr an Macht weit überlegen. Im Treffen vor Troja, wo zuletzt die Götter selber sich zum Streit auffordern, und Venus den Trojanern, Minerva den Griechen beisteht, giebt Minerva der Venus, die dem Mars zu Hülfe eilt, mit starker Hand einen Schlag auf die Brust, daß ihre Knie sinken; und Minerva sagt triumphierend: mögen doch alle, die den Trojanern beistehen, der Venus an Tapferkeit und Kühnheit gleichen!

Als Venus vom Diomed in die Hand verwundet gen Himmel stieg, und bei ihrer Mutter|Dione über die verwegene Kühnheit der Sterb- 134 lichen sich beklagte; so spottete Minerva ihrer mit den Worten: gewiß hat Venus irgend eine schöne geschmückte Griechin überreden wollen, daß sie ihren geliebten Trojanern folgen möchte, und beim Liebkosen hat sie sich in die goldene Schnalle die zarte Hand geritzt.

Da lächelte der Vater der Götter und Menschen, rief die Venus zu sich, und sprach zu ihr mit sanften Worten: Die kriegerischen Geschäfte, mein Kind, sind nicht dein Werk; die Freuden der Hochzeit zu bereiten, ist dein süß Geschäft; laß du nur für das wilde Kriegsgetümmel Mars und Minerva sorgen!

So scherzte in diesen Dichtungen der Alten die Phantasie in kühnen Bildern, mit der Gottheit, die sie sich in den kleinsten Zügen nach dem Bilde der Menschen schuf, und dennoch die größten und erhabensten Erscheinungen der alles umfassenden Natur beständig zu ihrem hohen Urbilde nahm.

Die Horen empfangen die Venus, wenn sie, nach der alten Dichtung, dem Meer entsteigt; sie ziehen ihr göttliche Kleider an, setzen ihr aufs unsterbliche Haupt die goldene Krone; schmücken ihr mit

goldenem Geschmeide Hals und Arme; und hängen blitzende Ohr-
135 gehänge in ihre durchlöcherten Ohren; – so mahlt sich | bis auf den
kleinsten weiblichen S c h m u c k das Bild der hohen Göttin aus. –

Der Venus waren vom Jupiter die G r a z i e n zugesellt – in ihrem
Gefolge waren die Liebesgötter, – vor ihren Wagen waren Tauben
gespannt. – Alles ist sanft und weich in diesem Bilde; – doch ist der
Liebesgott mit Bogen und Pfeil bewafnet, und stellt die furchtbare
Macht seiner himmlischen Mutter, der alles besiegenden Göttin, in
sich dar. –

Diana.

Drei himmlische Göttinnen sind über die Macht der Venus erhaben.
– Minerva, welche dem Kriege vorsteht, und nützliche Künste die
Menschen lehrt. – Die jungfräuliche V e s t a, welche bei Jupiters
Haupte schwur, sich nie einem Manne zu vermählen – und D i a n a,
mit dem goldenen Bogen, die sich der Pfeile freut, an schattigten
Wäldern ihre Lust hat, und an der Verfolgung der schnellen Hirsche
sich ergötzt. –

Als Jupiter, den sie schmeichelnd bat, ihr den jungfräulichen Stand
vergönnte, so nahm sie Pfeil und Bogen, zündete ihre Fackel bei
Jupiters Blitzen an, und ging, von ihren Nymphen begleitet, hoch in
den Wäldern einher, und auf den stürmischen Gipfeln. –

136 Sie spannt den goldenen Bogen, und sendet die tödtlichen Pfeile ab;
die Spitzen der Berge zittern. – Vom Aechzen des Wildes ertönt der
Wald, – hoch über alle ihre Nymphen ragt die Göttin mit Stirn und
Haupt empor, und wendet ihr Geschoß nach allen Seiten.

Doch vergißt die hohe Göttin auch im Getümmel der Jagd des
himmlischen Bruders nicht. – Und wenn sie gnug mit Jagen sich
ergötzt hat, so spannt sie den goldnen Bogen ab, und eilet nach Delphi,
zu dem Sitze des leuchtenden Apollo, – da hängt sie ihren Bogen auf,
und führt die Chöre der Musen und Grazien an, welche das Lob der
himmlischen Latona singen, die solche Kinder gebahr. –

Als die Schwester des Apollo schimmert Diana am hellsten hervor, weil dieser seinen Glanz mit auf sie wirft — so wie sie mit ihm vereint, die Kinder der Niobe mit schrecklichen Pfeilen tödtet; so richtet sie auch mit ihm vereint ihr s a n f t e s G e s c h o ß auf die Geschlechter der Menschen, die gleich den welkenden Blättern, der blühenden Nachkommenschaft allmälig weichen.

Nach einer schönen Dichtung übte sich Diana zu diesem Geschäft zuerst an Bäumen, dann an Thieren, und zuletzt an einer u n g e r e c h - t e n Stadt, wo sie die Menschen mit verderblichen, Krankheit und Seuchen bringenden Pfeilen erlegte.

Das Urbild der Diana ist der l e u c h t e n d e M o n d , der k a l t und k e u s c h in nächtlicher Stille über die Wälder seinen Glanz ausstreu-et. — Diese Keuschheit der Diana selber aber ist ein furchtbarer Zug in ihrem Wesen. — Den Jäger Aktäon, der sie im Bade erblickte, ließ sie, in einen Hirsch verwandelt, von seinen eigenen Hunden zerrissen, ihrer jungfräulichen Schamhaftigkeit ein schreckliches Opfer wer-den.

Und als eine Priesterin der Diana ihren Tempel durch die Annah-me der Besuche ihres geliebten Jünglings in demselben entweihte, bestrafte die Göttin das ganze Land mit Pest und Seuchen, bis man das schuldige Paar ihr selber zum Opfer brachte. — Ihr widmeten sich die Jungfrauen, die das Gelübde der Keuschheit thaten, dessen Ver-letzung sie mit grausamen Strafen rächte.

Wenn Jungfrauen, die dieß Gelübde thaten, sich dennoch, ihren Entschluß bereuend, vermählen wollten, so zitterten sie vor Dianens Rache, und suchten die zürnende Göttin mit Opfern zu versöhnen.

Diana und Venus waren die allerentgegengesetztesten unter den himmlischen Göttergestalten. — Demohngeachtet wurden beide ver-ehrt. — Die ausschweifende Lust der einen, und die Keuschheit der andern war über Lob und Tadel der Sterblichen weit erhaben, die eine wie die andre, gleich wohlthätig und gleich furchtbar.

Als aber die mächtige Diana in dem Treffen vor Troja, die m ä c h - t i g e r e Juno zum Streit aufforderte, so fühlte sie die starken Arme der Vermählten des Donnergottes. — Das Wild auf den Bergen, sprach Juno, kannst du tödten, aber nicht mit Mächtigern streiten!

Darauf faßte sie die beiden Hände der Diana an dem Gelenke in ihre Linke zusammen, nahm mit der Rechten den Köcher von Dianens Schulter, und schlug sie damit auf beide Wangen, daß die Pfeile zur Erden fielen – und gleich der furchtsamen Taube vor dem Habicht, floh die sonst so mächtige Göttin weinend davon, und ließ ihren Köcher zurück, welchen Latona wieder aufhob, und die zerstreuten Pfeile wieder auflaß.

So menschenähnlich auch diese hohen Göttergestalten handeln, ist dennoch diese Dichtung groß und schön, sobald man sie nicht einzeln, sondern im Sinn des Ganzen dieser Dichtung nimmt. –

Derselbe furchtbare Köcher, aus welchem die tödtlichen Pfeile sich über das Geschlecht der Sterblichen verbreiten, ist ein leichtes Spielwerk in den Händen der erhabenen Juno, die ihn als ein Werkzeug braucht, den Uebermuth der Mindermächtigen zu bestrafen, deren erröthende Wange, von einer stärkern Hand die Schläge des rasselnden Köchers fühlt, mit welchem sie sonst furcht-|bar einhergeht. – Es giebt kein treffenderes Bild der tief gedemüthigten weiblichen Macht als dieß.

〈Abb. 12〉
139

Der weisere Apoll antwortet dem Neptun, der ihn zum Streit auffordert: warum sollte ich mit dir der elenden Sterblichen wegen fechten, die gleich den Blättern auf den Bäumen, nur eine Zeitlang dauern, und bald verwelken! – Laß uns vom Kampf abstehen; sie mögen unter einander sich selbst bekriegen!

Auf der hier beigefügten Kupfertafel befindet sich eine Abbildung der Diana nach einem antiken geschnittenen Steine, wo sie, im aufgeschürzten Kleide, auf einen attischen Pfeiler gelehnt, in ruhiger Stellung steht, den Köcher und Bogen auf der Schulter, und als die Erleuchterin der Nacht mit einer Fackel in der Hand, welche sie auszulöschen im Begriff ist.

Hinter ihr ragt ein Berg hervor, welcher sie als die Göttin bezeichnet, die auf den waldigten Gipfeln einhergehend, die Spur des Wildes verfolgt.

Auf eben dieser Kupfertafel befindet sich auch eine Abbildung der Ceres nach einem antiken geschnittenen Steine. – In der Rechten hält sie eine Sichel, in der Linken eine Fackel, die sie auf dem Aetna anzündete, um ihre geraubte Tochter in den verborgensten Winkeln der Erde zu suchen. Zu ihren Füßen schmiegen sich die Drachen, die ihren Wagen zogen.

Ceres.

Unter den drei hohen Göttinnen, die vom Saturnus erzeugt, und von der Rhea geboren sind, ist Juno allein die Königin des Himmels. − Ceres und Vesta sind auf Erden wohlthätige Wesen, wovon die eine den nährenden Halm hervorruft; die andre selbst jungfräulich, dennoch den Schooß der Erde mit heiliger fruchtbarmachender Wärme durchglüht.

Mit der Ceres erzeugte der Vater der Götter die jungfräuliche Proserpina, welcher des Lichtes süßer Anblick nur kurze Zeit gewährt war − denn nur zu bald wurde Jugend und Schönheit ein Opfer des unerbittlichen Orkus. −

Da sie in sorgenfreier Unschuld mit ihren Gespielinnen auf der Wiese Blumen sammlet, schlingt schon der König der Schrecken die starken Arme um sie her, und hebt die umsonst sich sträubende auf seinen mit schwarzen Rossen bespannten Wagen. −

Zürnend und mitleidsvoll versucht die Nymphe Cyane die schnaubenden Rosse aufzuhalten. − Pluto aber stampft mit seinem zweizackigten Zepter von Ebenholz den Boden, und öfnet sich mitten durch die Klüfte der Erde zu seinem unterirdischen Pallast einen Weg.

Ceres aber, da sie den Raub ihrer Tochter vernimmt, unwissend wer sie entführte, zündet auf dem flammenden Aetna ihre Fackel an, setzt sich auf ihren mit Drachen bespannten Wagen, und sucht ihre Tochter in den verborgensten Winkeln der Erde, wohin kein Strahl der Sonne drang. − Sie sucht die Nacht zu erleuchten; das Verborgene aufzudecken; um das Verlohrne und Entschwundene, was ihr so nah verwandt ist, wieder ans Licht zu bringen. −

Nachdem sie ihre Tochter nun vergebens auf der ganzen Erde gesucht hatte, so kam sie endlich in Eleusis, einem Flecken in Attika, ermüdet an. –

Mit der Macht der Gottheit verknüpft die schöne Dichtung menschliches Leiden. – Die erhabene Göttin war jammervoll – sie setzte sich betrübt auf einem Steine nieder – bis der gastfreie Celeus sie in seine Wohnung einlud, ohngeachtet sein Haus voll Trauer war, weil sein geliebter Sohn in letzten Zügen lag.

Die Göttin nahm an dieser Trauer Theil, weil sie den Schmerz über den Verlust eines Kindes in seiner ganzen Größe selber kannte. – Nun aber that sie, was als Göttin ihr ein Leichtes war; sie machte des Celeus Sohn gesund.

Auch wollte sie die Unsterblichkeit dem blühenden Knaben schenken, indem sie ihn alle Nacht|auf ihrem Schooße in Flammen hüllte, um alles Sterbliche an ihm zu tilgen; bis durch den ungestümen Schrei, und durch die unzeitige Furcht der Mutter, welche die Ceres einst bei diesem Geschäft belauschte, auch dieser Wunsch der Göttin vereitelt ward.

Dennoch setzte sie ihrer Wohlthätigkeit keine Schranken; sie gab dem Triptolemus des Celeus älterm Sohne, einen Wagen mit fliegenden Drachen bespannt, und schenkte ihm den edlen Waizen, daß er ihn auf der ganzen Erde mit vollen Händen ausstreuen, und Seegen allenthalben seine Spur begleiten sollte.

Endlich entdeckte nun auch der Ceres die allsehende Sonne den Aufenthalt ihrer Tochter, – da forderte sie die gewaltsam Geraubte zürnend vom Orkus wieder, – und Jupiter selber bewilligte Proserpinens Rückkehr, unter der Bedingung, daß von der Kost in Plutos Reiche ihre Lippe noch unberührt sey.

Proserpina aber hatte dem Reitz nicht widerstanden, aus einem Granatapfel einige Körner zu verzehren, – nun war sie dem Orkus eigen, und konnte keine Rückkehr hoffen.

Dennoch bewirkte ihre mächtige Mutter, daß sie nur einen Theil des Jahres beim Pluto verweilen durfte, den andern aber wieder auf der Oberwelt des himmlischen Lichts genösse, damit|die liebende Mutter sich a l l j ä h r l i c h der wiedergefundenen Tochter freue.

Durch alle diese Dichtungen schimmern die Begriffe von der geheimnißvollen Entwickelung des Keims im Schooß der Erde, von dem innern verborgenen Leben der Natur hervor. — Es giebt keine Erscheinung in der Natur, wo L e b e n und T o d, dem Ansehen nach, näher aneinander grenzen, als da, wo das Saamenkorn, dem Auge ganz verdeckt, im Schooß der Erde vergraben, und gänzlich verschwunden ist; und dennoch grade auf dem Punkte, wo das Leben ganz seine Endschaft zu erreichen scheint, ein neues Leben anhebt.

Durch den sanften Schooß der Ceres pflanzen sich bis in das dunkle Reich des Pluto die himmlischen Einflüsse fort. — Pluto heißt auch der stygische oder unterirdische Jupiter; und mit ihm vermählt sich des himmlischen Jupiters reitzende Tochter, in welcher die Dichtung die entgegengesetzten Begriffe von L e b e n und T o d zusammenfaßt, und durch welche sich zwischen dem H o h e n und T i e f e n ein zartes geheimnißvolles Band knüpft.

Auf den M a r m o r s ä r g e n der Alten findet man oft den Raub der Proserpina abgebildet, — und bei den geheimnißvollen Festen, welche der Ceres und der Proserpina gefeiert wurden, scheint es, als habe man grade dieß Aneinandergrenzen | des Furchtbaren und Schönen, 144 zum Augenmerk genommen, um die Gemüther der Eingeweihten mit einem sanften Staunen zu erfüllen, wenn das ganz E n t g e g e n - g e s e t z t e sich am Ende in Harmonie auflößte. —

An die Vorstellung vom A c k e r b a u, welche den Menschen nachher so gewöhnlich und alltäglich geworden ist, knüpften sich in jenen Zeiten, wo man noch die Gaben der Natur gleichsam u n m i t t e l b a r aus ihrer Hand empfing, erhabne und schöne Begriffe an; — es war die Menschheit und ihre h ö h e r e B i l d u n g selber, die man in dieser einfachen Vorstellung wiederfand, unter welcher man sich auch die ganze Natur mit ihren wunderbarsten abwechselnden Erscheinungen dachte, und sich an dieselbe u n t e r a l l e n i h r e n G e s t a l t e n, so nahe wie möglich anschloß.

Unter den hohen Göttergestalten ist C e r e s eine der sanftesten und mildesten; demohngeachtet ließ sie auch den E r y s i c h t h o n , welcher an einem ihr geweihten heiligen Haine Frevel verübte, ihre furchtbare Macht empfinden. − Sie selber warnte ihn zuvor, da er im Begriff war die heilige Pappel umzuhauen; als er aber dennoch den grausamen Hieb vollführte, so mußte er für sein Vergehen gegen die alles ernährende Göttin, mit e w i g n i c h t z u s t i l l e n d e m H u n - g e r , büßen.

145 Und als sie ihre verlohrne Tochter auf dem ganzen Erdkreis suchend, einst lechzend und ermattet in eine Hütte einkehrte, wo sie begierig trinkend, von einem Knaben verspottet ward, so duldete sie die Schmach nicht, sondern besprengte den kindischen Frevler mit Wassertropfen, der plötzlich in eine Eidexe verwandelt, von der furchtbaren Macht der Göttin ein Zeuge ward.

Vulkan.

Das Mühsame und Beschwerliche der Arbeit in der mit Rauch und Dampf erfüllten Werkstatt, zusammengedacht mit der erhabnen Kunst, die unermüdet hier mit schaffendem Geiste wirkt, hüllte die Phantasie der Alten in eine eigene hohe Götterbildung ein, bei welcher alle Kraft sich in den mächtigen Arm vereint, der den gewaltigen Hammer auf dem Ambos führt, indeß die gelähmten Füße hinken.

Wetteifernd mit dem Jupiter hatte Juno den Vulkan, wie dieser die Minerva, aus sich selbst gebohren und erzeugt. − Jupiter aber schleuderte ihn vom Himmel hinab; er sollte in den glänzenden Reihen des hohen Götterchors nicht aufgenommen seyn. −

Der Rauch, der schwarze Dampf, die halberstickte Flamme, ver-
146 einte sich mit dem reinen | Aether nicht, und widerstrebte dem Begriff von Klarheit, Schönheit, und hoher Götterwürde. − Die H ä ß l i c h - k e i t Vulkans ist ihm ein bittrer Vorwurf.

Und dennoch nahm die Phantasie auch diese Götterbildung unter den Glanz des Hohen und Himmlischen, durch den Weg des K o - m i s c h e n wieder auf. − Die seeligen Götter gerathen in ein unendliches Lachen, wenn der hinkende Vulkan das Amt des Ganymed verwaltend, und selbst über sein Gebrechen scherzend, den mit Nektar gefüllten Becher in der Versammlung der Götter umherreicht. –

Die kühne Einbildungskraft der Alten aber wußte das K o m i s c h e selber wieder mit Göttermacht und Hoheit, und einer über alles Menschliche erhabnen Würde zu umkleiden, wodurch sie eine Schattirung mehr erhielten, die ihren Dichtungen einen unnachahmlichen Reitz giebt.

Der Hinkende, wegen seiner Häßlichkeit vom Himmel geschleuderte Sohn der Juno, welcher unbehülflich das Amt des zarten Ganymed verrichtet, ist in der mechanischen Kunst vortreflich; bei dieser schaden ihm die gelähmten Füße nicht; auch schmälert sein Sturtz vom Himmel die Macht und Hoheit nicht, wodurch er ein Gegenstand der Verehrung der Völker wird.

In seiner Schmiede führt er auf dem Ambos mit mächtigen Schlägen selbst den Hammer; – aber Luft und Feuer stehen ihm zu Gebote. – Die Blasebälge athmen auf seinen Wink, und hauchen die Flamme schwächer oder stärker an; – jeder seiner Gedanken führt schnell mit Götterkraft sich aus, und unter seinen bildenden Händen tritt majestätisch das Werk hervor.

Ihm ist es ein Leichtes seinen Bildungen Leben einzuhauchen; – er schmiedet zwanzig Dreifüße auf goldenen Rädern rollend, welche auf seinen Wink in die Versammlung der Götter gehen und wiederkehren. – Auch hat er sich goldne Mägde gebildet, die Leben und Bewegung haben, und ihn im Gehen stützen. –

Wenn er aus seiner Schmiede tritt, so trägt er ein königlich Gewand und Scepter; – auch ist in ihm die hohe bildende Kunst, obgleich in unansehnliche Gestalt verhüllt, doch mit der S c h ö n h e i t selbst vermählt; – durch diese Vermählung mit der Venus aber, erhält das Komische in den Zügen der Götterbildung des Vulkan den höchsten Reitz, weil auch die Eifersucht sich dazu gesellt. –

Das künstliche Netz, welches der eifersüchtige Gatte um den Mars und die Venus schmiedet, und alle Götter herbeiruft, um über sein Unglück sich zu beklagen, ist in den Dichtungen der Alten | unter		148

Göttern und Menschen zu einer belustigenden Fabel geworden, wodurch der finstre Ernst gemildert, und das Gemüth zu frohem Lächeln aufgeheitert wird.

In der Götterbildung des Vulkan aber findet sich das ganz Entgegengesetzte zusammen, was die Alten vorzüglich in ihren Dichtungen liebten; in ihm vermählt sich die Häßlichkeit mit der Schönheit selber; — das Komische ist in ihm mit Würde; die Schwachheit mit der Stärke, die Lähmung des Fußes mit der Kraft des mächtigen Arms vereint. — Es ist, wie wir schon bemerkt haben, gleichsam das M a n - g e l h a f t e , oder die fehlenden Züge, wodurch auch diese Göttergestalt sich an die übrigen anschließt.

Wie hoch aber die Kunst das Eisen zu schmieden von den Alten geschätzt wurde, erhellet auch aus dieser Dichtung, wo sie unter allen Künsten allein das ausschließende Geschäft eines Gottes ist, der selber mit in dem Rathe der hohen Götter sitzt.

Ob nun gleich Vulkan erst unter den neuen Göttern auftritt, so schimmert dennoch auch sein Urbild unter den alten Göttergestalten dunkel hervor; — die Kureten oder Korybanten, welche den Jupiter auf der Insel Kreta bewachten, waren nach einer alten Sage, seine Abkömmlinge; | auch war er einer der ältesten oder die älteste unter den Aegyptischen Gottheiten.

Die Kureten machten schon ein Getöse mit Waffen, die von Eisen geschmiedet waren. — Die Cyklopen hatten schon vorher, ehe Jupiters Reich begann, in den Höhlen der Erde den Blitz und den Donner bereitet, und die Erde selber hatte schon eine Sichel geschmiedet, womit Saturnus seinen Erzeuger entmannte.

Auch waren eine Art geheimnißvoller Götterbildungen aus dem höchsten Alterthum, welche unter dem Nahmen der K a b i r e n in Aegypten und Samothracien verehrt wurden, nach einer alten Sage, Söhne oder Abkömmlinge des Vulkan, dessen Erscheinung hiedurch auf einmal weit zurücktritt, und in den Nebel der grauen Vorzeit sich verhüllt.

Schön und bedeutend ist es in diesen Dichtungen, daß die b i l - d e n d e n Götter einander hülfreich sind. — Als Prometheus die Menschen bildete, so standen Minerva und Vulkan ihm bei. − Vulkan aber mußte nachher selber auf Jupiters Befehl den Prometheus an den Felsen schmieden, welches er nach der Darstellung des tragischen Dichters, da er dem Donnerer nicht widerstreben durfte, mit lautem Jammer that.

Auch wünschte Vulkan, obgleich vergeblich, sich mit der Minerva zu vermählen. − Und als | er gewaltsam sich ihrer zu bemächtigen 150 suchte, wurde, während daß er mit der Göttin kämpfte, die Erde von seiner Zeugungskraft befruchtet, und gebahr den E r i c h t h o n i u s mit D r a c h e n f ü ß e n, den Minerva selbst in Schutz nahm, und ihn den Einwohnern ihrer geliebten Stadt Athen zum Könige setzte, wo er, um seine ungestalten Füße zu verbergen, den vierrädrigen bedeckten Wagen erfand. −

Die Drachengestalt und Drachenfüße bezeichnen in diesen Dichtungen fast immer das der E r d e entsprossene, mit der Erde nah verwandte, − so bildet die Phantasie die himmelanstürmenden Giganten, als Kinder der E r d e mit Drachenfüßen; und auch der Wagen der Ceres, die die Erde befruchtet, ist mit Drachen bespannt.

Ganz m e n s c h e n ä h n l i c h stellt die Dichtung den Gott der Flammen dar, wie er, um die Thetis zu empfangen, die zu ihm kömmt, um für ihren geliebten Sohn Achilles einen neuen Schild und Rüstung zu erbitten, sich mit dem nassen Schwamme, erst Brust und Nacken, Gesicht und Hände wäscht, um mit dem Schmutz der Arbeit nicht vor der besuchenden Göttin zu erscheinen.

Als er aber in dem Treffen vor Troja auf den Befehl seiner Mutter sich mit seinen Flammen dem Flußgott S k a m a n d e r widersetzte, der mit seinen anschwellenden Fluthen den Achill verfolgte; so be-| gann ein furchtbarer Kampf zwischen den beiden entgegengesetzten ⟨Abb. 13⟩
Elementen. Zuerst verbrannte Vulkan das Feld mit allen Todten; − 151
dann richtete er die leuchtende Flamme gegen den hochaufschwellenden Strom, daß das Schilf an seinen Ufern verbrannte, das Wasser siedete, und die Fische geängstiget wurden. − Da flehte der Flußgott die Juno um Erbarmung an, − und Vulkan ließ ab ihn zu ängstigen, da seine Mutter es ihm befahl, und zu ihm sprach: höre auf, es ist nicht

billig, daß ein unsterblicher Gott der sterblichen Menschen wegen so gequält werde!

Auf der hier beigefügten Kupfertafel befindet sich im Umriß nach
antiken geschnittnen Steinen aus der Lippertschen Daktyliothek, außer einem Kopf des Vulkan, noch eine Abbildung desselben, wie er
einen Pfeil schmiedet, und ihm zur Seite Venus mit dem Kupido steht,
der nach den Pfeilen greift, die Venus in der Hand hält.

Vesta.

So wie Vulkan die zerstörende, und auch die bildende Flamme, das
verzehrende Feuer, und die alles zerschmelzende Gluth bezeichnet; so
ist der Vesta höheres Urbild das heilige glühende Leben der Natur,
das unsichtbar mit sanfter Wärme, durch alle Wesen sich verbreitet.

Es ist die reine Flamme in dem keuschen Busen der hohen Himmelsgöttin, welche als ein erhabnes Sinnbild auf dem Altar der Vesta
loderte, und wenn sie verloschen war, nur durch den elektrischen,
durch Reibung hervorgelockten Funken, sich wieder entzünden
durfte.

Unter diesem hohen Sinnbilde wurde das umgebende Ganze selber
in seinem geheimsten Mittelpunkte verehrt, wo Gestalt und Bildung
aufhörte, und der runde, umwölbende Tempel, mit dem Altar und der
darauf lodernden Flamme, selbst das Bild der inwohnenden Gottheit
war.

Dieser uralte Gottesdienst verflochte sich auch in das schöne häusliche Leben der Alten: Man dankte der Vesta jede wohlthätige Wirkung des Feuers, die auf Erhaltung und Ernährung abzweckt. – Sie
war es, welche die Menschen lehrte, sich auf dem heiligen Heerde
die nährende Kost zu bereiten.

Auch das Häuserbauen lehrte Vesta die Menschen, – und so wie das
umgebende Ganze selber ihr Tempel war, so war auch die schützende
Umgebung des Menschen ihr wohlthätiges Werk, das ihr die Sterblichen dankten; denn der Eintritt zu jeglichem Hause und der Vorhof
waren ihr heilig.

Es war ein reines dankbares Gefühl bei den Alten, wodurch sie jede einzelne Wohlthat der | Natur, unter irgend einem bezeichnenden Sinnbilde besonders anerkannten; – es war eine schöne Idee, der heiligen Flamme, welche wohlthätig den Menschen dient, gleichsam wieder zu pflegen, und unbefleckte Jungfrauen, als die heiligsten Priesterinnen, ihrem immerwährenden Dienste zu weihen.

⟨Abb. 14⟩ 153

Für das Feuer, welches allenthalben den Menschen nützt, gab es auch einen Fleck, wo es nie durch den Gebrauch zu menschlichem Bedürfniß herabgezogen, stets um sein selbst willen loderte, und die Ehrfurcht der Sterblichen auf sich zog.

Wenn die Kunst der Alten es wagte, die Vesta abzubilden, so trug die geheimnißvolle Göttin eine Fackel in der Hand, aber der keusche Schleyer hüllte dennoch ihre Bildung ein. – Auf der hier beigefügten Kupfertafel befindet sich eine Abbildung der Vesta, nach einem antiken geschnittenen Steine aus der Lippertschen Daktyliothek, die aber so zusammengesetzt, und räthselhaft ist, daß man leicht sieht, der Künstler habe vorzüglich nur das Geheimnißvolle in dem Begriff von dieser Gottheit selbst bezeichnen wollen.

Pluto oder der stygische Jupiter, der auch Jupiter Serapis heißt, sitzt auf einem Throne, und legt, in der Linken den Scepter haltend, seine Rechte auf eine geflügelte Thiergestalt. – Zu seiner Linken steht Harpokrates, der Gott des Still-|schweigens, mit dem Finger auf dem Munde, und zur Rechten die geschleierte Vesta mit der Fackel in der Hand. Auch hält Harpokrates ein Horn des Ueberflusses. – Lauter Sinnbilder des Tiefen, Verborgenen, Geheimnißvollen, im Innersten der Natur, woraus sich unaufhörlich Leben und Fülle ergießt.

154

Unter der Abbildung der Vesta mit der Fackel, denkt man sich eine ältere Vesta, welche mit der Erde einerlei ist, die unter mannichfaltigen Nahmen auch diesen trägt. – Allein die ähnlichen alten und neuen Göttergestalten verlieren sich in den Dichtungen der Alten ineinander; und da die Erde, als eine der alten Gottheiten unter den neuen herrschenden Göttern nicht mit auftritt, so scheint sie in der

Vesta, wie Helios im Apollo, sich gleichsam verjüngt zu haben, und wohnt in ihr dem Rath der himmlischen Götter bei.

Auf eben dieser Kupfertafel befindet sich auch, nach einem schönen antiken geschnittenen Steine, eine Abbildung des Merkur, der als der Gott der Wege den Altar, worauf ein antiker Meilenzeiger steht, mit seinem Stabe berührt. Auf dem Altare liegt ein Stab, zum Zeichen, daß die Reisenden dem Merkur, wenn sie die Reise vollbracht, ihre Wanderstäbe weihten. − Zum Zeichen der Sicherheit der Wege, windet sich der friedliche Oehlzweig um die Meilensäule. Merkur | trägt auf dem Haupte den geflügelten Hut, und ist mit einem kurzen Mantel bekleidet.

Merkur und Vesta waren beide die Menschen lehrende wohlthätige Wesen, und der Gesang vereint ihr Lob. In allen Häusern und Pallästen der Götter und der Menschen hat Vesta ihren eignen Sitz, und ihre alte Ehre; − der ersten und der letzten Vesta wird bei jedem Gastmahle süßer Wein mit Ehrfurcht ausgegossen. −

Der Sohn des Jupiter und der Maja, der Bote der Götter mit dem goldenen Stabe, der Geber vieles Guten, bewohnet mit der Vesta die Häuser der Sterblichen, und beide sind einander lieb, weil beide, in schöner Uebereinstimmung, nützliche Künste lehren. −

Merkur.

In diese leichte Götterbildung hüllte die Phantasie der Alten die Begriffe von schneller Erfindungskraft, List, und Gewandtheit ein, die sich sowohl in der täuschenden Ueberredung, als in dem leicht vollführten scherzenden Diebstahl zeigte, worüber selbst der Beraubte, wenn er die kühne Schalkheit wahrnahm, lächeln mußte. −

Schalkheit und List ist hier mit der Macht der Gottheit und mit Unsterblichkeit gepaart, − denn nichts war unheilig in der Vorstellungsart der | Alten, was aus dem mannichfaltigen Bildungstriebe der Natur hervorging, und, wenn gleich durch sich selber schadend, dennoch den Stoff des Schönen und Nützlichen in sich enthielt.

Die Phantasie setzt ihren Göttergestalten keine Schranken, – sie läßt bei jeglicher den herrschenden inwohnenden Trieb in seinem w e i t e s t e n   U m f a n g e spielen, und führt ihn gern bis auf den Punkt des S c h ä d l i c h e n hin; eben weil in diesen Dichtungen die großen Massen von L i c h t und S c h a t t e n, und die furchtbaren G e g e n s ä t z e in der Natur sich zusammendrängen, die sonst das Auge nur zerstreut und einzeln wahrnimmt; und weil gewissermaßen jede Göttergestalt, das W e s e n   d e r   D i n g e selbst, aus irgend einem erhabenen Gesichtspunkt betrachtet, in sich zusammenfaßt.

In dieser Rücksicht ist die Dichtung vom Merkur eine der schönsten und vielumfassendsten. – Er ist der behende G ö t t e r b o t e – der Gott der R e d e – der Gott der W e g e – in ihm verjüngt sich das s c h n e l l e   g e f l ü g e l t e   W o r t, und wiederholt sich auf seinen Lippen, wenn er die Befehle der Götter überbringt. –

Darum ist auch sein erhabenstes Urbild die R e d e selber, welche als der zarteste Hauch der Luft sich in den mächtigen Zusammenhang der Dinge gleichsam s t e h l e n   m u ß, um durch den Ge-|danken und die Klugheit zu ersetzen, was ihrer Wirksamkeit an Macht abgeht. –   157

Auch lieh die Phantasie der Alten gern dem Worte F l ü g e l, weil es vom schnellen Hauch begleitet erst hörbar wird; und wenn der Laut nicht über die Lippen kam, so war ihr schöner Ausdruck: d e m   W o r t e   f e h l t e n   d i e   F l ü g e l.

Die Z u n g e der Opferthiere war dem Merkur geweiht; Milch und Honig brachte man dem Gott der sanft hinströmenden Unterredung dar. – Aus seinem Munde senkte sich, nach einer dichterischen Darstellung, vom Himmel eine goldne Kette nieder, bis zu dem lauschenden Ohre der Sterblichen, die der süße Wohllaut von seinen Lippen mit mächtigem Zauber lenkte. –

Unwiderstehlich ist seine Macht, den Zwist zu schlichten, das Streitende zu versöhnen, und das Mißtönende harmonisch zu verbinden. – Dem Schooß der Mutter noch nicht lange entwunden, schlug er mit seinem goldnen Stabe zwischen zwei erzürnte miteinander streitende Schlangen, – und diese vergaßen plötzlich ihrer Wuth, und

wickelten sich vereint, in sanften Krümmungen um den Stab, bis an
die Spitze, wo ihre Häupter in ewiger Eintracht sich begegnen.

Es giebt kein schöneres Sinnbild, um die Versöhnung und den Frieden, so wie die harmonische Verbindung des Widerstreitenden und
158 Ent-|gegengesetzten zu bezeichnen, als diesen Schlangenumwunde-
nen Stab, der, in der Hand des Götterboten, der Herold seiner Macht
ist.

Nichts ist reizender als die dichterischen Schilderungen der Alten
von der schnell sich entwickelnden Götterkraft, die gleichsam lange
vorher schon war, und nun in verjüngter Gestalt aus dem Schooß der
Mutter neu gebohren, die Fülle ihres Wesens, welche sie in sich spürt,
nicht lange durch Windeln und durch die Wiege beschränken läßt.

Während daß Juno schlief, hatte Jupiter in verstohlner Umarmung
mit der holden Maja den Merkur in einer schattigten Höhle erzeugt.
– Und als die Zeit der Entbindung da war, so wurde am frühen
Morgen der Götterknabe gebohren, am Mittag schlug er schon die
von ihm selbst erfundene Laute, und am Abend entwandte er die
Rinder des Apollo.

Die Laute erfand er, da er am ersten Mittage sich aus der Wiege
stahl, und indem er über die Schwelle trat, eine Schildkröte ihm
entgegen kam, deren umwölbende Schaale ihm sogleich ein schickliches Werkzeug schien, um von dem Klange darauf gespannter Saiten wiederzutönen. –

Wenn du todt bist, sprach er zu der Schildkröte, dann wird erst dein
Gesang anheben. – Und als er ihr nun das Leben geraubt hatte, und|
159 die Umwölbung leer war, spannte er sieben aus Sehnen geflochtene
miteinander tönende Saiten darüber, und schlug sie mit dem klang-
entlockenden Stäbchen, jeden einzelnen Ton versuchend, der tief im
Bauch der Wölbung wiederhallte.

Nun konnte er auch der Lust zu singen nicht widerstehen, und
besang, die Laute schlagend, was nur sein Auge erblickte; die Dreifüße und Gefäße in seiner Mutter Hause; aber er sang auch schon mit
höherm Schwunge, Jupiters Liebesbündniß mit der holden Maja, als
seiner eigenen Gottheit Ursprung.

Als nun am Abend die Sonne sich in den Ocean tauchte, war er schon auf den Piräischen Gebirgen, wo die Heerden der unsterblichen Götter weiden. Funfzig entwandte er von Apollos Rindern, und trieb sie mit manchem listigen Kunstgriff über Berg und Thal, daß niemand die Spur des Raubes entdecken konnte, wenn nicht ein Greis, der auf dem Felde grub, den Knaben mit den Rindern vor sich her bemerkt, und ihn dem Apollo verrathen hätte.

Als er nun am Alpheusstrome zwei von den Rindern geschlachtet, und sie sich selber geopfert hatte, so löschte er wieder das Feuer aus, verscharrte die Asche in den Sand, und warf die Schuh von grünen Reisern, womit er die Fußstapfen unkenntlich zu machen gesucht, in den | vorüberströmenden Alpheus, damit auch hier sich 160 keine Spur mehr zeige.

Dieß alles that er bei Nacht und hellem Mondenschein. –

Als nun der Tag anbrach, da schlich er sich leise wieder in die Wohnung seiner Mutter, und legte sich in die Wiege, die Windeln um sich her, die Laute, als sein liebstes Spielwerk, mit der Linken haltend.

Und als nun Apollo wegen der geraubten Rinder zürnend kam, so stellte sich der Räuber, als ob er in der Wiege in süßem Schlummer läge, die Laute unterm Arme. Apollo drohte, ihn in den Tartarus zu schleudern, wenn er nicht schnell den Ort anzeigte, wo die entwandten Rinder wären.

Da antwortete der listige Knabe mit den Augen blinzelnd: wie grausam redest du, Latonens Sohn, einen kleinen Knaben an, der gestern gebohren ist, und dem ganz andre Dinge lieb sind, als Rinder hinwegzutreiben; der sich nach süßem Schlummer, und nach der Brust der Mutter sehnt; und dessen Füße viel zu weich und zart sind, als daß sie rauhe Pfade betreten könnten. – Doch will ich bei meines Vaters Jupiters Haupte schwören, daß ich die Rinder weder selber entwandt habe, noch den Thäter weiß.

Und als sie nun beide, um ihren Streit zu schlichten, vor dem Vater 161 der Götter auf dem Olymp erscheinen, so bringt zuerst Apollo wegen der entwandten Rinder seine Klage vor. – Merkur aber stand in Windeln da, um durch sein zartes Alter selbst die Klage zu widerlegen.

Seh' ich denn wohl, so sprach er zum Jupiter, einem starken Manne gleich, der Rinder hinwegzutreiben vermag? — Gewiß sollst du, mein Erzeuger selbst, die Wahrheit von mir hören: ich lag in süßem Schlummer, und habe die Schwelle unsrer Wohnung nicht überschritten; — du weißt auch selber wohl, daß ich nicht schuldig bin; doch will ichs auch durch den größten Schwur betheuern; und jenem einst sein grausames Wort vergelten; du aber stehe dem jüngern bei!

So sprach Merkur mit den Augen blinzelnd, und Jupiter lächelte über den Knaben, d a ß e r s o s c h ö n u n d k l u g d e n D i e b s t a h l z u l e u g n e n w u ß t e. —

Zugleich befahl er dem Merkur, den Ort zu zeigen, wo die Rinder verborgen wären. Als dieser nun Jupiters Befehl gehorchte, ward auch Apollo wieder mit ihm versöhnet; und die vom Merkur erfundene Laute war der Versöhnung Unterpfand.

Denn als der Gott der Harmonien ganz entzückt den lieblichen Ton vernahm, der fähig ist,⎮Liebe und Freude und Schlummer zu bewirken, gewann er auch den klugen Erfinder lieb, und sprach: die Erfindung sey der funfzig geraubten Rinder werth! — Da schenkte ihm Merkur die Laute, und Apollo war über den Besitz des kostbaren Schatzes hocherfreut; damit ihm dieser aber vollkommen gesichert sey, so bat er den Merkur, ihm noch bei dem Styx zu schwören, daß er die sanft ertönende Laute i h r e m n u n m e h r i g e n B e s i t z e r n i e w i e d e r e n t w e n d e n w o l l e.

Apollo schenkte nachher dem Merkur den goldenen Stab, der alle Zwiste schlichtet; — jetzt aber kehrten die beiden N a h v e r w a n d t e n Hand in Hand geschlungen zum Olymp zurück; es war die Kunst, die ein schönes Band zwischen ihnen knüpfte, und Jupiter freute sich ihrer Eintracht. —

Merkur wird nun der Götterbote; — er ist die b e h e n d e M a c h t — das s c h n e l l s i c h B e w e g e n d e unter den hohen Göttergestalten, die gleichsam fest gegründet in ihrer Majestät, den schnellen erfindungsreichen Gedanken vom Himmel zur Erde senden, und wenn er wiederkehrt, ihn in ihrem hohen Rath aufnehmen.

Auch die Kunst zu ringen, und d u r c h B e h e n d i g k e i t d e r
S t ä r k e überlegen zu seyn, lehrte Merkur die Menschen. Alles, wo-
durch der zarte Gedanke, sich in der Dinge geheimste Fugen | steh-
lend, des mächtigen Zusammenhangs Meister wird, ist das Werk des
leichten Götterboten.

⟨Abb. 15⟩
163

Er stieg vom hohen Olymp ins Reich des Pluto nieder. – Die Seelen
der Verstorbenen führt er mit seinem Stabe der öden Schattenwelt,
der dunkeln Behausung der Todten zu; er selber steigt wieder zum
Olymp empor, wo ewiger Glanz und Klarheit herrscht. –

Die Erde.

Obgleich die Erde, die den umwölbenden Uranos aus sich gebahr, und
sich mit ihm vermählte, unter die uralten über Bildung und Form
erhabenen Erscheinungen, worauf die Phantasie noch nicht haften
kann, zurücktritt; so hat dennoch die bildende Kunst versucht, auch
diese Göttergestalt durch allegorische Darstellung zu bezeichnen.

So ist auf der hier beigefügten Kupfertafel, nach einem antiken
geschnittenen Steine, die alles ernährende Erde gebildet, in ruhiger
Stellung am Boden sitzend, und mit ihrer Rechten den Stamm eines
Baums umfassend, dessen Zweige sich ü b e r i h r e m H a u p t e ausbreiten. Neben ihr liegt ein Horn des Ueberflusses; mit der Linken
berührt sie die neben ihr ruhende H i m m e l s k u g e l; vor ihr steht
die Siegesgöttin; und unter dem | Bilde zweier kleinen weiblichen
Figuren, welche Gefäße in den Händen tragen, bringen die w e c h -
s e l n d e n J a h r e s z e i t e n der seegnenden Mutter ihre Gaben dar.

164

Von der Göttin C y b e l e, unter welchem Nahmen R h e a, eine
Tochter der Erde, und des Saturnus Vermählte, als die g r o ß e M u t -
t e r o d e r d i e M u t t e r a l l e r G ö t t e r verehrt ward, befindet sich auf
eben dieser Tafel eine Abbildung nach einem antiken geschnittenen
Steine aus der Stoschischen Sammlung; wo die mächtige Göttin dargestellt ist, auf einem Löwen reitend, das leuchtende Gestirn zu ihrer
Rechten; zu ihrer Linken den gehörnten Mond; die Handpauke nah
am Haupte haltend, und gleichsam auf das Getöse lauschend.

Cybele.

In dieser fremden Göttergestalt, die P h r y g i s c h e n Ursprungs war, verjüngte sich die Dichtung von der R h e a, welche, da sie den Jupiter gebohren, statt seiner einen eingewickelten S t e i n dem Saturnus zu verschlingen gab, und heimlich auf der Insel Kreta das Götterkind erziehen ließ, um welches die Korybanten mit ihren Waffen ein w i l - d e s G e t ö s e machten, damit Saturnus nicht die Stimme des weinenden Kindes hörte.

165   An diese alte Sage knüpften sich die Begriffe von Entstehung und Erzeugung des Gebildeten an. — Es war die M u t t e r a l l e r D i n g e, welche die zerstörende Obermacht zu täuschen, das zarte Gebildete vom Untergange zu retten, und es heimlich und sorgsam zu pflegen wußte; so wie die a l l b e f r u c h t e n d e N a t u r es mit dem zarten Keime macht, den sie im Schooß der Erde vor Wind und Stürmen schützt.

So war das Urbild der C y b e l e die große Erzeugungskraft, die alle Naturen bändigt; den Löwen zähmt; den Schooß der Erde befruchtet. — Man dachte sie sich, als die Beherrscherin der Elemente; den Anfang aller Zeiten; die höchste Himmelsgöttin; die Königin der Unterwelt; und selber als das U r b i l d jeder Gottheit, die wegen der immer herrschenden, erzeugenden und gebährenden Kraft, in ihr sich weiblich darstellt.

Ob aber gleich diese Göttin auf einem mit Löwen bespannten Wagen, und mit einer Mauer- oder Thurmkrone auf dem Haupte abgebildet wurde, wodurch ihre alles bändigende Macht, und zugleich ihre Herrschaft über den mit Städten besäeten Erdkreis dargestellt werden sollte; so war doch diese Abbildung gleichsam nur eine äußere Ueberkleidung ihres unbegreiflichen gestaltlosen Wesens, welches man sich grade unter dem U n f ö r m l i c h e n am ehrwürdigsten dachte. —

166   Im Tempel der großen Mutter in Pessinunt war es ein kleiner schwarzgrauer, unebener, spitziger Stein, a n w e l c h e m d i e I d e e v o n G e s t a l t u n d F o r m a m w e n i g s t e n h a f t e n k o n n t e, der die verehrte Mutter der Dinge bezeichnete. —

Es war derselbe Begriff von diesem hohen Wesen, das sich auch in die Gestalt der ägyptischen I s i s hüllte, auf deren Tempel geschrieben stand: i c h b i n a l l e s, w a s d a i s t, w a s d a w a r, w a s d a s e y n w i r d, u n d m e i n e n S c h l e i e r h a t k e i n S t e r b l i c h e r a u f g e d e c k t.

So verehrt nun diese große Göttin selber war, so verächtlich waren größtentheils ihre Priester, an welchen sie dafür, daß sie sich ihr gleichsam z u s e h r n ä h e r n w o l l t e n, eine furchtbare Rache nahm. −

Die Priester der Cybele entmannten in ihrer fanatischen Wuth sich selber, und geißelten und zerfleischten sich. − Sie liefen in wilder Begeisterung mit fliegendem Haar umher, das Haupt in den Nacken und von einer Seite zur andern werfend. − Die hohe Göttin sahe den Trupp entmannter Weichlinge gleichsam t r i u m p h i e r e n d in ihrem Gefolge. −

Es war die üppigste, ausschweifendste, sich selbst überströmende und in zerfleischende Wuth ausartende L e b e n s f ü l l e, welche den Zug der | g r o ß e n E r z e u g e r i n, d e r m ä c h t i g e n L ö w e n b ä n - 167 d i g e r i n allenthalben begleitete.

Die große Mutter selber aber blieb stets verehrt. − Der Gottheit schadete die Raserei ihrer Priester nicht, − und der Begriff von ihr behielt unter allem Mißbrauch ihrer Hoheit, seine ursprüngliche Erhabenheit, indem man in ihr, unter jeder Benennung, nichts anders als die allerzeugende, allbefruchtende und allbelebende M u t t e r N a t u r, selbst verehrte.

Bachus.

Obgleich von sterblichen Müttern gebohren, sind Bachus und Herkules dennoch dem Chore der himmlischen Götter zugesellt. B a - c h u s aber ist demohngeachtet die höhere Göttergestalt − in ihm offenbart sich gleich die ganze Fülle seines Wesens, und er hat unmittelbar unter den himmlischen Göttern seinen Sitz, wozu sich Herkules durch unüberwindlichen Heldenmuth den Weg erst bahnen muß.

Dieser tritt daher auch in den Dichtungen der Alten erst unter den götterähnlichen Helden auf, indeß sich Bachus gleich dem Chor der Götter anschließt. —

168 Des Bachus hohes Urbild war die innre schwellende Lebensfülle der Natur, womit sie dem | G e w e i h t e n begeisternden Genuß und süßen Taumel aus ihrem schäumenden Becher schenkt. — Der Dienst des Bachus war daher, so wie der Dienst der Ceres, geheimnißvoll; — denn beide Gottheiten sind ein Sinnbild der ganzen wohlthätigen Natur, die keines Sterblichen Blick umfaßt, und deren Heiligthum keiner ungestraft entweiht. —

Die Dichtung von der Geburt des Bachus selber enthält einen hohen Sinn. — Die eifersüchtige Juno verleitet S e m e l e n zu dem thörichten Wunsche, in Jupiters Umarmung a u c h s e i n e G o t t h e i t z u u m f a s s e n, — sie fordert vom Jupiter erst den unverletzlichen Schwur, ihre Bitte zu erfüllen, und nun verlangt sie, daß er in seiner wahren Göttergestalt bei ihr erscheinen solle — Jupiter nähert sich ihr mit seinem Donner, sie aber wird, v o m B l i t z e r s c h l a g e n, ein Opfer ihres vermessenen Wunsches. —

Den jungen Bachus reißt der Donnergott aus der Mutter Schooße, und verbirgt ihn, bis zur Zeit der Geburt in seine eigene Hüfte. — Das Sterbliche wird zerstört, ehe das Unsterbliche hervorgeht. — D i e M e n s c h h e i t k a n n d e n G l a n z d e r G o t t h e i t n i c h t e r t r a - g e n, u n d w i r d v o r i h r e r f u r c h t b a r e n M a j e s t ä t v e r n i c h - t e t. —

169 Merkur trug nun den jungen Bachus zu den Nymphen, die ihn erziehen sollten, und die In-|seln und Länder streiten sich um den Vorzug, die wohlthätige Gottheit, welche die Menschen den Weinbau lehrte, in ihrem Schooße gepflegt zu haben.

Als Knaben stellen die Dichtungen den Bachus dar, wie er gleichsam halb in süßem Schlummer taumelnd, noch nicht die ganze Fülle seines Wesens faßt, und vor den Beleidigungen der Menschen furchtsam scheint, — bis sich auf einmal durch wunderbare Ereignisse seine furchtbare Macht entdeckt.

Lykurgus, ein König in Thracien, verfolgte die Pflegerinnen des Bachus auf dem Berge N y s a und verwundete sie mit seinem Beile. − Bachus selber warf sich vor Schrecken ins Meer, wo ihn die T h e t i s in ihre Arme aufnahm, die ehemals auch den Vulkan bei sich verbarg, als Jupiter ihn vom Himmel geschleudert hatte. − Lykurgus aber wurde für seinen Frevel von den Göttern mit Blindheit bestraft, und lebte nicht lange mehr, d e n n e r w a r d e n u n s t e r b l i c h e n G ö t t e r n v e r h a ß t. −

Als Seeräuber einst den Bachus, den sie für den Sohn eines Königs hielten, in Hofnung eines kostbaren Lösegelds, entführen und binden wollten, so fielen dem lächelnden Knaben die Banden von selber ab; und da sie dennoch seine Gottheit nicht erkannten, so ergoß sich erst ein duftender|Strom von Weine durch das Schiff; dann breitete sich 170 plötzlich bis zum höchsten Segel ein Weinstock aus, an welchem schwere Trauben hingen; um den Mastbaum wand sich dunkler Epheu; und mit Weinlaub waren alle Ruder bekränzt. −

Auf dem Verdeck des Schiffes aber zeigte sich ein Löwe und warf die grimmigen drohenden Blicke umher. − Da ergriff die Frevler Angst und grauenvolles Entsetzen; zur Flucht stand ihnen kein Weg mehr offen; sie sprangen vom Schiffe ins Meer, wo sie sich plötzlich als Delphinen krümmend, Zeugen von der Macht der alles besiegenden Gottheit wurden.

P e n t h e u s, ein König in Theben, d e r g l e i c h d e m B a c h u s e i n E n k e l d e s K a d m u s w a r, und der Verehrung der neuen Gottheit, welcher alles Volk Altäre weihte, sich spottend widersetzte, mußte, gleich den Frevlern auf dem Schiffe, des Weingottes furchtbare Macht empfinden.

Unter der Gestalt eines Jünglings aus dem Gefolge des Bachus erschien der Gott ihm selber, und warnte ihn durch die Erzählung von dem Schicksal, das die frevelnden Männer traf, die den mächtigen Pflanzer der Reben, auf ihrem Schiffe gebunden entführen wollten.

Pentheus, noch mehr vom Zorn entbrannt, ließ den vermeinten Jüngling ins Gefängniß wer-|fen, und zu seiner Marter und Hinrich- 171 tung die grausamen Werkzeuge bringen. −

Plötzlich stürzte das Gefängniß ein, der Gott schüttelte seine Banden ab; und Pentheus, der voll rasender Wuth, auf dem Berge Cythäron, die Priesterinnen des Bachus verfolgte, ward von seiner eigenen Mutter und ihren Schwestern, die in der wilden Begeisterung, ihn für einen Löwen ansahen, in Stücken zerrissen, und sein Haupt im Triumph emporgetragen.

Der Zug des Bachus in Indien ist eine schöne und erhabne Dichtung. – Mit einem Kriegesheer von Männern und Weibern, das mit freudigem Getümmel einherzog, breitete er seine w o h l t h ä t i g e n Eroberungen bis an den Ganges aus. – Er lehrte die besiegten Völker höhern Lebensgenuß, den Weinbau, und G e s e t z e. –

In seiner Götterbildung verehrten die Sterblichen das Hohe, Freudenreiche des Genusses, was in die menschliche Natur verwebt ist, als ein für sich bestehendes hohes Wesen, das in der Gestalt des ewig blühenden Knaben, Löwen und Tyger bändigt, die seinen Wagen ziehen, und im göttlich süßen Taumel, unter dem Schall der Flöten und Trommeln, vom Aufgange bis zum Niedergange durch die Länder aller Nationen triumphierend seinen Einzug hält.

172   In d r e i Jahren vollendete Bachus seinen siegreichen, die Völker der Erde beglückenden Zug, zu dessen Andenken stets nachher, so oft drei Jahre verflossen waren, die Feste gefeiert wurden, an denen das freudige Getümmel, womit der Zug des Bachus begleitet war, aufs neue von den Bergen widerhallte. –

Die Priesterinnen des Bachus mit zerstreutem Haar, auf den Bergen umher schweifend, erfüllten die Luft mit dem Getöse ihrer Trommeln, und mit ihrem wilden Geschrei: E v o h e B a c h u s! –

Der drohende Thyrsusstab in ihrer Hand, an dem die farbigten Bänder wehten, während daß unter dem Fichtenapfel sich oben die verwundende Spitze barg, bezeichnete den schönen Feldzug, wo das Furchtbare und Kriegerische, unter Gesang und Flötenspiel verborgen lauschte. –

Diese begeisterten Priesterinnen des Bachus, welche auch B a c h a n t i n n e n hießen, sind ein erhabner Gegenstand der Poesie. – Eine Bachantin ist gleichsam über die Menschheit erhaben. – Von der

Macht der Gottheit erfüllt, sind die Grenzen der Menschheit ihr zu enge. –

So schildert ein Dichter aus dem Alterthum die Begeisterte, wie sie auf dem Gipfel des Gebirges, den sie bewußtlos erstiegen hat, auf einmal vom Schlummer erwacht, und nun den | Hebrus und das ganze mit Schnee bedeckte Thrazien vor sich liegen sieht. – Die Gefahr ist süß, ruft der Dichter aus, dem Gott zu folgen, der mit grünendem Laube die Schläfe umkränzt hat. –

Eben diese Anstrengung aller Kräfte, dieß Emporstreben in der wilden furchtbaren Begeisterung ist es, wodurch dieß Bild so schön wird.

Auch das Alter wird in dem Gefolge des Bachus berauscht vom Lebensgenuß und taumelnd mit aufgeführt. – Auf seinem Esel reitet der alte Silen mit schwerem Haupte, von Satyrn und Faunen gestützt, und macht in dem jugendlichen Gemählde den reitzendsten Kontrast.

Ohngeachtet dieses L ä c h e r l i c h e n wurde Silen in den Dichtungen der Alten, als ein hohes W e s e n dargestellt. – Ihm wird eine hohe Kenntniß göttlicher Dinge zugeschrieben, und seine Trunkenheit selber wurde sinnbildlich auf den hohen Taumel, worin sein Nachdenken über die erhabensten Dinge ihn versetzte, gedeutet. – Auch war er nebst dem weisheitbegabten Chiron, der Erzieher des jungen Bachus.

Zwei Hirtenknaben binden einst den trunkenen, schlummernden Silen, – weil sich ein Gott, den Sterbliche im Schlummer binden können, durch die Gewährung einer Bitte lösen muß; – schalkhaft mahlt die Nymphe mit dem | Saft der Beeren des Trunknen Schläfe roth, – und da nun Silen erwacht, so fordern die Hirten nichts weiter als ein Lied von ihm zum Lösegelde.

Und nun ertönet hohe Weisheit von den Lippen, die der Nektartrank der süßen Trauben netzte. – Er singt der Dinge Entstehung, und ihren wunderbaren Wechsel. – Die Hirten lauschen entzückt auf den Gesang, und halten dieses Lied ihrer höchsten Wünsche werth. –

Auch diese schöne Dichtung zeigt, wie die Alten das Komische selber wieder mit Würde zu überkleiden wußten, und einen Vereinigungspunkt für lachenden Scherz und himmlische Hoheit fanden, der uns entschwunden scheint. – In Elis in Griechenland hatte Silen einen eigenen Tempel, wo man ihm göttliche Ehre erzeigte. –

Der schalkhaft lächelnde F a u n , der boshaft spottende S a t y r gehörten mit in das Gefolge des Bachus, worin sich alles vereinigte, was bei jugendlicher Schalkhaftigkeit und frohem Leichtsinn durch eine höhere Natur, über die Sorgen und Pflichten der Sterblichen erhaben, und durch menschliche Bedürfnisse auf keinen Grad der Mäßigung beschränkt war.

Denn in dem hohen Sinnbilde, welches den frölichen Genuß des Lebens selbst bezeichnet, der über den ganzen Erdkreis sich mittheilend und verbreitend, k e i n e   G r e n z e n   k e n n t , mußte auch die |
175 Darstellung des höchsten Genusses unbeschränkt seyn, und alles das sich in der Dichtung zusammenfinden, was, wenn es wirklich wäre, die Menschheit zerstören würde. –

Denn freilich ist es die Allgewalt des Genusses, die furchtbar über den Menschen wandelt, und eben so wohlthätig wie sie ist, auch wieder Verderben drohet. –

Eben der Dichter aus dem Alterthum, welcher mit hoher Begeisterung das Lob des Bachus singt, ermahnt daher die Trinker, des blutigen Zanks sich zu enthalten, – und führt zum warnenden Beispiel das Gefecht der Centauren und Lapithen an, welche vom Wein erhitzt des gastfreundschaftlichen Mahls vergaßen, und von wilder Mordlust hingerissen, im rasenden Getümmel gegeneinander stürmten, bis die Leichname der Erschlagnen den Boden deckten.

Ohngeachtet dieser drohenden Gefahr war aber dennoch hoher Lebensgenuß, und selbst die wilde Freude, bei den Alten in der Reihe der Dinge mitgezählt, und von den Festen der Götter nicht ausgeschlossen. – Das Leben war ein saftvoller Baum, der ungehindert in Aeste und Zweige emporschoß, und den auch seine üppigen Auswüchse nicht entstellten.

Bis zu der hellsten Flamme wurden die Leidenschaften angefacht,
176 und hielten dennoch alle | gleich mächtig, sich die mehrste Zeit einander im schönen Gleichgewicht. – Heldenruhm, Triumphe, frohlockende Gesänge, und hohe Lebensfreuden, waren im immerwähren-

den Gefolge: durch diesen süßen Wechsel wurde das Gemüth stets offen und frei erhalten; geheime Wünsche und Gedanken durften noch unter keiner Larve von falscher Bescheidenheit und Demuth sich verstecken. –

Sobald man ein Bachanal sich ohne Ueppigkeit denken wollte, würde es aufhören, ein Gegenstand der Kunst zu seyn; denn gerade die Wildheit, das Taumeln, das Schwingen des Thyrsusstabes, die Ausgelassenheit, der Muthwille, macht das Schöne bei diesen frohen Wesen aus, die nur in der Einbildungskraft ihr Daseyn hatten, und bei den Festen der Alten in einer Art von Schauspiel dargestellt, den düstern Ernst verscheuchten.

Auf den Marmorsärgen der Alten findet man häufig Bachanale abgebildet. – Um selbst noch hier den Ernst mit frohem Lächeln, die Trauer mit der Fröhlichkeit zu vermählen, ist gerade der Punkt gewählt, wo Tod und Leben auf dem Gipfel der Lust am nächsten aneinander grenzen. – Denn der höchste Genuß grenzt an das Tragische, – er droht Verderben und Untergang, – dasselbe, was die Menschengattung, mit jugendlichem Feuer beseelet, untergräbt und zerstört sie auch. –

Da nun durch das frohe Getümmel des Bachus die höchste Fülle ¹⁷⁷ der Lust bezeichnet werden soll, so ist ein gemäßigtes Bachanal kein Bachanal; eben so wie eine sanfte Juno keine Juno; ein ehrlicher Merkur kein Merkur; ein enthaltsamer kalter Jupiter kein Jupiter; und eine dem Vulkan getreue Venus keine Venus ist. –

In der Göttergestalt des ewig jungen Bachus verjüngten sich nun auch, so wie bei den übrigen Göttern, die ähnlichen Erscheinungen, welche die Vorwelt in dunkle Sagen hüllte. –

Demohngeachtet gab es noch einen Indischen oder Aegyptischen Bachus, welcher bärtig dargestellt wurde, und dessen Abbildung man nicht selten unter den alten Denkmälern findet. – Die goldnen Hörner auf dem Haupte des Bachus, welche die bildende Kunst der Griechen versteckte, oder sie nur ein wenig hervorscheinen ließ, geben dieser Dichtung ebenfalls ein Gepräge des hohen Alterthums, wo das H o r n auf die erhabensten Begriffe von inwohnender wohlthätiger Götterkraft, und unbesiegter Stärke deutet. –

Unter den Thieren ist der gefleckte Panther dem Bachus geweiht;
– es ist die Wuth, die Grausamkeit selber, welche durch ihn gezähmt
wird, und sich zu seinen Füßen schmiegt.

Der immergrünende Epheu, die Schlange, die sich verjüngt, indem
178 sie ihr Fell abstreift, sind | schöne Sinnbilder der nie verwelkenden
Jugend, worin die Göttergestalt des Bachus dem Apollo gleicht, nur
das die bildende Kunst der Alten den Bachus weicher und weiblicher,
mit stärkern Hüften, darstellt. –

Auf der hier beigefügten Kupfertafel befindet sich eine Abbildung
des Bachus nach einem schönen antiken geschnittenen Steine aus der
Lippertschen Daktyliothek: Bachus sitzt auf einem Wagen, der von
zwei Panthern gezogen wird; auf den Panthern sitzen Liebesgötter,
von denen der eine die Flöte spielt. Das Grausame und Wilde
schmiegt sich unter die Herrschaft des Sanften und Frölichen.

Auf eben dieser Tafel ist auch S i l e n nach einem antiken geschnittenen Steine abgebildet, in seiner Rechten eine Hippe, und mit
der Linken sich auf eine Leyer stützend. – Ein schönes Sinnbild des
hohen Taumels, der in harmonische Gesänge überströmt.

⟨Abb. 16⟩
179

Die heiligen Wohnplätze der Götter unter den Menschen.

Die Phantasie der Alten ließ ihre Dichtungen, über der Wirklichkeit
schwebend, allmälig sich vom Himmel zur Erde niedersenken. – Sie
heiligte die Plätze, wo, nach der Sage der Vorwelt, die junge Gottheit
neugebohren, zuerst in jugendlichem Glanz hervortrat; oder wo ein
Land oder eine Insel so glücklich war, in ihrem Schooße ein Götterkind zu pflegen. –

Sie weihte auch die Oerter, wo in Orakelsprüchen die Gottheit ihre
Gegenwart offenbarte; und jeder Platz, den irgend eine Gottheit, nach
der alten Sage, zu ihrem Lieblingsaufenthalte sich wählte, ward in
der Dichtersprache zu einem schönen Nahmen, an welchen sich der

Begriff der Gottheit selber knüpfte, die unter irgend einer besondern bedeutenden Gestalt auf diesem Fleck verehrt ward.

Nun fand die Einbildungskraft so viele Ruhepunkte, worauf sie sich heften konnte, als Tempel waren, welche die Menschen den über den Wolken | thronenden Göttern weihten, die oft zu ihnen hernie- ¹⁸⁰ derstiegen, und in ihre geringsten Angelegenheiten sich mit zärtlicher Sorgfalt mischten.

Kreta.

Auf diesem Eilande senkte sich, durch irgend eine in Dunkel gehüllte Veranlassung, zuerst die kühne Dichtung nieder, welche den höchsten Jupiter auf dem Ida mit der Stimme des neugebohrnen Kindes weinen, und nach der süßen Nahrung und Pflege sich sehnen ließ. –

In der Diktäischen Grotte wurde das Götterkind erzogen, und durch das Getöse, welches die Korybanten machten, wurden, nach einer artigen Dichtung, die Bienen herbeigelockt, die den Jupiter mit ihrem Honig nährten, dem auch die Tauben in ihrem Schnabel übers Meer Ambrosia zuführten, indeß die Ziege Amalthea mit ihrer Milch ihn säugte.

Auch legte man dem Jupiter von dem Berge, wo seine Kindheit gepflegt war, den Zunahmen des Idäischen bei. – Bei Troja war ein Berg, der auch den Nahmen Ida führte, – der Gargarus war dieses Berges höchster Gipfel; – hier übersah Jupiter das Schlachtfeld der Griechen und Trojaner, und wog mit der furchtbaren Waage wechselsweise Sieg und Tod den streitenden Heeren zu.

Dodona.   ¹⁸¹

In dem Dodonischen Walde, in Epirus, welches vormals Chaonien hieß, und wo die ältesten Bewohner der Erde, nach der Sage der Vorzeit, von Eicheln lebten, war ein Orakel des Jupiter.

Dieß Orakel war das älteste in Griechenland. Aus Theben in Aegypten, entflohen, nach der uralten Dichtung, zwei Tauben des

Jupiter, wovon die eine sich nach Lybien, die andre nach Dodona
wandte, um Jupiters Rathschlüsse den Menschen kund zu thun.

Unter dem schönen Bilde der redenden Taube stellt die alte Dichtung die wahrsagende Priesterin dar, welche zuerst in den Wald von
Epirus kam, und die unaufmerksamen Menschen auf das sanfte Ge-
murmel eines Quelles lauschen lehrte, der den Fuß einer Eiche netzte,
und dessen wechselnden Tönen sie eine geheime Deutung auf die
Zukunft gab.

Nachher wurden auf diesem Fleck zwei Säulen errichtet; auf der
einen stand ein ehernes Becken; auf der andern die Bildsäule eines
Knaben, mit einer metallenen Ruthe, die der Wind bewegen konnte,
und welche, so oft sich nur ein Lüftchen regte, an das helltönende
Becken schlug.

182 Aus dem Getöne des Erztes wurde nun, wie vorher aus dem Murmeln des Quelles, die dunkle Zukunft prophezeit. – Es war der wech-
selnde Hauch der alles umströmenden Luft, deren geheime Sprache
man durch das sanftberührte Metall zu vernehmen lauschte. – Es war
die umgebende sprachlose Natur, womit der Mensch sich gleichsam
in vertraute Gespräche einzulassen, und künftige Ereignisse, die sich
in ihr bilden, von ihr zu erforschen wünschte.

Die Deutung aus einem zufälligen Getöne ist der natürlichste Anfang der Orakelsprüche, weil das Gemüth ohnedem geneigt ist, dem
Klange, den das Ohr vernimmt, die Wünsche des Herzens unterzu-
legen, die gern aus jedem Geräusche widerhallen. – Auch war es kein
Wunder, daß die Sehnsucht, irgend einen Wunsch so gut als erfüllt zu
wissen, sich willig täuschen ließ.

Selbst aus den Höhlungen der Bäume in dem dodonischen Walde
ließen die Priester ihre Orakelsprüche hören, welches die Dichtung in
die Fabel kleidet, daß die dem Jupiter geweihten Eichen selbst geredet, und die Zukunft enthüllet haben. – Die immer thätige Phantasie
suchte auch hier das Leblose zu beleben. – Die gegenwärtige Gottheit
erfüllte den ganzen ihr geweihten Hain, und jedes Rauschen des
Blattes war bedeutend.

Delos. 183

Die Länder und Inseln zittern, auf denen Latona den fernhintreffen-
den Apoll gebähren will; — kein hervorragendes Eiland wagt es, den
Gott in seinem Schooße zu tragen. — Bis Latona endlich das rauhe
unfruchtbare Delos besteigt, und ihm verspricht, daß ein Tempel auf
seinem felsigten Boden erbauet werden soll, zu welchem alle Völker
Geschenke und Hekatomben bringen werden, wenn es den fernhin-
treffenden Gott in seinen Schooß aufnimmt.

Da schwebte Delos zwischen Freude und Furcht, daß, wenn sein
Nahme gleich zu ewigen Zeiten glänzte, der Gott, sobald er das Licht
erblickte, es wegen seines rauhen Bodens verachten, und in den Ab-
grund des Meeres zürnend versenken möchte. Latona mußte mit dem
unverletzlichen Schwur der Götter dem besorgten Eilande schwören,
daß auf ihm der erste Tempel dem Apollo erbaut werden, und auf
seinem Altar beständig die Opferflamme lodern solle.

Und nun war Delos hocherfreut, daß der fernhintreffende Gott es
zu seiner Wiege wählte. — Denn Reichthümer strömten nun von allen
Seiten dem unfruchtbaren Eilande zu, — und die Jungfrauen von
Delos sangen einen Lobgesang, worin alle Völker ihre ei-
genen Worte und ihre eige-|nen Töne wieder zu hören 184
glaubten; so harmonisch war des Liedes Klang.

Auch fügte das glückliche Delos seinen Nahmen dem Nahmen des
Gottes bei. — Von dem felsigten Berge Cynthus auf Delos, den der Gott
mit dem silbernen Bogen oft bestieg, hieß er der Cynthische, von
Delos selber, der Delische Apoll.

Delphi.

Am Abhange des Parnasses war schon in den ältesten Zeiten eine
Höhlung in der Erde, woraus ein betäubender Dampf aufstieg, der
diejenigen, welche sich der Oefnung näherten, in eine Art von Wahn-
witz versetzte, worin sie zuweilen wie im begeisternden Taumel, sich
selber unbewußt, von hohen Dingen sprachen, entfernte Begriffe an-

einander knüpften, und eine Art von dunkler Dichtersprache redeten, die eben so wie das Murmeln des Baches, oder wie der Klang des Dodonischen Erztes, auf mannichfaltige Weise gedeutet werden konnte.

In den ältesten Zeiten war es die E r d e s e l b e r, welche hier unmittelbar ihre Orakelsprüche ertheilte. – Zu den Zeiten des Deukalion war es T h e m i s, eine Tochter des Himmels und der Erde, welche hier die dunkle Zukunft und den Schluß des Schicksals den Sterblichen offenbarte. –

185   Apollo tödtete den Drachen Python, der dieß Heiligthum bewachte, und bemächtigte sich selber des Platzes, wo er von nun an durch die begeisterte Priesterin, die von dem getödteten Drachen P y t h i a hieß, in Orakelsprüchen seine Gottheit offenbarte.

Als Apollo nun hier sein Heiligthum gründen wollte, erblickte er von fern ein segelndes Handelsschiff aus Kreta, – plötzlich sprang er ins Meer und warf sich in der Gestalt eines ungeheuren Delphins in das Schiff der Kretensischen Männer, – und zwang es, vor allen Küsten und vor Pylos, wohin es segeln sollte, vorbei, in den Hafen von Krissa einzulaufen, wo er den Männern plötzlich in seiner majestätischen Jünglingsgestalt erschien, und ihnen verkündigte, daß sie nie in ihr Vaterland wiederkehren, sondern in seinem Tempel als Priester ihm dienen würden.

Und die Kretenser folgten mit Lobgesängen dem anführenden Gotte zu seinem Heiligthum, an dem felsigten Abhange des Parnasses. – Als sie aber die unfruchtbare Gegend erblickten, flehten sie zum Apoll um Hülfe gegen Armuth und Mangel; – dieser blickte sie lächelnd an, und sagte: o ihr thörichten Menschen, die ihr euch selber Sorgen macht, u n d m ü h s a m e A r b e i t a u s s i n n t, vernehmt ein leichtes Wort: hier halte ein jeder das Opfermesser in seiner rechten

186   Hand, und | schlachte unaufhörlich Opfer, die hier von allen Seiten aus allen Ländern zuströmen werden. –

Nun wurde D e l p h i nahe am Tempel des Apollo erbauet, und seine Einwohner wurden reich und glücklich, wie der untrügliche Gott geweißagt hatte. –

Ueber der dampfenden Höhle stand der goldene Dreyfuß, auf welchen sich die Pythia setzte, wenn sie drei Tage gefastet, den Saft aus den Blättern des Lorbeerbaums gesogen, und im Kastalischen Quell sich gebadet hatte.

Dann wurde sie von den Priestern mit Gewalt ins Heiligthum geführt. – Sobald sie auf dem Dreifuße saß, und der aufsteigende begeisternde Dampf auf sie zu wirken anhub, sträubte sich ihr Haar empor; ihr Blick wurde wild; der Mund fing an zu schäumen; Zittern ergriff ihren ganzen Körper. –

Sie arbeitete mit Gewalt sich loszureißen, und ihr Geheul erscholl im ganzen Tempel. – Bis nach und nach einzelne abgebrochene Laute der Sprache über ihre Lippen kamen, – d i e j e d e r D e u t u n g f ä - h i g , von den Priestern aufgezeichnet, und zu Orakelsprüchen im abgemessenen Silbenfall gebildet wurden. – Indeß man die ohnmächtige Pythia in ihre Zelle führte, wo sie nur langsam von der Ermattung sich erholhte.

Es war gleichsam die Gegenwart des Gottes, welcher die Pythia 187 selbst erfüllte, dessen Joch sie kämpfend und sich sträubend von sich abzuschütteln, und seiner überwältigenden Macht, so lange sie konnte, zu widerstehen suchte, bis sie endlich besiegt die eingehauchten Götterworte aussprach – und kraftloß niedersank. –

Wenn die Pythia auf dem Dreifuße saß, so war sie von den Priestern des Heiligthums ganz umgeben. – Zwei Priesterinnen hielten die Ungeweihten ab, sich ihr zu nähern. – Das Heiligthum selber war mit Lorberzweigen ganz verdeckt; und selbst der angezündete Weihrauch hüllte alles in eine Wolke, wie in geheimnißvolles Dunkel ein, das keine frevelnde Neugier zu erforschen wagte. –

Auch würde sich die Sehnsucht der Sterblichen, daß es wirklich einen Blick für sie in die Zukunft geben möchte, diese Täuschung ungern haben nehmen lassen, wenn einer auch den Vorhang hätte hinwegziehen wollen; – denn das, worüber man das Orakel fragte, waren größtentheils sehnsuchtsvolle Wünsche für die Zukunft, wozu man d i e U e b e r e i n s t i m m u n g d e r G o t t h e i t erflehte. – Und die Täuschung der ganzen Scene selber, worin sich der zweideutige Ausspruch hüllte, war doch dichterisch schön. –

188   ## Argos.

Juno nennt unter ihren geliebten Städten Argos selbst zuerst. – Da sie den Jupiter anliegt, die Zerstörung des ihr v e r h a ß t e n Troja ihr endlich zu gewähren, so sucht sie gleichsam mit ihm einen Tausch zu treffen.

Drei Städte, sagt sie, sind mir unter allen die liebsten: A r g o s, Sparta, und Mycen; dennoch geb' ich sie gern, so bald du willst, dir Preis, wenn nur die Mauern von Troja endlich stürzen!

Das Fatum, das über alles waltet, läßt die Zerstörung ihren ungehemmten Schritt gehen. – Der hohe Götterwille selber fügt sich seinen Planen, und den Göttern selber ist nichts so theuer und kostbar, das nicht ein Opfer wird, sobald sein Ziel herannaht. –

In Argos wurden der Juno die H e r ä e n gefeiert, die von ihrer griechischen Benennung H e r a den Nahmen führten, wobei die Priesterin der Juno, wie im Triumph, auf einem Wagen zum Tempel der Götter fuhr, und eine Hekatombe von weißen Rindern ihr zum Opfer brachte.

Die Göttin wurde hier vorzüglich in ihrer o b e r s t e n P r i e s t e r i n verehrt, – an welche Verehrung sich die schöne Erzählung vom Kleo-
189   bis und Biton knüpft, deren kindliche Ehrfurcht gegen ihre | Mutter, eine Priesterin zu Argos, sich so weit erstreckte, daß sie den Wagen ihrer Mutter, dessen Gespann von weißen Rindern nicht schnell genug herbeizuschaffen war, selber fünf und vierzig Stadien weit, bis zum Tempel der Juno zogen; wo sie auf das Gebet ihrer Mutter, daß die Göttin ihnen das wünschenswertheste Glück ertheilen möchte, nach einer frohen Mahlzeit sanft entschlummerten, u n d a u s d e m S c h l u m m e r n i c h t e r w a c h t e n.

Olympia.

Hier senkte sich die erhabene Idee von dem Olympischen Jupiter durch die bildende Kunst des P h i d i a s vom Himmel zur Erde nieder. –

Jeder Ausdruck von Majestät und Würde vereinigte sich in diesem Meisterwerck der Kunst, − man sahe den Gott, mit dessen Lächeln sich der Himmel aufheitert − und der mit dem Wink seiner Augenbraunen, und mit dem Nicken seines Hauptes den großen Olymp erschüttert.

Die Bildsäule war in kolossalischer Größe aus Gold und Elfenbein verfertigt; − in der Rechten hielt der Gott eine Viktoria, in der Linken den künstlich gearbeiteten Zepter, auf dessen Spitze ein Adler saß. − Auf dem goldenen Mantel waren│die mannichfaltigen Gattungen der ¹⁹⁰ Thiere und Blumen in schimmernder Pracht gebildet.

Der Thron des Gottes glänzte von Gold und Edelsteinen − zu Jupiters Haupt und Füßen, und an den Wänden des Tempels waren fast alle mythologischen Dichtungen der Alten in erhabener Arbeit dargestellt. − Die Majestät der ganzen Götterwelt umgab den Thron und die Bildsäule des Jupiter, die von dem Fußboden bis zum Gewölbe des Tempels reichte.

Bei Olympia wurden auch dem Jupiter zu Ehren alle vier Jahre die Olympischen Spiele gefeiert. Der Zwischenraum von einer Feier dieser Spiele bis zur andern hieß eine Olympiade, und in ganz Griechenland bediente man sich dieser Zeitrechnung nach Olympiaden, weil die Olympischen Spiele die allgemeinste Aufmerksamkeit auf sich zogen, und unter allem, woran sich die Einbildungskraft bei der Rückerinnerung festhalten konnte, das Glänzendste waren.

Den Tempel des Olympischen Jupiters umgab ein heiliger Hain, worin die Bildsäulen der Ueberwinder in den Olympischen Spielen, von den berühmtesten Meistern verfertigt, errichtet waren. − Die Menschheit schloß sich in der Verehrung ihrer eigenen Würde vertraulich an die Gottheit an.

Athen. ¹⁹¹

In dieser Lieblingsstadt der Göttin der bildenden Künste erhob sich der Geist bis zu dem höchsten Schwunge der Gedanken, wo die Menschheit, in den darstellenden Werken der Kunst sich spiegelnd,

gleichsam erst sich selbst bewußt wurde, da sonst ein Geschlecht nach dem andern in einer Art von dumpfer Betäubung die
kurze Spanne des Lebens durchträumte, und keine Spur von sich
zurückließ.

Die Panathenäen, welche hier der Minerva zu Ehren gefeiert wurden, waren ein schönes Fest, worin die ganze Stadt, durch Wetteifern
in den Künsten, sich gleichsam von neuem der Göttin heiligte.

Auch war die Bildsäule der Göttin in ihrem Tempel zu Athen,
gleich der des Olympischen Jupiters, aus Gold und Elfenbein verfertigt, ein Werk des P h i d i a s, in welches sich auch hier die Majestät
der Gottheit vom Himmel zur Erde niedersenkte.

Cypern.

Hier trugen die Wellen die Göttin der Liebe, als sie aus dem Schaume
des Meers emporstieg, sanft ans Ufer. – Auf dieser anmuthigen Insel
waren ihr ganze Städte, Haine, Tempel, und Altäre geweiht.

192   Ihr Lieblingssitz war P a p h o s, wo man in ihrem Tempel von allen
Seiten Geschenke darbrachte, und Gelübde that. – Von der Verehrung,
womit hier alle Völker der Göttin der Schönheit huldigten, hieß sie
die K ö n i g i n v o n P a p h o s. – Von A m a t h u n t und I d a l i u m in
Cypern führte sie die dichterischen Nahmen I d a l i a und A m a -
t h u s i a.

Gnidus.

Nach Gnidus wallfahrtete man aus den entferntesten Ländern, um in
der Venus des P r a x i t e l e s die in alle Wesen Liebe einhauchende
Gottheit zu verehren, welche durch die bildende Kunst, in menschlicher Gestalt dem Auge sichtbar gemacht, in einem offenen Tempel,
dem Blick der Sterblichen enthüllet, da stand, und die Bewunderung
aller Völker auf sich zog.

Cythere.

Auf diesem Eilande war der älteste Tempel der Venus in Griechenland. — Der Begriff von der Göttin selber war mit ihrem Aufenthalt auf Cythere so oft zusammengedacht, daß beide Nahmen zu einem wurden, und in der Dichtersprache die Göttin der Liebe C y t h e r e heißt.

Lemnos.

193

Auf der Insel Lemnos, wo es häufige Erdbeben und feuerspeiende Berge gab, und in dem dampfenden Aetna in Sicilien, wo von dem Feuer, das sich vergebens einen Ausweg suchte, zum öftern ein unterirdischer Donner erscholl, ließ die Dichtung in den Höhlen der Erde die mächtigen Hammerschläge der Cyklopen in der Werkstätte des Vulkan ertönen.

Auch nahm die Insel Lemnos den Gott der Flammen in ihrem Schooße auf, da Jupiter, wie einen Blitzstrahl ihn vom Himmel schleuderte. — Lemnos blieb dem Vulkan geweiht, indem der Begriff von seiner Götterbildung vorzüglich auf diesem Fleck sich an die Erde knüpfte.

Ephesus.

Ganz Asien wetteiferte, um den Tempel der Diana von Ephesus zu schmücken, in welchem die Bildsäule der Göttin m i t   v i e l e n   B r ü - s t e n stand, um die alles ernährende Natur anzudeuten, die man sich hier unter dem Bilde der Diana dachte; so wie man zum öftern in einer Göttergestalt, deren Nahme einmal herrschend geworden war, die Verehrung der übrigen aufnahm, und sie sich zu einer Art von Pantheon schuf.

Aus den entferntesten Ländern wurden Wallfahrten zu dem Tempel der Diana von Ephesus angestellt, welcher als einer der erhabensten Göttersitze zugleich durch seine äußere Pracht, die das Werk

194

vieler Könige war, die Sterblichen zur Verehrung der inwohnenden
Gottheit einlud.

Thracien.

Der Hauptsitz der Verehrung des Kriegesgottes ist Thracien, wohin
die Dichtkunst überhaupt das Wilde, Grausame und Ungestüme versetzt. So warf Diomedes, ein Thracier und ein Sohn des Mars die
Fremden, deren er sich bemächtigen konnte, seinen Pferden vor, von
denen sie zerfleischt und verzehrt wurden. Er übte diese Grausamkeit
so lange, bis Herkules ihn erschlug.

Ein Sohn des Mars und ein Thracier war auch Te r e u s, welcher
die Philomele ihrer Zunge beraubte, damit sie die Frevelthat, die er
an ihr verübte, nicht entdecken möchte. –

Der stürmende B o r e a s hatte nach den Dichtungen der Alten seine Wohnung in Thracien, weswegen die Menschen, die jenseit wohnten, die Hyperboreer hießen; die Bachantinnen, unter dem Nahmen
der B i s t o n i d e n, mit Schlangenknoten in ihr Haar geschlungen,
schweiften auf dem Thracischen Gebirge umher.

195   Demohngeachtet war Thracien auch das Vaterland des Orpheus,
der durch seinen Gesang und durch die Töne seiner Leyer die Wildheit der Thiere des Waldes zähmte, und Bäume und Felsen sich bewegen ließ.

Durch sein mächtiges Saitenspiel ließ selbst der Orkus sich bewegen, ihm seine Gattin Eurydice zurückzugeben, nur sollte er nicht
eher nach ihr sich umsehen, als bis er sie wieder auf die Oberwelt zum
Anblick des Tages und des himmlischen Lichts gebracht. –

Da sie nun bald der öden Schattenwelt entstiegen waren; so zog die
zärtliche Besorgniß, und der zweifelnde Gedanke, ob sein geliebtes
Weib ihm wirklich folge, den Blick des Gatten, ihm selbst fast unbewußt, ein einzigesmal zurück, und nun war Eurydice auf immer für
ihn verlohren, – ihr Bild verschwand in Nacht und Dunkel, – und
seine ganze süße Hofnung w a r   e i n   Tr a u m.

Die Freude seines Lebens war nun entflohen; – die Leyer schwieg; – das wütende Geschrei der Bachantinnen erscholl auf dem thracischen Gebirge; – sie zürnten auf den Dichter, dem nach Eurydicens Verlust das ganze weibliche Geschlecht verhaßt war; – von den schrecklichbegeisterten Mänaden zerfleischt und in Stücken gerissen ward der Göttersohn ein Opfer ihrer rasenden Wuth. –

Arkadien.

196

In den mythologischen Dichtungen der Alten erscheint Arkadien nicht ganz in dem reitzenden Lichte des süßen Schäferlebens, dessen Scenen die neuere Dichtkunst fast immer in dies Land versetzt, und mit dessen Nahmen sich schon etwas Sanftes und Einladendes in dieser dichterischen Vorstellungsart verknüpft.

Bei den Alten hingegen war mit der Idee von der Einfachheit der Sitten bei den Arkadiern zugleich der Begriff von einer gewissen Rohheit und Trägheit verbunden, die man den Bewohnern dieses Hirtenlandes zuschrieb. – Auch war es nicht das sanfteste Klima, was in Arkadien herrschte, vielmehr war es wegen seiner gebirgten Lage rauher, als die umliegenden Gegenden.

Daß aber die Hirtengötter, nach der Sage der Vorzeit, hier vorzüglich ihre Gegenwart offenbarten, und hier sogar ihren Ursprung hatten; daß die alten Dichtungen auf dem Berge Cyllene in Arkadien selbst die neugebohrne Göttergestalt des Merkur zuerst hervortreten ließen. – Dieß gab der gebirgigten Gegend, wo die Nacht des Waldes überdem die Göttergestalten, welche die Einbildungskraft sich schuf, gleichsam in Dunkel hüllte, eine vorzügliche Heiligkeit. – Der Nahme des Landes und die Nahmen der einzelnen | Berge, die es in sich faßt, wurden in der Dichtersprache der Alten   197 bedeutungsvoll, indem sie den Aufenthalt höherer Wesen unter den sterblichen Menschen bezeichneten.

Phrygien.

In einer Gegend von Phrygien war es, wo nach der schönen alten Dichtung Jupiter und Merkur unerkannt unter den Menschen umherwandelten und ihre Thaten prüften.

Als sie eines Abends, wie ermüdete Reisende, eine Herberge suchten, blieben die Thüren der Reichen und Begüterten ihnen verschlossen. – Philemon und Baucis, ein paar bejahrte Eheleute, nahmen die Wandrer gastfreundlich in ihre arme Hütte auf.

Die alte Baucis war beschäftigt, ihre einzige Gans zu greifen und zu schlachten, um die willkommenen Gäste, so gut es in ihrem Vermögen stand, zu bewirthen. – Die Gans aber entfloh, und suchte Schutz unter Jupiters Füßen, der ihr das Leben rettete; worauf die Götter sich zu erkennen gaben, und das fromme Ehepaar auf einen benachbarten Hügel führten, von welchem sie die Verwüstung übersehen konnten, womit die Götter die Hartherzigkeit der Bewohner dieser Gegend straften.

198   Die Häuser und Palläste der Reichen wurden ein Raub der Ueberschwemmung, indeß die arme gastfreundliche Hütte noch immer aus den Fluthen hervorragte, und zum Erstaunen ihrer alten Bewohner sich in einen prächtigen Tempel verwandelte.

Als nun Jupiter den gastfreundlichen Alten befahl, sich eine Gabe von ihm zu erbitten, so war Philemons und Baucis höchster Wunsch: in jenem neuentstandenen Tempel, dem Jupiter, dem Beschützer des Gastrechts, und dem Belohner der Gastfreundschaftlichkeit, zu opfern, und sein Priesterthum zu verwalten.

Diese Bitte ward ihnen gewährt, und noch ein Wunsch verstattet; – allein dem glücklichen Paar blieb nichts mehr zu wünschen übrig, als: beide zu gleicher Zeit zu sterben. – Auch dieß geschah. Zwei Bäume, eine Eiche und eine Linde, die den Tempel beschatteten, wurden noch lange nachher zum Andenken des frommen Paars Philemon und Baucis genannt.

In diesen und ähnlichen Sagen der Vorwelt erkannte und verehrte man die furchtbare und wohlthätige Macht der Gottheit. – Dem

g a s t f r e u n d s c h a f t l i c h e n   J u p i t e r wurden allenthalben Altäre
errichtet. – Die ankommenden Fremden standen unter seinem Schut-
ze; – einen Gast-|freund betrachtete man als heilig und unverletzlich;   199
– man verehrte unter den Gästen und Fremdlingen die Götter, welche selber zum öftern vom Himmel herabgestiegen waren, und unter
dieser Gestalt den Menschen sich offenbart hatten.

Das Götterähnliche Menschengeschlecht.   200

Als N e s t o r , welcher zwei Menschenalter durchlebt hatte, und nun
schon im dritten über Pylos herrschte, in der Belagerung von Troja
den Streit des Achilles und Agamemnon zu schlichten suchte; so leitete er seine Rede mit der Erinnerung ein, daß er mit s t ä r k e r n
M ä n n e r n gelebt habe, als das jetzige Zeitalter sie hervorbringe; mit
einem C ä n e u s ,   D r y a s ,   P i r i t h o u s und T h e s e u s , mit denen
niemand von den jetzigen Menschen es wagen würde, sich in einen
Wettkampf einzulassen, – und daß diese dennoch ihn gehört, und
seinen Rath befolgt hätten. – Achilles und Agamemnon möchten
dieserwegen ein Gleiches thun.

So schildert Nestor die Helden v o r dem Trojanischen Kriege; und
der Dichter der Iliade selber schildert wiederum die Helden im Trojanischen Kriege, wie sie die Menschen seiner Zeit an Stärke über-
trafen. –

Hektor, sagt er, ergriff einen Stein, den zwei der stärksten Männer   201
zu unsern Zeiten nur mit Mühe vom Boden auf den Wagen zu heben
vermöchten, – den schleuderte Hektor mit leichter Mühe gegen das
Thor der griechischen Mauer, daß mit einemmale die Thüren aus
ihren Angeln sprangen.

Die Menschen, welche zuerst vom Prometheus aus Thon gebildet,
den herrschenden Göttern verhaßt, des Feuers beraubt, durch mehrere Ueberschwemmungen bis auf wenige vertilgt wurden, und da
sich dennoch ihr Geschlecht fortpflanzte, Jahrhunderte hindurch in

dumpfer Betäubung gleich den Thieren des Feldes lebten, arbeiteten sich allmälig aus diesem dumpfen Zustande durch e i g n e A n s t r e n - g u n g heraus, und wurden durch edles Selbstbewußtseyn und durch die Anwendung ihrer inwohnenden Kräfte den unsterblichen Göttern ähnlich. −

Die Menschheit lernte in den Götterähnlichen Helden, die aus ihr entstammten, sich selber schätzen, und ihren eigenen Werth vereh- ren. − Auch wurde nun die Gottheit gleichsam den Menschen wieder versöhnt. − Die Götter nahmen an den Begebenheiten und Schick- salen der Menschen immer nähern Antheil. − Das Göttliche und Menschliche rückte in der Einbildungskraft i m m e r n ä h e r z u s a m - m e n , bis endlich in dem Kriege vor│Troja sich die Götter sogar in das Treffen der Menschen mit einließen, und von Sterblichen verwundet wurden. −

Keine Benennung kömmt daher auch häufiger in der Dichter- sprache der Alten vor, als die des G ö t t e r ä h n l i c h e n oder des G ö t - t e r g l e i c h e n , womit die Helden der Vorzeit gerühmt und der A d e l der Menschheit gepriesen wird.

P e r s e u s , K a d m u s , H e r k u l e s , T h e s e u s , J a s o n sind die berühmtesten Heldennahmen. − Die Geschichte des Perseus hüllt sich am meisten in dunkle Fabeln ein, und tritt am weitesten in das entfernte Alterthum der Heldenzeit zurück.

Um des Perseus irdische Abstammung zu verfolgen, steigen wir wieder bis zum a l t e n I n a c h u s hinauf, mit dessen Tochter J o Ju- piter in Aegypten den E p a p h u s erzeugte. − Die königliche Tochter des Epaphus, L y b i a , gebahr von Neptuns Umarmung den B e l u s und A g e n o r . − Belus erzeugte den D a n a u s und A e g y p t u s .

D a n a u s schifte nach Griechenland, um seine Ansprüche auf das von seinem Ahnherrn Inachus ihm angestammte Königreich Argos gegen den G e l a n o r , der damals diese Gegend beherrschte, zu be- haupten.

Das Volk sollte den Ausspruch thun, und während es noch un- schlüssig war, fiel ein Wolf in│eine Heerde von Kühen und besiegte den Stier, der sie vertheidigte.

Diese unvermuthete Erscheinung nahm man von den Göttern als ein Zeichen an, daß der F r e m d e und nicht der Einheimische herrschen solle; – man schrieb dieß Zeichen dem wahrsagenden Apollo zu, welchem Danaus wegen der Sendung des W o l f e s, unter dem Nahmen des L y c i s c h e n Apollo, einen Tempel erbaute.

Danaus lehrte die Argiver Brunnen graben, und größere und bequemere Schiffe bauen. – Nach der alten Sage hatte er funfzig Töchter, so wie sein Bruder Aegyptus funfzig Söhne. –

Die funfzig Söhne des Aegyptus kamen nach Griechenland, um mit den Töchtern des Danaus sich zu vermählen. – Dem Danaus aber war geweißagt worden, daß einer seiner Tochtermänner ihn der Herrschaft entsetzen würde.

Die alten Könige fürchteten, w i e d i e a l t e n G ö t t e r, ihre eigenen Kinder und Nachkommen. – Danaus befahl seinen Töchtern, die sich mit den Söhnen des Aegyptus vermählten, ihre Männer in der ersten Nacht zu ermorden, welches sie thaten, bis auf die H y p e r m n e s t r a, die, mit ihrer eigenen Gefahr, den L y n c e u s, ihren geliebten Gatten, entfliehen ließ.

Eine, sagt ein Dichter aus dem Alterthum, eine unter vielen, ihres geliebten Jünglings werth, | hinterging mit glorreicher List des Vaters Grausamkeit, und ewig glänzt ihr Ruhm. 204

Steh auf, rief sie dem schlummernden Gatten zu, damit nicht, ehe du es vermuthest, ewiger Schlaf dich drücke! fliehe meinen Vater, und meine blutdürstigen Schwestern, die ihre Männer, wie junge Löwenbrut, zerreißen. –

Mein Herz ist aus weichern Stoff. – Dich tödten kann ich nicht, und werde dich nicht in diesen Mauern gefangen halten. Mag mein Vater mich mit schweren Ketten belasten, weil ich mitleidsvoll des Gatten schonte, oder mag er mich in die ödeste Wüste verjagen!

Geh, wohin dich Füße und Winde tragen, so lange Venus und die Nacht dich schützt; geh unter glücklichen Zeichen! und ätze, meiner eingedenk, dereinst auf meinen Grabstein deine Klag' um mich!

Lynceus entfloh, aber er kehrte wieder; denn Danaus wurde mit seiner Tochter ausgesöhnt, und von dem treuen Paare Lynceus und

Hypermnestra stammten Perseus und Herkules, die göttergleichen Helden ab. Die grausame That der übrigen Töchter des Danaus blieb nicht unbestraft; − sie mußten noch in der Unterwelt für ihren Frevel büßen.

205 Abas, ein Sohn des Lynceus, herrschte nach seines Vaters Tode über Argos, und hinter-|ließ zwei Söhne, den Prötus und Akrisius, die sich zu verschiedenen Zeiten einander die Oberherrschaft streitig machten. − Perseus war des Akrisius Enkel.

Perseus.

Akrisius befürchtete wieder Verderben von seinen Nachkommen. − Ihm war geweißagt worden, daß einer seiner Enkel ihn tödten würde; − er verschloß daher seine einzige Tochter, die Danae, in einen ehernen Thurm, um die Weißagung zu vereiteln.

Allein durch eine Oefnung in dem Dache senkte sich Jupiter in einem goldenen Regen in Danaens Schooß hernieder, und erzeugte mit ihr den Perseus, welchen Akrisius, sobald er gebohren war, nebst der Mutter, in einem zerbrechlichen Nachen, den Wellen übergab.

Die wohlthätigen Meergöttinnen nahmen den Göttersohn mit seiner Mutter sanft in den Schooß der Wasserwogen auf, und ließen den Nachen an dem Strande der kleinen Insel Seriphus auf dem griechischen Meere landen, wo Polydektes, der Beherrscher der Insel, Mutter und Kind aufnahm, und für die Erziehung des jungen Perseus sorgte.

206 Und nun nahete die Zeit heran, wo die Ungeheuer, welche die Nacht oder das ungestüme Element aus seinem Schooße gebohren hatte, von den aufkeimenden Helden besiegt, und der Erdkreis von seinen Plagen befreiet werden sollte.

Die erste und kühnste That, welche Perseus, sobald er die angestammte Götterkraft in sich fühlte, unternahm, war, das Verderben bringende, versteinernde Haupt der Medusa von ihrem Körper zu trennen, und dieser Schreckengestalt sich selber zu bemächtigen.

Mit dem unsichtbarmachenden Helm des Orkus; den Flügeln des Merkur; und dem Schilde der Minerva, von den Göttern selber ausgerüstet, unternahm er die kühne That mit weggewandtem Blick, indem er das Bild der schlummernden Medusa erst in dem Spiegel seines Schildes sahe, und Minerva unsichtbar den Arm ihm lenkte, damit er nicht seines Ziels verfehlte.

Als nun Perseus den tödlichen Hieb vollführt hatte, so seufzten und ächzten Stheno und Euryale, die beiden unsterblichen Schwestern der Medusa, so laut über diesen Anblick, und das Zischen der Schlangen auf ihren Häuptern tönte so kläglich in ihr Aechzen, daß Minerva, dadurch gerührt, eine Flöte erfand, wodurch sie die Vorstellung dieser traurigen Töne, durch verschiedene Arten des Schalls sie nachahmend, wieder | zu erwecken suchte. – Mitten im furchtbaren blutigen 207 Werke schimmert die Göttin der Künste hervor. –

Mit dem Neptun hatte Medusa das Heiligthum der Minerva entweiht; darum hatte diese ihren Tod beschlossen. – Demohngeachtet sprang, vom Neptun erzeugt, der geflügelte Pegasus aus ihrem Blute hervor, der, auf den Befehl der Götter, die Ueberwinder der Ungeheuer, den P e r s e u s, und nach ihm den B e l l e r o p h o n trug.

Mit dem versteinernden Haupte, in der Hand, schwebte nun Perseus über Meer und Ländern. – Den Atlas, der ihm den Zugang zu den Gärten der Hesperiden versagte, verwandelte er durch den Anblick des Medusenhauptes i n e i n G e b i r g e, das nachher stets den Nahmen dieses Sohnes des Japet führte.

Nach dieser ersten Ausübung seiner Macht, die ihm der Besitz des Hauptes der Medusa verlieh, sahe Perseus auf die Phönizische Küste hinunterblickend ein Mädchen, an einen Felsen geschmiedet, und ein Ungeheuer, sie zu verschlingen, aus dem Meer aufsteigend, indeß ihre Eltern verzweiflungsvoll die Hände ringend am Ufer standen. –

Perseus stürzte sich auf das Ungeheuer nieder, das gerade seinen Raub zu verschlingen im Begriff war, und befreiete die schöne A n - d r o m e d a, | welche den Zorn der beleidigten Gottheit, über die Ver- 208 messenheit ihrer Mutter zu versöhnen, als ein schuldloses Opfer, da stand. –

Denn K a s s i o p e j a, die Mutter der Andromeda und Gemahlin des C e p h e u s, hatte es gewagt, den mächtigen N e r e i d e n an Schönheit

sich gleich zu schätzen, – und nun verheerten Plagen das Land, die
nach dem Orakelspruch des Jupiter Ammon nicht eher aufhören sollten, bis Andromeda, von einem Seeungeheuer verschlungen, den Frevel der Mutter gebüßt hätte.

Die Eltern der Andromeda, welche selber Zeugen ihrer Rettung
waren, vermählten mit Freuden dem edlen Perseus ihre Tochter. –
P h i n e u s aber, des Cepheus Bruder, dem Andromeda vorher versprochen war, trat bei dem Vermählungsfeste mit bewafneten Männern in den Hochzeitsaal, und drang wüthend auf den Perseus ein,
den nur das Haupt der Medusa retten konnte, indem er seinen Freun-
den zurief, ihr Antlitz hinwegzuwenden, und den Phineus mit seinem
Gefolge versteinerte.

Nach diesen Thaten führte Perseus seine Vermählte nach Seriphus,
wo er den Polydektes und seine Mutter wieder sahe. – Gegen den
Polydektes selber, der ihm aus Furcht nach dem Leben stand, mußte
er das versteinernde Haupt der Medusa kehren, und│dieser mußte in
Fels verwandelt für seinen feigen Argwohn büßen.

Da nun Perseus erfuhr, daß sein Ahnherr A k r i s i u s vom Prötus
seines Königreichs beraubt sey, so eilte er großmüthig, statt sich zu
rächen, mit seiner Mutter und seiner Vermählten nach Griechenland,
um den Akrisius in sein Reich wieder einzusetzen.

Er überwand und tödtete den Prötus, und übergab dem Akrisius
wieder die königliche Würde, der nun in seinem gefürchteten Enkel,
seinen Freund und Wohlthäter, voll Dank und Freude umarmte.

Allein der tragische Ausgang lauerte dennoch im Hinterhalte; das
Schicksal, welches mit den Hofnungen der Menschen spielt, hatte bei
diesem verführerischen Anschein, die alte Drohung noch nicht zu-
rückgenommen.

Perseus, welcher wußte, wie sehr Akrisius an der Geschicklichkeit
seines Enkels in jeder Leibesübung sich ergötzte, wollte ihm eines
Tages von seiner Fertigkeit eine Probe ablegen. – Die unglückseelige
Wurfscheibe fuhr aus der starken Hand, und flog, wie vom bösen
Dämon gelenkt, dem Akrisius an das Haupt, der todt darnieder sank.

Hierüber brachte Perseus seine übrigen Tage in Schwermuth zu, indem er unverschuldet sich | dennoch einen Vatermörder schalt. − 210 Der Aufenthalt in Argos ward ihm unerträglich. −

Er bewog den Sohn des Prötus zu einem Tausche seiner Länder, und als er Argos verlassen hatte, so fand er auch in Tyrinth, der Hauptstadt des andern Reiches, noch keine Ruhe, sondern baute, um des Vergangnen so wenig wie möglich sich zu erinnern, die neue Stadt M y c e n e. −

Das Haupt der Medusa wurde vom Perseus der Minerva geweiht, die es in die mächtige A e g i d e, ihren leuchtenden Schild, versetzte, wo es ein bedeutendes Symbol ihrer furchtbaren Macht, und der z u r ü c k s c h r e c k e n d e n K ä l t e, als des Hauptzugs in ihrem Wesen, wurde.

P e r s e u s selber und die Hauptpersonen aus seiner Geschichte, A n d r o m e d a, K a s s i o p e j a, u. s. w., sind in den Dichtungen der Alten unter die Gestirne versetzt, welche noch itzt diesen Nahmen führen.

Auf die Weise wurden im eigentlichen Sinne die Helden des Alterthums bis an den Himmel erhoben, und ihren Nahmen das d a u - r e n d s t e und g l ä n z e n d s t e Denkmal gestiftet. −

Unter den Kindern, welche Perseus mit der Andromeda erzeugte, war A l c ä u s, der Vater des A m p h i t r y o, der mit der Mutter des Herkules vermählt war; − E l e k t r y o war der Va-|ter der A l k m e n e, 211 die mit dem Amphitryo vermählt war, und vom Jupiter den Herkules gebahr. − Ein dritter Sohn, Nahmens S t h e n e l u s, war der Vater des E u r y s t h e u s, der Mycene beherrschte, und welchem Herkules dienen mußte.

Obgleich dem Perseus auch an einigen Orten Tempel und Altäre errichtet waren, und er der ä l t e s t e unter den berühmten Helden der Vorzeit ist, so war dennoch der glänzendste Ruhm dem H e r k u l e s aufgespart, der die größten Mühseeligkeiten des Lebens trug, und vom Haß der Juno von Kindheit an verfolgt, sich endlich durch ausharrende Geduld den Weg zur Unsterblichkeit und zum Sitz der Götter bahnte. −

Des Perseus Ruhm und Thaten wurden durch Alkmenens Sohn verdunkelt, dem man allenthalben Tempel und Altäre erbaute, und ihn, nachdem er seine Laufbahn auf Erden, mit Ruhm gekrönt, vollendet hatte, den Göttern des Himmels zugesellte. Die Heldenrolle des Perseus aber ist liebenswürdiger, und hat bei ihrem grauen Alterthume viel Aehnliches mit dem Rittermäßigen der neuern Zeiten. –

Eine schöne und bedeutende Abbildung des Perseus, nach einem antiken geschnittenen Steine, befindet sich auf der hier beigefügten 212 Kupfertafel, | wo er stehend dargestellt ist, das Schwerdt in der rechten Hand, das Haupt der Medusa mit der Linken auf den Rücken haltend. – Diese Darstellung faßt gleichsam die ganze Dichtung von dem Haupte der Medusa in sich, weil sie am deutlichsten die furchtbare Kraft desselben bezeichnet, wodurch der Held, der dessen Anblick selbst vermied, und es nur gegen seine Feinde kehrte, unüberwindlich war.

Auf eben dieser Tafel ist Bellerophon abgebildet, mit Helm und Spieß bewafnet, auf dem geflügelten Pegasus in den Lüften reitend, mit der Chimära den Kampf beginnend, welche die bildende Kunst nicht ganz in der ungeheuren Gestalt, womit sie die Dichtung schildert, darstellt. –

Bellerophon.

Eben der Prötus, der seinen Bruder Akrisius des Reichs entsetzt hatte, und der zuletzt vom Perseus, dem Enkel des Akrisius, überwunden und getödtet ward, gab auch dem Bellerophon, durch einen falschen Verdacht gereizt, den ersten Anlaß zu seinen Heldenthaten.

⟨Abb. 17⟩   Bellerophon war nemlich ein Enkel des Sisyphus, welcher Korinth
213 erbaute, und selbst ein Urenkel des Deukalion und ein Sohn des Aeolus war, von dem der Aeolische Heldenstamm in | manchen Zweigen der fürstlichen Geschlechter Griechenlands sich ausbreitete.

Wegen einer Mordthat mußte Bellerophon aus Korinth entfliehen, und nahm zum Prötus seine Zuflucht, der damals über Argos herrschte, und sein Verbrechen aussöhnte.

Des Prötus Vermählte war A n t e a, eine Tochter des Königs Jobates in Lycien. Eine zärtliche Leidenschaft, die sie gegen den Jüngling faßte, und welche dieser standhaft von sich wieß, verwandelte sich in Haß. – Sie forderte selbst den Prötus zur Rache gegen den Bellerophon auf, den sie mit schwarzem Trug beschuldigte, daß er sie zur Untreue habe verleiten wollen.

Dem Prötus waren die Rechte der Gastfreundschaft zu heilig, als daß er selbst den Bellerophon hätte tödten sollen; er schickte ihn nach Lycien zum J o b a t e s, dem Vater der Antea, mit einem Briefe, welcher den Auftrag enthielt, an dem Ueberbringer das ihm angeschuldigte Vergehen durch dessen Tod zu rächen.

Allein Jobates las erst diesen Brief, nachdem er den Bellerophon schon gastfreundlich bewirthet hatte, und scheute sich ebenfalls in ihm das h e i l i g e G a s t r e c h t zu verletzen; – er stellte daher den Tod des Fremden dem Zufall heim, indem er ihn zu den gefahrvollsten Unternehmungen sandte, wobei sein Untergang unvermeidlich schien.

Unter den Ungeheuern, die von dem Phorkys und der schönen Ceto abstammen, und wovon die schrekliche G o r g o schon vom Perseus überwunden ist, tritt nun die feuerspeiende C h i m ä r a, mit dem Kopfe des Löwen, dem Leib der Ziege, und Schweif des Drachen in dieser Dichtung auf, um Bellerophons Heldenmuth zu prüfen, und von des Sisyphus tapfern Enkel besiegt zu werden, zu welcher That die Götter den Pegasus, der den Perseus trug, auch ihm gewährten. 214

Aus den Lüften kämpfte er nun mit dem Ungeheuer, daß er, nach einem fürchterlichen Streite, endlich überwand. –

Es sind lauter unnatürliche Erzeugungen, welche von den Göttern und Helden nach und nach aus der Reihe der Dinge hinweggetilgt werden; – es scheint fast als sollten diese Dichtungen anspielen, daß Traum und Wahrheit, Wirklichkeit und Blendwerk gleichsam lange vorher miteinander im Kampfe lagen, ehe die Dinge sich in der Vorstellung ordnen konnten, und ihre feste und bleibende Gestalt erhielten. – Das Werk der Helden war es, die unnatürlichen Erscheinungen und Blendwerke zu verscheuchen, und Ordnung, Licht und Wahrheit um sich her zu schaffen. – Die Sphynx stürzte einen jeden von dem Felsen, der ihr Räthsel nicht lösen konnte; kaum hatte Oedipus es aufgelößt, so stürzte sie sich selbst herab. –

215   Nicht genug, daß Bellerophon die Chimära, die Pest des Landes, überwunden hatte, mußte er auch noch die Feinde des Jobates, die tapfern Solymer und die Amazonen bekriegen; und als er auch von dieser Unternehmung siegreich zurückkehrte, lauerte noch im Hinterhalt ein Trupp von Lyciern auf ihn, die ihn ermorden sollten.

Als er auch diese schlug und der drohenden Gefahr aufs neue entging; so erkannte Jobates endlich, daß der Held aus g ö t t l i c h e m G e s c h l e c h t e sey, vermählte ihm seine Tochter, und theilte sein Königreich mit ihm. –

Allein auch dieses Heldenglück war nicht von Dauer. – Als Bellerophon, seiner Siege froh, sich einst mit dem geflügelten Pegasus in die Lüfte schwang, und sich dem Sitz der Götter nähern wollte, so stürzten ihn diese so tief herab, als hoch er gestiegen war; – sie schickten eine Bremse, deren Stich den Pegasus rasend machte, der hoch in der Luft sich bäumend seinen Reiter abwarf.

Der, welcher vorher ein Liebling der Götter war, schien ihnen von nun an verhaßt zu seyn. – Sein niederbeugender Fall und Kummer über häusliches Unglück kürzte seine Tage, – einsam, vor den Menschen verborgen, überließ er sich ganz der finstern Schwermuth, bis ihn sein Gram verzehrte.

216   Herkules.

Der erste tragische Dichter der Griechen läßt den P r o m e t h e u s, der an den Felsen geschmiedet der unglücklichen Jo seine Leiden klagt, die Geburt seines Befreiers, des Herkules, vorher verkündigen.

Jo, welche in eine Kuh verwandelt, durch Junos Eifersucht auf dem ganzen Erdkreise in rasender Wuth umhergetrieben wurde, kam nehmlich auch in die einsame Gegend, wo Prometheus duldete, der alle ihre Schicksale ihr enthüllte, und ihr kund that, einer ihrer Nachkommen, der d r e i z e h n t e von ihr, werde sein Erretter seyn. Die

d r e i z e h n in ununterbrochener Geschlechtsfolge aber sind J o , E p a -
p h u s , L y b i a , B e l u s , D a n a u s , L y n c e u s , A b a s , A k r i s i u s ,
D a n a e , P e r s e u s , A l c ä u s , A l k m e n e , H e r k u l e s .
Zwei der furchtbarsten Erzeugungen des Phorkys und der schönen
Ceto sind schon vom Perseus und Bellerophon überwunden; – allein
die größten Thaten sind dem Herkules aufgespart, der Ungeheuer
besiegen, Tyrannen beugen, und selbst der Ungerechtigkeit des Donnergottes ein Ziel setzen muß, indem er den Prometheus, der für seine
den Menschen erwiesenen Wohlthaten noch immer büßen mußte,
endlich von seiner Qual befreit.

In die irdische Abstammung des Herkules hatten die Parzen sein 217
künftiges Schicksal schon verwebt, – zum Herrschen gebohren,
wurd' er durch die Macht der Fügung gezwungen, zu gehorchen, und
seine glorreichsten Thaten auf den Befehl eines Schwächeren, der ihn
fürchtete, zu vollführen.

Elyktrio, Sthenelus, Alcäus, Mestor, waren die Söhne des Perseus.
Elyktrio folgte dem Perseus in der Regierung zu Mycene. Die Kinder
des Alcäus waren Anaxo und Amphitryo. – Mit der Anaxo vermählte
sich Elyktrio, der zu Mycene herrschte, und erzeugte mit ihr A l k -
m e n e n , die Mutter des Herkules. –

Amphitryo, der Sohn des Alcäus, welcher wegen seiner Schwester
Anaxo dem Elyktrio nun doppelt verwandt war, lebte an dessen Hofe,
und hatte die sicherste Hofnung, in der Regierung ihm zu folgen; weil
Elyktrio seine Tochter Alkmene, die nächste Erbin seines Reiches, mit
dem Amphitryo zu vermählen schon fest beschlossen hatte.

Allein schon schwebte der unglückliche Zufall näher, der dem Amphitryo seine Aussichten vereitelte, und in der Folge auf das Schicksal
des Herkules einen daurenden Einfluß hatte. – Taphius nemlich, ein
Enkel des M e s t o r , eines Sohns des Perseus, errichtete auf der Insel
Taphos eine Pflanzstadt, deren Bewohner sich | wegen der weiten 218
Entfernung von ihrem Vaterlande auch Teleboer nannten.

Nach dem Tode des Taphius machte dessen Sohn und Nachfolger
P t e r e l a u s , wegen seiner Abstammung vom Mestor, einem Sohne
des Perseus, Ansprüche auf seinen Antheil an der Erbschaft von My-

cene, und schickte seine Kinder dahin, um seine Forderung geltend zu machen.

Als Elyktrio sich weigerte etwas herauszugeben, so verwüsteten die Söhne des Pterelaus mit ihrem Volke das Land, und führten des Königs Heerden hinweg. — Die Söhne des Elyktrio versammelten nun auch ein Heer, und ließen sich mit den Söhnen des Pterelaus in ein Treffen ein, worin die Anführer von beiden Theilen umkamen, so daß von den Söhnen des Elyktrio nur der einzige Lycimnus, und von den Söhnen des Pterelaus nur der einzige Everes übrig blieb.

Elyktrio, um den Tod seiner Kinder zu rächen, überließ seiner Tochter Alkmene und dem Amphitryo die Regierung, mit dem Versprechen, dem Amphitryo seine Tochter zu vermählen, sobald er von den Teleboern siegreich zurückkehren würde. —

Er kehrte siegreich zurück, und brachte auch die Heerden wieder, welche die Feinde ihm geraubt hatten. Amphitryo, nun seines Glücks gewiß, eilte ihm freudenvoll entgegen, und als von der | wiedereroberten Heerde eine Kuh entspringen wollte, warf Amphitryo mit einer Keule nach ihr — und traf den Elyktrio, welcher todt darnieder fiel.

Dieser unglückliche Zufall war es, der den Amphitryo des Königreichs Mycene beraubte, und zugleich zu dem künftigen Schicksal des Herkules den ersten Grund enthielt. — Denn obgleich die That des Amphitryo unvorsetzlich war, so lud sie doch den Haß des Volks auf ihn. —

Sthenelus, der Bruder des erschlagenen Elyktrio, bemächtigte sich daher mit leichter Mühe der Oberherrschaft über Mycene; und Amphitryo flüchtete nach Theben, wohin ihm Alkmene folgte. Kreon, der zu Theben herrschte, nahm beide in Schutz. Alkmene aber wollte sich mit dem Amphitryo nicht eher vermählen, bis er, um den Tod ihrer Brüder zu rächen, die Teleboer aufs neue bekriegt und den Pterelaus überwunden hätte.

Amphitryo trat mit dem Cephalus, Eleus, und einigen andern benachbarten Fürsten in ein Bündniß, um die Inseln der Taphier oder Teleboer zu bekriegen. — Pterelaus wurde besiegt, und Amphitryo schenkte die eroberten Inseln seinen Bundesgenossen, wovon die eine, welche noch itzt Cefalonia heißt, von dem Cephalus ihren Nahmen Cephalene erhielt.

Alkmenens Reitze hatten indeß den Donnergott von seinem hohen Sitze herabgezogen. – In der Gestalt des Amphitryo, der nun siegreich zurückkehrte, genoß er ihrer Umarmung, und verlängerte zu einer dreifachen Dauer die Nacht, worin er den Herkules mit ihr erzeugte. –

Unbeschadet der Ehrfurcht gegen das Göttliche und Erhabene, benutzten die komischen Dichter der Alten diesen Stoff, indem sie das lächerliche Verhältniß des wahren Amphitryo gegen den Jupiter in der Gestalt desselben auf der Schaubühne darstellten, und beide darauf erscheinen ließen. – Die komische Muse der Alten durfte es sich erlauben, in dergleichen kühnen Darstellungen selbst mit dem Donnergott zu scherzen, der zu den Töchtern der Sterblichen sich herabließ.

Dem Amphitryo, der auf Alkmenen zürnte, gab Jupiter endlich selber, um ihn zu besänftigen, seine Gottheit zu erkennen; und indeß Alkmene nun zugleich mit dem Herkules und mit einem Sohne des wirklichen Amphitryo schwanger war; und dem Sthenelus, der zu Mycene herrschte, ebenfalls ein Sohn gebohren werden sollte, gieng Folgendes im Rathe der Götter vor:

An dem Tage nehmlich, an welchem Herkules gebohren werden sollte, sprach Jupiter rühmend in der Versammlung der Götter: Heute, alle ihr Götter und Göttinnen, verkündige ich euch, | wird aus dem Geschlechte der Menschen, das von mir abstammt, ein Held gebohren werden, der über alle seine Nachbaren herrschen wird!

Listen ersinnend sprach die hohe Juno: ich zweifele dennoch an der Erfüllung deiner Worte, wenn du nicht mit dem unverletzlichen Schwur der Götter schwörst, daß derjenige, welcher heute aus dem Geschlechte der Menschen, das von dir abstammt, gebohren wird, über alle seine Nachbaren herrschen soll.

Kaum hatte Jupiter den unverletzlichen Schwur gethan, als Juno den Olymp verließ, und schon in Argos war, wo die Vermählte des

Sthenelus erst im siebenten Monathe mit dem Eurystheus schwanger gieng, dessen Geburt die mächtige Juno schnell beförderte, obgleich die Zahl der Monden noch nicht voll war. – Alkmenens Niederkunft aber hielt sie auf, und kehrte nun triumphirend zum Olymp zurück.

Nun ist schon der Held gebohren, sprach sie zum Jupiter, der die Argiver beherrschen wird. – Er ist aus dem Geschlechte der Menschen, das von dir abstammt; denn es ist Eurystheus, ein Sohn des Sthenelus, dessen Vater Perseus dein Erzeugter war. Keinem Unwürdigen ist also das verheißne Königreich beschieden.

Da nun Jupiter seinen Schwur nicht zurücknehmen, und sich an der Juno nicht rächen konnte,│so ergriff er die A t e , oder die Schaden stiftende Macht, welche eine Tochter Jupiters, u n d s e l b e r m i t i n d e r R e i h e d e r G ö t t e r w a r , bei ihrem glänzenden Haar, und schleuderte sie vom Himmel zur Erde herunter, mit dem unverbrüchlichen Schwur, daß sie nie zum Olymp zurückkehren solle, – seitdem wandelt sie über den Häuptern der Menschen einher, und säet, wo sie kann, Verderben und Zwietracht aus; – wenn daher Streitende sich versöhnten, so schoben sie auf die A t e den Anfang ihres Zwistes.

Das Schicksal selber hatte dem Herkules die härtesten Prüfungen zugedacht, welche Götter und Menschen nicht hintertreiben konnten. Eurystheus war nun durch den Schwur des Jupiter zum Herrscher gebohren; und durch eben diesen Schwur gebunden, konnte Jupiter seinen geliebten Sohn von der harten Dienstbarkeit nicht befreien. –

Alkmene gebahr zwei Söhne, den Herkules vom Jupiter, und den Iphikles von ihrem Gemahl Amphitryo. Wer von beiden der Sohn des Donnergottes sey, offenbarte sich schon, da noch ein hohler Schild, den Amphitryo vom Pterelaus erbeutet hatte, die Wiege der Kinder war, und Juno zwei Schlangen schickte, die den Herkules tödten sollten, der sie mit seiner zarten Hand in der Wiege erdrückte.

Nun legte Jupiter, da er einst die Juno schlummernd fand, den Herkules ihr an die Brust, und dieser sog ihr unbewußt die Göttermilch. – Als aber Juno erwachte, so schleuderte sie den kühnen Säugling weit von sich hinweg, und verschüttete auf des Himmels Wölbung die Tropfen Milch, die ihrer Brust entfielen, und deren Spur die Milchstraße bildete, auf welcher die Götter wandeln.

Die Dichtung wird hier kolossal; der Luftkreis selber, durch welchen die Sterne schimmern, tritt als der Juno erstes Urbild auf, und färbt sich von der Milch, welche den Brüsten der hohen Himmelskönigin entströmte; — jenes Urbild wurde vorausgesetzt, wenn die Dichtung den weißlichten Streif am Himmel die Milch der Juno nennt.

Auf Jupiters Befehl mußte Merkur nun den Herkules seinen Erziehern übergeben, die ihn in den kriegerischen sowohl als in den sanften Künsten unterwiesen. Unter den Lehrern und Erziehern des Herkules waren selbst Göttersöhne; in der Musik unterwieß ihn L i - n u s , ein Sohn des Apollo; C h i r o n, der weise Centaur, in der Arznei- und Kräuterkunde. — In den kriegerischen Künsten waren die berühmtesten Helden der damaligen Zeit, in jedem besondern Fache, seine Lehrer.

Da nun Herkules unter diesen Beschäftigungen zu den Jünglingsjahren gekommen war, begab er sich einst, über sein künftiges Schicksal nach-|denkend in die Einsamkeit, und setzte sich in Betrachtungen vertieft auf einem Scheidewege nieder. — Hier war es, wo die Wollust und die Tugend ihm erschienen, wovon die erste ihm jeglichen Genuß einer frohen sorgenfreien Jugend anbot, wenn er ihr folgen wollte, — die letzte ihm zwar mühevolle Tage verkündigte, aber in der Zukunft Ruhm und Unsterblichkeit verhieß, wenn er sie zur Führerin wählte. 224

Die Tugend siegte in diesem Wettstreit; der Jüngling folgte ihr mit sicherm Schritte, fest entschlossen, jedes Schicksal, das ihm bevorstehe, mit Muth und Standhaftigkeit zu tragen, sich keiner Last zu weigern, und keine Arbeit, sey sie noch so schwer, zu scheuen. —

Die Eifersucht der Juno, die nicht ruhte, hatte schon dem Amphitryo selber Furcht und Argwohn eingehaucht, der den jungen Herkules an den Hof des Eurystheus nach Mycene schickte, wo ihm von Zeit zu Zeit die gefährlichsten Unternehmungen und die ungeheuersten Arbeiten aufgetragen wurden, die seinen Muth und seine Standhaftigkeit auf die höchste Probe setzten.

Als nun Herkules auf seiner Reise das Orakel zu Delphi wegen
seines künftigen Schicksals fragte; so gab die Pythia ihm zur Antwort:
225 zwölf Arbeiten müsse er auf des Eurystheus Befehl voll-|enden, und
wenn er diese vollendet habe, sey ihm die Unsterblichkeit bestimmt. −

Die zwölf Arbeiten des Herkules.

Der Nemäische Löwe.

Als Herkules, noch im Jünglingsalter, bei dem Walde von Nemea die
Heerden des Eurystheus hütete, verwüstete ein Löwe, d e s s e n H a u t
k e i n P f e i l d u r c h d r i n g e n k o n n t e, die Gegend rund umher,
und drohte den Heerden Unglück.

Die erste der zwölf Arbeiten, welche Eurystheus dem Herkules
anbefahl, war, dieses Raubthier zu erlegen. − Der junge Herkules
säumte nicht, die Spur des Löwen zu verfolgen, mit dem er sich, als er
ihn traf, in Kampf einließ, und ihn mit e i g n e r H a n d erwürgte,
weil kein Eisen ihn verwunden konnte.

Zum Andenken dieser ersten That, die allein schon für die Voll-
führung der übrigen bürgte, trug Herkules nachher beständig die
Haut des Löwen um seine Schultern; und diese wurde nun nebst der
K e u l e, die er von dem Aste eines wilden Oehlbaums sich selber
schnitt, das äußere Merkmal seiner unüberwindlichen Stärke, und
seines unbesiegbaren Heldenmuths.

Herkules brachte den Löwen nach Mycene; der verzagte Eurys-
226 theus aber befahl ihm, von | nun an nicht mehr in die Stadt zu kom-
men, sondern vor den Thoren von seinen vollführten Thaten Rechenschaft abzulegen.

Die Lernäische Schlange.

In dem Sumpfe von Lerna bei Argos, hielt sich die vielköpfigte Hydra auf, deren in der Stammtafel der Ungeheuer, die vom Phorkys und der schönen Ceto sproßten, schon gedacht ist.

Die Zeit der Helden war der Tod der Ungeheuer, die der Arm der Göttersöhne, eins nach dem andern von der Erde tilgte; und Herkules ließ nun, so wie Perseus mit der Gorgo, und Bellerophon mit der feuerspeienden Chimära, auf den Befehl des Eurystheus, mit der vielköpfigten Hydra in den furchtbaren Kampf sich ein.

So wie er einen Kopf des Ungeheuers mit seinem sichelförmigen Schwerdt vom Rumpfe trennte, wuchs aus dem Blut ein neuer wieder, bis in der äußersten Gefahr, welche dem Helden drohte, sein Gefährte Jolaus, des Iphikles Sohn, mit Feuerbränden, die er aus dem nahgelegenen Walde hohlte, nach jedem Hieb des Herkules, sogleich die Wunde zubrannte, ehe noch aus dem Blute ein neuer Kopf emporschoß.

Nun aber erschwerte J u n o dem Herkules seinen Sieg, indem sie einen Seekrebs schickte, der dem Held, so wie er kämpfte, an den Fersen | nagte, und ihn sich umzuwenden zwang. – Auch diesen An- 227 griff bestand der Sohn des Donnergottes; und grub nach langem Kampf das letzte Haupt der Hydra, das unverletzlich war, tief in die Erde, und wälzte einen ungeheuren Stein darüber.

Zum Lohn für seine Arbeit tauchte er in das vergoßne Blut der Hydra seine Pfeile, die durch das tödtliche Gift nun doppelt furchtbar waren, und über ihren Besitzer, selbst durch seines Feindes Tod, dereinst noch Qual und Verderben bringen sollten.

Wenn unüberwindlicher Muth und Standhaftigkeit, bei der Ueberwindung unzähliger Hindernisse und immer erneuerter Gefahren, irgend durch ein treffendes Sinnbild bezeichnet wird, so ist es in dieser Dichtung von dem Siege des Herkules über das vielköpfigte Ungeheuer. – Alte und neuere Dichter haben daher dieß Bild auch stets genützt, weil es sich durch kein bedeutenderes ersetzen läßt.

Der Erymanthische Eber.

Ein ungeheurer Eber aus dem Erymanthischen Gebürge verwüstete
die Fluren von Arkadien. – Dem Eurystheus war dieß erwünscht, um
den Herkules zu einer neuen gefährlichen Unternehmung auszu-
228 schicken. Dem Ueberwinder | des Nemäischen Löwen, und der viel-
köpfigten Hydra, war es ein Leichtes, den Eber zu fangen, welchen er
gebunden dem Eurystheus brachte, der vor Schrecken über den Anblick des Ungeheuers sich in ein ehernes Faß verkroch.

In dieser lächerlichen Stellung ist Eurystheus auf einem antiken
geschnittenen Steine abgebildet. – Der auffallende Kontrast zwischen
der Stärke und dem Heldenmuth des Gehorchenden, und der Schwä-
che und Verzagtheit des Befehlenden, welcher durch diese ganze
Dichtung herrscht, giebt ihr ein desto lebhafteres Interesse. – Dadurch, daß der Held sich überwindet, nach dem Schluß des
Schicksals dem Schwächern zu gehorchen, erhalten seine kühnsten
Thaten einen doppelten Werth, weil er erst sich selber zum Gehorsam,
und dann die Ungeheuer zum Weichen zwingt.

Der Hirsch der Diana.

Um nicht nur die Stärke, sondern auch die Geschwindigkeit und
Behendigkeit des Herkules zu prüfen, mußte eine neue wunderbare
Erscheinung sich ereignen. Auf dem Berge Mänelus ließ nemlich ein
Hirsch mit goldenem Geweih sich sehen, welcher, obgleich der Diana
geheiligt, den Wunsch eines jeden, ihn zu besitzen, auf sich zog.

229   Eurystheus, der nur befehlen durfte, befahl dem Herkules diesen
kostbaren Hirsch lebendig zu fangen, und ihn nach Mycene zu bringen. – Herkules, ohne sich zu weigern, verfolgte ein Jahrlang unermüdet die Spur des schnellen Hirsches, bis er ihn endlich in einem
Dickicht fing, und ihn auf seinen Schultern dem Eurystheus lebendig
brachte.

Die Stymphaliden.

Eine Art gräßlicher Vögel hielt sich an dem Stymphalischen See in Arkadien auf. Die Einbildungskraft der Dichter mahlt ihr Bild auf das fürchterlichste aus; sie hatten eherne Klauen und Schnäbel, mit denen sie verwunden und tödten, und jede Waffenrüstung durchbohren konnten; auch waren sie nach einigen Dichtungen mit Spießen bewafnet, die sie auf die Angreifenden warfen.

Der Ort, wo diese Vögel im Sumpf und Gebüsch ihre Wohnung hatten, war unzugänglich. – Eurystheus befahl dem Herkules diese Ungeheuer zu bekämpfen, und Minerva, die dem Helden wohl wollte, schenkte ihm eine eherne Pauke, durch deren Geräusch er die Vögel aus ihrem Sumpfe schreckte, und so bald er sie in der Luft erblickte, seinen Bogen spannte, und mit seinen Pfeilen sie erschoß.

Es schien als ob der Held an jeder Gattung von Ungeheuern sich   230
versuchen sollte; daher ließ ihn die Dichtung, nachdem er den Löwen besiegt, die Hydra getödtet, und den Eber gebändigt hatte, auch mit den Vögeln unter dem Himmel kämpfen.

Das Wehrgehenk der Königin der Amazonen.

Schon Bellerophon mußte gegen die Amazonen fechten, – und auch Eurystheus versäumte nicht, dem Herkules diese gefahrvolle Unternehmung aufzutragen. – Die Idee von den Amazonen, die ihre neugebohrnen Söhne von sich schickten, und ihre Töchter zu Waffenübungen und zum Kriege erzogen, ist an sich schon dichterisch schön, und wir finden sie häufig in die Dichtungen der Alten eingewebt. –

Auch die bildende Kunst der Alten verweilte gern auf diesem Gegenstande, und man findet auf Marmorsärgen zum öftern Amazonenschlachten dargestellt, wo die männliche Tapferkeit mit der weiblichen Bildung verknüpft, im Angriff und im Sinken, den reitzendsten Kontrast darbietet.

Vom Kriegsgott selber besaß die Königin der Amazonen das kostbare Wehrgehenk, das Herkules erbeuten sollte, und das von der Tap-

231 ferkeit selbst | vertheidigt ohne unüberwindlichen Heldenmuth nicht
zu erstreiten war.

Theseus begleitete den Herkules auf diesem Zuge, und am Flusse
T h e r m o d o n begann die Schlacht, wo Herkules über die Bundesgenossen der Amazonen siegte, die Königin selbst gefangen nahm,
und, nachdem er auf diesem Wege noch manche andre große That
vollführt, das kostbare Wehrgehenk dem Eurystheus brachte.

Der Stall des Augias.

Augias, der in Elis herrschte, und ein Sohn der Sonne hieß, war wegen
der vielen Heerden, die er besaß, einer der reichsten Fürsten seiner
Zeit.

Und weil man damals den Reichthum nach dem Besitz von vielen
Heerden schätzte, so waren auch die Beschäftigungen, welche hierauf
Bezug hatten, noch nicht erniedrigend; und einen Stall zu reinigen,
war damals noch keine so unwürdige Beschäftigung, wie wir sie uns
jetzt nach unsern Begriffen denken.

Augias hatte nemlich nach der Dichtung, die den Helden die Arbeiten gern so schwer wie möglich macht, dreitausend Rinder in
seinen Ställen stehen, und diese Ställe waren seit dreißig Jahren nicht
gereinigt. –

232 Herkules übernahm auf den Befehl des Eurystheus die Reinigung
der Ställe, mit dem Beding in wenigen Tagen die ungeheure Arbeit zu
vollenden, wofür ihm Augias, der an der Möglichkeit der Ausführung
zweifelte, den zehnten Theil seiner Heerden zum Lohn versprach.

Herkules aber leitete den Alpheus durch die Ställe, und verrichtete
nun die Arbeit, die jedermann für unmöglich hielt, an einem Tage mit
leichter Mühe. – Augias aber verweigerte ihm den Lohn, worauf ihn
Herkules bekriegte und tödtete, und den P h y l e u s des Augias Sohn,
der edler wie sein Vater dachte, zum Nachfolger im Reiche ernannte.
Von den erbeuteten Schätzen aber bauete Herkules dem Olympischen
Jupiter einen Tempel, und erneuerte die Olympischen Spiele. – So
krönte er seine Arbeit in den Ställen des Augias.

Der Kretensische Stier.

Neptun, der auf die Einwohner von Kreta zürnte, weil sie seine Gottheit nicht genug verehrten, schickte einen wüthenden Stier auf ihre Insel, welcher Feuer aus der Nase blies, und weil ihn niemand anzugreifen wagte, das Land umher verwüstete.

Kaum hatte Eurystheus dies vernommen, so befahl er dem Herkules, diesen Stier lebendig zu | fahen. — Es ist die Körperkraft 233 des Helden, welche sich gleichsam gegen die ganze Thierwelt mißt, indem sich Herkules auch dieses vom Neptun gesandten Stiers bemächtigt, und ihn auf seiner Schulter nach Mycene bringt.

Die mannichfaltigen Abbildungen des Herkules, worunter sich auch diese befindet, wie er den Stier auf der Schulter trägt, machen daher ein schönes Ganzes aus, weil der Ausdruck von körperlicher Stärke in jeder Darstellung herrschend ist, und die bildende Kunst keinen reichern Stoff als diesen finden konnte, um das, was den Löwen besiegt, und die ganze Thierwelt sich unterjocht, in jeder Muskel zu bezeichnen.

Die Rosse des Diomedes.

Diomedes, ein König in Thracien, und ein Sohn des Mars, besaß vier feuerspeiende Rosse, die er mit Menschenfleisch sättigte, und denen er die Fremdlinge, die er auffing, selbst zur Speise vorwarf.

Da das Gerücht von dieser Grausamkeit allenthalben erscholl, so befahl Eurystheus dem Herkules, ihm die feuerspeienden Rosse zu bringen, — und Herkules, der diese That vollführte, ließ auch den Diomedes für seine Tyrannei die gerechte Strafe erdulden, indem er ihn seinen | eigenen Rossen vorwarf, und auf die Weise den an den 234 Fremdlingen verübten Frevel rächte.

Die Grausamkeit gegen die Fremden ist in den Dichtungen der Alten, welche das Gastrecht über alles heilig hielten, das höchste Merkmal von boshafter Tyrannei und Ungerechtigkeit; — man betrachtete diese Tyrannen, welche die Fremden quälten und tödteten, wie Ungeheuer; und es war das Geschäft der Helden, sie von der Erde zu vertilgen.

Man findet auf alten Denkmalen die Rosse des Diomedes abgebildet, wie sie vor einer Krippe stehen, in welcher ein Mensch ausgestreckt liegt, und Diomedes aufrecht darneben steht. – Auch findet man den Herkules im Kampf mit den flammenathmenden Rossen dargestellt.

Der dreiköpfigte Geryon.

In der Stammtafel der Ungeheuer ist des dreiköpfigten Geryon schon gedacht. Chrysaor, der aus dem Blute der Medusa entsprang, vermählte sich mit der Kallirhoe, einer Tochter des Oceans, und erzeugte mit ihr den dreiköpfigten Riesen G e r y o n, und die E c h i d n a, die halb Nymphe halb Drache, den dreiköpfigten Hund Cerberus, den zweiköpfigten Hund Orthrus, die Lernäische Schlange, die feuerspeiende Chimära, und die Sphinx, gebahr.

235   Der zweiköpfigte Hund Orthrus nebst dem Hirten Eurytion bewachten die Heerden des Geryon, dessen Wohnsitz die Dichtungen an die entferntesten Ufer des Oceans hin versetzen.

Das Kostbarste, worin man damals den größten Reichthum setzte, hatte ein Ungeheuer im Besitz, – und der Ruf von den schönen Heerden des Geryon erscholl so weit, daß Eurystheus dem Herkules befahl, diese Heerden hinwegzuführen, und sie als einen kostbaren Schatz, von jenen äußersten Enden der Erde, nach Mycene zu bringen.

Herkules bahnte sich seinen Weg über Berge und Felsen, und führte auf diesem weiten Zuge noch viele andre große Thaten aus. – Den zweiköpfigten Hund Orthrus und den Eurytion erschlug er, und bemächtigte sich der Ochsen des Geryon, die er vor sich hertrieb. – Als nun der dreiköpfigte Geryon selber auf ihn zustürzend sich ihm widersetzen wollte, erschlug er auch diesen mit seiner Keule, und befreite die Erde aufs neue von einem ihrer furchtbarsten Ungeheuer.

Die goldenen Aepfel der Hesperiden.

Das Allerkostbarste, was man sich in der weitesten Entfernung, und am unmöglichsten zu erreichen dachte, waren die goldenen Aepfel in den|Gärten der Hesperiden, an den Gestaden des Atlantischen Meers. 236 Der Drache, welcher diese Aepfel bewachte, war eine Erzeugung des Phorkys und der schönen Ceto, und in der Reihe der Ungeheuer ist seiner schon gedacht.

Die Hesperiden selber waren Töchter der Nacht. – Ihr Daseyn und ihr Ursprung waren in Dunkel gehüllt. – Ihre Nahmen waren Aegle, Erythia und Arethusa. – Dem Eurystheus die goldene Frucht nach Griechenland zu bringen, war nun die eilfte von den Arbeiten, welche Herkules, gehorchend dem fremden Befehl, vollbringen mußte.

Er tödtete den Drachen, nachdem er vorher durch einen Trank ihn eingeschläfert hatte, und pflückte, n a h a m Z i e l e s e i n e r L a u f - b a h n, die goldene Frucht. – In den Abbildungen vom Herkules sieht man auch den Baum mit der goldenen Frucht, um den sich ein Dra- che windet, vor welchem Herkules mit der Schaale steht, die den einschläfernden Trank enthielt. – Die Hesperiden stehen traurend über den Verlust des Schatzes, den sie bewahrten.

Der Höllenhund Cerberus.

Nun mußte Herkules noch die letzte Probe seines Heldenmuths be- stehen. – Nicht genug,|daß er auf der Oberwelt die Ungeheuer besiegt 237 hatte, hieß Eurystheus ihn hinab zu den Schatten steigen, und den dreiköpfigten Hund Cerberus, den Wächter an Plutos Thor, hinauf ans Licht zu ziehen.

Die Dichtung von den zwölf Arbeiten des Herkules schließt sich mit der gefahrvollsten Unternehmung unter allen. – Dem Tode selbst i n s e i n e m G e b i e t e zu trotzen; – in seinen offenen Schlund frei- willig hinabzusteigen, – und mit dem König der Schrecken im Kampf es aufzunehmen.

Ehe Herkules seine ihm aufgegebene Reise in die Unterwelt begann, ließ er vorher in die Eleusinischen Mysterien sich
einweihen, gleichsam um auf Tod und Leben bei dieser Unternehmung gefaßt zu seyn; − dann stieg er bei dem Vorgebirge Tä-
narum in die weite Höhle hinab, die zu der Behausung der Schatten
führt.

Er zwang den Charon, ihn über den Styx zu fahren. − Da erblickte
er den Cerberus, und die ihm wohlbekannten Helden, den Theseus
und Pirithous an Felsen geschmiedet, − sie hatten die vermessene
That begonnen, zu den Schatten hinabzusteigen, um Proserpinen, die
Königin der Todten selber, dem Pluto zu entführen, − und nun war
ihnen die Rückkehr auf ewig untersagt.

238 Demohngeachtet gelang es dem Herkules, den Theseus zu befreien,
nachdem er den Cerberus gebändigt hatte, der bis zum Pallast des
Pluto vor ihm floh. − Und so wie Herkules ihn verfolgend sich dem
düstern Pallast näherte, färbte sich der Kranz von Pappeln auf seinem
Haupte schwarz.

Hier kämpfte er mit dem Pluto selber und lößte Theseus Bande;
vergebens aber versuchte er es, den Pirithous zu befrein, den Plutos
ganze Macht zurückhielt. − Siegreich brachte nun Herkules den Cerberus auf die Oberwelt, wo von seinem Geifer eine giftige Wurzel sich
erzeugte.

Der erschrockne Eurystheus ertrug den furchtbaren Anblick nicht,
− und Herkules entließ den schwarzen Hüter des Höllenthors, den er
zwischen seinen Knien gebändigt hielt, nun auch der Quaal, das Licht
zu schauen. − Die Schreckengestalt sank wieder zur Unterwelt herab.
− Des Herkules Arbeiten waren nun vollbracht. −

Die Thaten des Herkules, welche er nicht auf
fremden Befehl vollführt hat.

Von den **Arbeiten** des Herkules kann man seine **Thaten** unterscheiden, welche er aus eigenem Antriebe, gleichsam in der Zwi-
schenzeit vollführte, die ihm von den aufgegebenen Arbeiten | übrig   239
blieb, und worin seine unerschöpfliche Kraft und Heldenstärke sich
doppelt offenbarte.

Die Befreiung der Hesione.

Herkules begleitete die Argonauten auf ihrem Zuge nach Kolchis;
entfernte sich aber von den übrigen, indem er in der Gegend von
Troja ans Land stieg, um den **Hylas**, seinen Liebling zu suchen, der
Wasser zu schöpfen ausgieng und nicht wieder kam. − Die Najaden
hatten den schönen Knaben geraubt, und in den Brunnen herabgezogen; Herkules ließ vergeblich von dem Nahmen Hylas das ganze
Ufer wiedertönen.

Er setzte nun seine Reise mit den Argonauten nicht weiter fort,
sondern gieng nach Troja, wo **Laomedon** herrschte, der die Götter
Neptun und Apollo selber, welche, in menschenähnlicher Gestalt, die
Mauern um seine Stadt zu bauen sich hernieder ließen, um ihren
Lohn betrog. −

Der Frevel des Laomedon blieb nicht lange unbestraft. − Der König
der Wasserfluthen drohte mit einer Ueberschwemmung Troja den
Untergang, und war, nach dem Ausspruch des Orakels, nur durch die
Aufopferung der Hesione, des Laomedons Tochter zu versöhnen; die
nun, gleich der Andromeda, an einen Felsen geschmiedet, von einem
Meerungeheuer verschlungen werden sollte, | gerade als Herkules an-   240
kam, und dies Schauspiel sich seinen Augen darbot.

Nicht so zärtlich wie Perseus, übernahm Herkules erst gegen einen
Zug von köstlichen Pferden, die ihm Laomedon zum Lohn versprach,
die Hesione zu befreien. − Laomedon aber, der schon die Götter be-

trogen hatte, betrog auch den Herkules, und wagte es, ihm die Rosse zu verweigern, sobald er seine Tochter wieder in Freiheit sahe.

Da griff Herkules Troja an, eroberte sie mit stürmender Hand, und erschlug den falschen wortbrüchigen König Laomedon. — Seinem Begleiter den Telamon, der zuerst die Mauer erstieg, vermählte er die gerettete Hesione, und verstattete ihr, für einen der Gefangenen von Laomedons Hause das Leben zu erbitten. Hesione wählte ihren Bruder Podarcis, welcher nachher sich Priamus nannte, und zu künftigem Jammer aufgespart, über Troja herrschte, dessen zweite Eroberung und schreckliche Zerstörung vom Schicksal schon beschlossen war.

Die Ueberwindung des Antäus, Busiris und Kakus.

Als Herkules auf seinem westlichen Zuge nach Lybien kam, so stieß er auf den Riesen Antäus, dessen Grausamkeit gegen die Fremden, ihn zum Ungeheuer machte, das ein mächtiger Arm vertilgen mußte.

241   Antäus zwang nehmlich die ankommenden Fremden mit ihm zu ringen, und wenn er sie überwunden hatte, erwürgte er sie, und pflanzte die Schädel um seine Wohnung auf. — Was ihn im Kampf unüberwindlich machte, war die Berührung seiner Mutter Erde, wodurch sich, wenn er niedergeworfen wurde, seine Kraft nur verdoppelte.

Herkules Arme aber faßten ihn um den Leib, und hielten ihn in den Lüften schwebend, bis er von des Helden Kraft erdrückt, seinen Geist aushauchte. — In dieser Stellung, wie er den Riesen Antäus erdrückt, findet man auf den Denkmälern der Alten den Herkules zum öftern dargestellt.

Busiris war ein grausamer König in Aegypten, der nebst seinen beiden Söhnen alle Gewaltthätigkeit an Fremden verübte, denen er auflauern ließ, und wenn er sie fing, ermordete. — Dem Herkules, der dieses Weges zog, war ein ähnliches Schicksal zugedacht, allein er erschlug den Busiris mit seinen Söhnen, und machte auch diese Straße für den Wanderer sicher.

Als Herkules mit den Rindern des Geryon, die er von den entfernten Ufern des Oceans nach Griechenland brachte, bis in die Gegend des nachmaligen Roms, beim Tiberfluß am Aventinischen Berge gekommen war, schlummerte er bei seinen | Heerden ein; und aus seiner Höhle am Aventinischen Berge kam der ungeheure flammenspeiende Kakus, dessen beständiges Geschäft es war, die Fremden zu berauben. 242

Dieser zog von den Ochsen einen nach dem andern bei den Schwänzen in seine Höhle, um durch die entgegengesetzte Spur den Suchenden zu täuschen. Als Herkules nun erwachte, und die geraubten Ochsen vermißte, verleitete ihn, da er sie suchen wollte, die falsche Spur, und schon wollte er weiter ziehen, als er das Gebrüll seiner Ochsen, aus des Kakus Höhle vernahm, mit dem er sich nun in Kampf einließ, ihm bald seinen Raub abjagte, und mit seiner Keule ihn zu Boden schlug.

Hier war es, wo Karmenta, die Mutter des Evander, der damals diese Gegend beherrschte, dem Herkules seine Gottheit prophezeihte, und wo noch bei seinem Leben der erste Altar ihm errichtet ward. – Auf antiken geschnittenen Steinen findet man mehrmals den Herkules abgebildet, wie er bei seinen Heerden schlummert, indeß Kakus die Ochsen rückwärts in seine Höhle zieht.

Die Befreiung der Alceste aus der Unterwelt.

Herkules, welcher die Tyrannen vertilgte, die gegen die Fremden grausam waren, belohnte | auch auf eine edle Weise die gastfreundliche Aufnahme, die er beim König A d m e t u s fand. 243

Dieser Admet war mit der A l c e s t e , einer Tochter des Pelias vermählt. – Er wurde krank, und konnte, nach dem Ausspruch des Orakels, nicht anders sein Leben fristen, als wenn jemand freiwillig für ihn sich dem Tode weihte. –

Alceste weihte sich heimlich den Göttern zum Todesopfer für ihren Gemahl; – sie wurde krank, und die Genesung des Admet hielt nun mit ihrer zunehmenden Krankheit gleichen Schritt. – Sie war verschieden, da Herkules beim Admet als Gast einkehrte.

Das Gastrecht war dem Admet so heilig, daß er dem Herkules anfänglich seine Trauer verschwieg. – Als dieser aber den Tod der Alceste vernahm, versprach er seinem Gastfreunde, das geliebte Weib, es koste auch was es wolle, ihm aus dem Orkus zurückzuführen.

Und nun umfaßte Herkules den Tod mit starken Armen, und hielt ihn fest, bis er die Gattin seines Freundes ihm wiedergab, und sich die Trauer nun in neue hochzeitliche Freude und süße Gespräche verwandelte.

244   Die Befreiung des Prometheus von seinen Qualen.

In dem Herkules war die Menschheit gleichsam bis zu dem Gipfel ihrer Größe emporgestiegen. Und auch der Duldung des Prometheus, an dessen Leber noch immer der Geier nagte, war nun ihr Ziel gesetzt.

Jupiter willigte selber in die Befreiung des Prometheus ein, nachdem ihm dieser zum Lösegelde die lange verborgene Weißagung offenbart hatte: Thetis würde einen Sohn gebähren, der würde mächtiger, als sein Vater seyn.

Da nun Jupiter schon entschlossen war, die Thetis zu umarmen, so drohte ihm, ohne die Warnung des Prometheus, das Ende seiner Macht, deren Besitz er nun aufs neue, dem von ihm so hart gequälten Bilder der Menschen dankte. – Nun spannte der Sohn des Donnergottes den Bogen, und erschoß den Geier, der dem Prometheus die Leber nagte. Die Bande des an den Felsen Geschmiedeten fielen ab.

Die Aufrichtung der Säulen an der Meerenge zwischen Europa
und Afrika.

Die Dichtungen von den Thaten des Herkules werden am Ende ganz
245 kolossal, und verlieren|sich in dem Begriff einer Kraft, der Götter und Menschen nicht widerstehen können, und die das Unmögliche möglich macht. –

Als Apollo einst sich weigerte, dem Herkules wahr zu sagen, so nahm er den goldnen Dreifuß weg, bis jener sein Verlangen erfüllte. –

Die Götter im Olymp beklagen sich über ihn, daß er einst selbst die
Juno verwundet, und den Pluto mit seinen Pfeilen nicht verschont
habe.

Als auf seiner Fahrt nach Westen die Sonne ihm zu heiß schien, so
spannte er seinen Bogen, und schoß nach dem Lenker des Sonnenwagens, der durch ein großes goldnes Trinkgefäß ihn zu versöhnen
suchte. – Auch mit dem Neptun, da dieser einen Sturm schickte,
nahm es Herkules auf, und schoß seine Pfeile auf ihn ab. Dieser, um
ihn zu besänftigen, ließ schnell die Sturmwinde schweigen, und ließ
die Wellen das goldne Trinkgefäß emportragen, dessen sich Herkules
wegen seiner Größe zugleich statt eines Fahrzeuges auf dem Meere
bediente, ohne zu fürchten, daß es untersänke, da selbst der König der
Gewässer und die Wasserwogen ihm unterthänig waren.

Da er nun auf seinem Zuge nach Westen an das äußerste Ende der
Erde kam, durchbrach er die Erdenge zwischen Europa und Afrika,
und vereinte das Weltmeer mit dem mittelländischen Meere.

Da richtete er an der Meerenge, zum Andenken seiner vollbrachten   246
Thaten, und um das Ziel seiner Reisen zu bezeichnen, auf den gegen
einander über liegenden Bergen K a l p e und A b y l a z w e i S ä u l e n
auf; zu deren Andenken die Nachwelt jene beiden Berge selber d i e
S ä u l e n d e s H e r k u l e s nannte.

Die Einbildungskraft konnte in dieser Dichtung sich nicht höher
schwingen; denn erst da, wo nach der Vorstellungsart der Alten, der
Erdkreis selbst sich endigt, und die Sonne ins Meer sinkt, war das Ziel
der mächtigen Heldenlaufbahn. – Nur noch ein Zug wurde hinzu-
gesetzt: Der, welcher den Prometheus befreite, half auch auf eine
Weile, d e m A t l a s d e n H i m m e l t r a g e n, und nahm die ewig
drückende Last von Japets Sohn auf seine Schultern, um jenem eine
kleine Zeit Erleichterung zu verschaffen. – So findet man auch auf
alten Denkmälern den Herkules abgebildet, den Himmelsglobus auf
den Schultern tragend.

Die Vermählungen des Herkules und seine Vergehungen und Schwächen.

Dieß sind nun außer den zwölf Arbeiten des Herkules seine vorzüglichsten Thaten. Die Dichtungen schreiben ihm noch viel mehrere zu,
247 weil alles, wozu Standhaftigkeit, Heldenmuth und | Stärke gehörte, sich gerne an diesen Nahmen knüpfte, der einmal alles Göttliche in sich faßte, was durch die Körperkraft sich offenbart.

Wenn aber bei irgend einer Götter- oder Heldengestalt der Begriff der Macht und Stärke über alles andre überwiegend ist, so ist dies beim Herkules der Fall, der gleichsam die aus ihrem ersten Schlummer erwachte Menschheit, im Gefühl ihrer ganzen Kraft, o h n e m ü ß i g e s D e n k e n, in sich abbildet; immer rastloß irgend ein Ziel verfolgend, unbekümmert, was um ihn her steht oder fällt. –

Der Begriff von einem Helden, war in der Vorstellungsart der Alten, mit dem Begriff von einem Weisen, gemeiniglich nicht verknüpft. – Selbst beim Ulysses geht die Weisheit in Verschlagenheit über, und bei dem weisen Nestor ist durch das Alter die Heldenkraft schon gelähmt. – Bei den Helden findet sich immer viel Licht und Schatten, und Herkules selbst muß noch mit manchen Schwächen für seine Heldenstärke büßen. –

In seinen Vermählungen, und in seinen Ausschweifungen in der Liebe fand Herkules sein Unglück, und zuletzt einen qualenvollen Tod, welcher demohngeachtet der Uebergang zur Unsterblichkeit für ihn war.

Zuerst vermählte Kreon, Thebens Fürst, ihm seine Tochter Megara,
248 zur Dankbarkeit für einen | wichtigen Dienst, den Herkules ihm geleistet, welcher durch seine Tapferkeit die Stadt von einem lästigen Tribut befreite, den sie den O r c h o m e n i e r n zahlen mußten.

Nachdem er nun acht Kinder mit der Megara erzeugt hatte, versetzte Juno ihn in eine rasende Wuth, worin er Mutter und Kinder erschlug, deren abgeschiedenen Seelen man nachher in Theben jährlich Todtenopfer brachte.

Um diese schreckliche, obgleich unverschuldete That, zu büßen, unterzog sich Herkules desto freiwilliger den Arbeiten, die ihm Eurystheus anbefahl, bis, nahe an der Vollendung seiner Thaten, eine neue Liebe ihn fesselte, und er sich, ohngeachtet des tragischen Ausganges seiner ersten Ehe, zum zweitenmal vermählte.

Er kam nehmlich auf einem seiner Züge nach Kalydon zum König O e n e u s, und sahe dessen schöne Tochter D e j a n i r a, welche dem Flußgott A c h e l o u s schon verlobt war. Mit diesem ließ sich Herkules in einen Zweikampf ein, und da er ihn überwunden hatte, war Dejanira der Preis des Sieges.

Als nun Herkules auf seiner Reise mit der Dejanira an den Fluß Evenus kam, an dessen Gestade der Centaur N e s s u s seine Wohnung hatte, so trug er diesem auf, die Dejanira auf seinem Rücken durch den Strom zu tragen. –

Nessus wollte diese Gelegenheit nutzen, um die Vermählte des Herkules zu entführen; als diese aber um Hülfe schrie, spannte Herkules schnell den Bogen, und durchschoß den Centaur mit einem in das Blut der Lernäischen Schlange getauchten Pfeil. Nessus gab sterbend der Dejanira eine Hand voll von seinem Blute, als ein kostbares Geschenk, in eine Flasche, und verhieß ihr, daß sie durch dies Mittel auf immer des Herkules Zuneigung sich versichern, und jede fremde Liebe aus seiner Brust verscheuchen könne, wenn sie dereinst ein dicht am Leibe anliegendes Gewand mit diesem Blute bestriche, und es dem Herkules, um es anzulegen, schickte.

Herkules, der nun wieder auf Thaten ausgieng, entfernte sich von Zeit zu Zeit von der Dejanira. Einst blieb er lange, ohne daß Dejanira etwas von ihm vernahm. Ihn fesselte eine neue Liebe, die ihn mehr als alle seine überstandenen Gefahren darniederbeugte, weil sie ihn zu einer ungerechten That verleitete.

Als Herkules nehmlich auf einem seiner letzten Züge nach Euboä kam, erblickte er J o l e n, die Tochter des E u r y t u s, der über O e c h a l i e n herrschte. Er ward von J o l e n s Reitzen schnell besiegt, und warb um sie bei ihrem Vater. – Als dieser sein Verlangen abschlug, verließ er zürnend und auf Rache denkend die Wohnung seines Gastfreundes.

250   Und als bald darauf I p h i t u s , des Eurytus Sohn, beim Herkules
seine entlaufenen Stutten suchte, führte ihn dieser, der selber die
Stutten bei sich verbarg, auf einen Hügel, und stürzte den Sohn seines
Gastfreundes, ehe dieser sichs versahe, vom jähen Felsen herab.

Durch diese That befleckte Herkules seinen Ruhm, und mußte
auch auf den Befehl der Götter auf eine schändliche Weise dafür
büßen. – Er mußte sich der wollüstigen Königin O m p h a l e in Ly-
dien zum Sklaven verkaufen lassen, und weibliche Geschäfte auf ihren Befehl verrichten.

Hier stellt die bildende Kunst Omphalen mit der Löwenhaut umgeben, und mit der Keule in der Hand, den Herkules aber in Weiber-
kleidern am Rocken spinnend dar. – Der Held, der seine Laufbahn
nun vollendet hatte, mußte vor seiner Vergötterung noch das Loos der
Sterblichkeit empfinden, und so tief von seiner Größe sinken, als hoch
er gestiegen war.

Allein die bestimmte Zeit dieser Dienstbarkeit verfloß; und nun
rüstete Herkules sich gegen den E u r y t u s , der seine Tochter J o l e
ihm versagt hatte. Mit stürmender Hand eroberte er die Stadt Oe-
chalia und zerstörte sie; erschlug den Eurytus selber; nahm J o l e n
gefangen, und schickte sie als eine Sklavin seiner eigenen Gemahlin
Dejanira zu.

251   Dejanira nahm die J o l e gütig auf. – Als sie aber durch das Gerücht
vernahm, daß eben diese Gefangene ihre Nebenbuhlerin sey; da
glaubte sie, daß es Zeit wäre, von dem Geschenk des Nessus Gebrauch
zu machen, wodurch die Liebe des Herkules ihr versichert, und jede
fremde Zuneigung aus seiner Brust verscheucht würde.

Sie nahm des todten Nessus langverwahrtes Blut, und färbte damit
ein köstliches Unterkleid, das sie dem Herkules durch den L i c h a s
versiegelt entgegenschickte, mit der Bitte, es nicht eher zu tragen, als
bis er sich an einem Opfertage schön geschmückt, den Göttern damit
gezeigt habe.

Des Herkules letzte Duldung und seine Vergötterung.

Schon lange hatte ein Orakelspruch dem Herkules geweißagt, daß er den Tod von keinem Lebenden, sondern nur von einem Todten befürchten dürfe. – Diese Prophezeihung war nun ihrer Erfüllung nahe. –

Auf dem Vorgebirge C e n ä u m von Euboä, errichtete Herkules, nach dem Siege über den Eurytus, dem Jupiter Altäre, und war die Opferthiere zu schlachten im Begriff, als L i c h a s ihm das Geschenk der Dejanira überbrachte.

Herkules freute sich des Geschenks, und zog sogleich das Kleid als einen festlichen Schmuck zum Opfer an; brachte nun eine Hekatombe den Göttern dar, und ließ die Flamme von den Altären gen Himmel lodern; als plötzlich das Gewand wie angeleimt an seinem Körper klebte, und Zuckungen durch alle seine Glieder fuhren. – Es war das Gift der Hydra, die er selbst erlegt hatte, das nun sein Innerstes verzehrte.

Er rief dem unglücklichen L i c h a s, der ihm das Kleid gebracht, und schleuderte ihn, da der Schmerz in seinem Eingeweide wüthete an einen Felsen, an welchem sein Schädel zerschmettert ward. – Mitten in seinen Qualen ließ Herkules sich nach Trachina bringen. – Kaum aber hatte Dejanira die Würkung ihres Geschenks vernommen, so gab sie verzweiflungsvoll sich selbst den Tod.

Hyllus, ein Sohn des Herkules, den er mit der Dejanira erzeugte, stand ihm in seinen Qualen bei, und brachte auf seinen Befehl ihn auf den Berg O e t a, wo Herkules auf dem lodernden Scheiterhaufen seine Leiden durch einen freiwilligen Tod zu enden beschlossen hatte, indem er zugleich dem Hyllus seine geliebte J o l e empfahl, und Pfeile und Bogen seinem treuen Gefährten, dem P h i l o k t e t, des Päas Sohn, zum Erbtheil hinterließ.

Als Herkules nun den Scheiterhaufen bestiegen hatte, und die lodernde Flamme ihn umgab, da heiterte sich sein Antlitz auf; – Er hatte die Leiden der Menschheit ausgeduldet, und ihre Schwächen

252

253

⟨Abb. 18⟩

abgebüßt; – die sterbliche, den Schmerzen unterworfene Hülle fiel von ihm ab; – sein Schattenbild sank nur zum Orkus nieder; – sein eigenes Selbst stieg in die Versammlung der Götter zum Olymp empor. – Juno war versöhnt, – und Hebe, die Göttin der ewigen Jugend, ward nach des Schicksals Schluß, dem neuen Gott vermählt.

Auf der hier beigefügten Kupfertafel befinden sich nur zwei Abbildungen vom Herkules. Die erste, nach einem antiken geschnittenen Steine, stellt ihn als Jüngling dar, wie er den Nemäischen Löwen erdrückt; die andre, ebenfalls nach einer antiken Gemme, wie er nach vollendeter Laufbahn, von seiner vollbrachten Arbeit ausruht.

Kastor und Pollux.

Oebalus, ein König in Lacedemon, aus einem Zweige vom alten Stamme des Inachus entsprossen, erzeugte den Tyndareus, der ihm in der Regierung folgte, und mit der Leda, einer Tochter des Thestius sich vermählte.

254   Die Schönheit der Leda zog den Jupiter von seinem Sitz herab; er senkte sich an den Ufern des Eurotas in der Gestalt eines Schwans zu ihr hernieder, oder nahm vielmehr seine Zuflucht in ihrem Schooße, indem die Venus in der Gestalt eines Adlers ihn verfolgte.

Leda, die zugleich vom Jupiter und vom Tyndareus schwanger war, gebahr zwei Eier, wovon das eine den Kastor und Pollux, das andre die Klytemnestra und Helena in sich einschloß.

Von den Kindern der Leda, die aus den Eiern hervorgingen, waren Pollux und Helena aus Jupiters Umarmung, Kastor und Klytemnestra aber vom Tyndareus erzeugt. – Unsterblich waren Pollux und Helena, Kastor und Klytemnestra aber sterblich.

Ohngeachtet der Verschiedenheit ihrer Abstammung waren Kastor und Pollux unzertrennlich. – Beide waren tapfer und heldenmüthig; und beide waren in edler Leibesübung geschickt; Kastor vorzüglich in der Kunst zu reiten und Pferde zu bändigen; Pollux in der Kunst zu ringen.

Kastor und Pollux waren auch die Zeitgenossen der berühmtesten Helden, und begleiteten die Argonauten auf ihrer Fahrt nach Colchis, wo Pollux unterwegs den A m y k u s , einen Sohn Neptuns, der jeden Fremden zum Gefecht mit | Streitkolben hohnsprechend aufzu- 255 fordern pflegte, im Zweikampf schlug.

Auch sahe man einst auf dieser Fahrt, bei einem schrecklichen Sturme, zwei Flammen über den Häuptern des Kastor und Pollux lodern, als der Sturm sich legte; — worauf man diese beiden Feuer, so oft sie nachher den Schiffern auf dem Meere im Sturm erschienen, Kastor und Pollux nannte, und von ihnen Rettung und Hülfe sich versprach.

Ueberhaupt richtete man in den größten Gefahren, sowohl zu Wasser als zu Lande, an den Kastor und Pollux sein Gebet, welche man beide unter dem Nahmen der D i o s k u r e n oder der Söhne des Jupiters, als den Nothleidenden zu jeder Zeit gewärtige, hülfleistende Wesen, vor allen andern ehrte.

Da sie von dem Argonautenzuge wiederkehrten, hatte Theseus ihre Schwester die Helena, welche nachher dem Paris folgte, entführt, und sie seiner Mutter A e t h r a in Aphidnä zur Aufsicht übergeben. — Kastor und Pollux eroberten die Stadt, befreieten ihre Schwester, und nahmen die Mutter des Theseus als Gefangene mit; verübten aber nicht die mindeste Gewaltthätigkeit in der Stadt noch in dem Attischen Gebiete. — Diese schonende Großmuth war es, weswegen die Athenienser sie vorzüglich ehrten. — Die scho-|nende Güte, welche die 256 Heldenthaten des Kastor und Pollux begleitete, flößte den Sterblichen das vorzügliche Zutrauen ein, womit man sie nachher als Rettung und Hülfe gewährende Götter ehrte.

Aber auch die Treue, womit dieß unzertrennliche Paar sich selber einander in Gefahren beistand, machte die göttergleichen Helden den Menschen zum Gegenstande der Lieb' und des Vertrauens, und ist zugleich einer der schönsten Züge, welche die Dichtung in das glänzende Zeitalter der Helden eingewebt hat.

Als nehmlich Kastor und Pollux um die Töchter des L e u c i p p u s , P h ö b e und I l a i r a , sich bewarben, und erst mit ihren Nebenbuh-

lern, den Söhnen des A p h a r e u s, I d a s und L y n c e u s, jeder um
seine Geliebte kämpfen mußten, wurde Lynceus zwar vom Kastor
getödtet, Kastor selber aber, d e r n i c h t u n s t e r b l i c h w a r, vom
Idas überwunden und erschlagen.

Ob nun Pollux gleich den Tod seines Bruders an dem Idas rächte, so
konnte er dennoch den Todten nicht wieder aufwecken; und flehte
dem Jupiter, ihm selber das Leben zu nehmen, oder zu vergönnen,
daß er mit seinem Bruder seine Unsterblichkeit theilen dürfe.

Jupiter gewährte die Bitte, und Pollux stieg nun wechselnd den
einen Tag mit seinem Bruder ins Schattenreich hinab, um sich des
andern | Tages unter dem Antlitz des Himmels wieder mit ihm des
Lebens zu erfreuen.

⟨Abb. 19⟩
257

Dem Kastor und Pollux waren häufig Tempel und Altäre geweiht.
– Die Einbildungskraft ließ sie zuweilen in großen Gefahren den
Sterblichen erscheinen. – Dann waren es zwei Jünglinge auf weißen
Pferden, in glänzender Waffenrüstung, mit Flämmchen oder Stern-
chen über ihren Häuptern.

So wurden sie gemeiniglich abgebildet, entweder nebeneinander
reitend, oder nebeneinander stehend, und jeder ein Pferd am Zügel
haltend, mit gesenkten Lanzen, und Sternchen auf den Häuptern.

Auf diese letztre Art sind sie auch auf der hier beigefügten Kupfertafel nach einem antiken geschnittenen Steine abgebildet. Auf dieser Kupfertafel befinden sich, ebenfalls im Umriß, nach einer antiken
Gemme, die bloßen Köpfe des Kastor und Pollux mit den Sternchen
darüber.

Jason.

Jason war aus dem Aeolischen Heldenstamme entsprossen, aber kein
Göttersohn; und Juno selber, welche die Söhne des Jupiter mit ihrem
Haß verfolgte, nahm ihn in ihren Schutz. –

258   A e o l u s, Deukalions Enkel, der in T h e s s a l i e n herrschte, erzeugte den S a l m o n e u s, S i s y p h u s, A t h a m a s, und K r e t h e u s.
– Salmoneus wurde von Jupiters Blitz erschlagen; Sisyphus mußte in

der Unterwelt für seine Macht auf Erden büßen, und Athamas starb in Raserei.

Tyro, eine Tochter des Salmoneus, gebahr, ehe sie vermählt wurde, von Neptuns Umarmung den Pelias, und Neleus. – Und da sie mit ihres Vaters Bruder, dem Kretheus sich vermählte, gebahr sie ihm den Aeson, der seinem Vater in der Regierung folgte, und welcher Jason, den göttergleichen Helden, mit der Alcimede erzeugte.

Pelias aber, des Aesons Bruder von mütterlicher Seite, beraubte diesen seines Throns, ohne ihn demohngeachtet aus Jolkos zu verjagen, welches der Sitz der Könige von Thessalien war. – Den Jason aber, da er kaum gebohren war, suchte Pelias als einen ihm gefährlichen Sprößling von Aesons Hause, aus dem Wege zu räumen.

Aeson und Alcimede, welche die Absicht des Tyrannen merkten, streuten aus, daß Jason krank, und bald darauf, daß er gestorben sey, indeß daß seine Mutter ihn auf den Berg Pelion zu dem weisen Chiron brachte, welcher, obgleich in ungeheurer Gestalt, halb Mensch halb Pferd, in jeder Wissenschaft erfahren, sich in seiner einsamen Grotte der Erziehung der jungen Helden | annahm; und 259 unter dessen Leitung auch Herkules seine edle Laufbahn antrat.

Als Jason zu den Jünglingsjahren gekommen war, und schon der männliche Muth in seiner Brust erwachte, gieng er, nach dem Ausspruch des Orakels, mit der Haut des Leoparden über seinen Schultern, und mit zwei Lanzen bewafnet, nach Jolkos an des Pelias Hof.

Dem Pelias aber war geweißagt, er solle vor dem sich hüten, der einst mit einem Schuh, und mit dem andern Fuß entblößt vor ihm erscheinen würde. – Als nun Jason auf dem Wege nach Jolkos über den Fluß Anaurus zu gehen im Begriff war, erschien ihm Juno in der Gestalt einer alten Frau, und bat, sie über den Fluß zu tragen. – Als Jason sie hinübertrug, blieb ihm der eine Schuh im Schlamme stekken, und nun erschien er also mit dem einen Fuße entblößt in Jolkos vor dem Pallaste des Pelias, der bei seinem Anblick mit Schrecken und Bestürzung an den Ausspruch des Orakels dachte.

Auf die Frage, wer er sey, forderte Jason nun vor allem Volke vom Pelias die Krone wieder, die dieser dem Aeson, Jasons Vater, unrechtmäßiger Weise entrissen hatte. – Die Einkünfte des Reichs sollten dem Pelias dennoch bleiben, nur der Oberherrschaft solle er sich begeben!

260   Pelias, welcher bei diesem Antrage in die Seele des jungen Helden blickte, zweifelte nicht, ihn durch den anspornenden Reitz zu irgend einer ruhmvollen That für jetzt noch zu entfernen. – Er stellte sich, als sey er bereit, die Krone niederzulegen, wenn nur die Manen des Phryxus, der auch vom Aeolus stammte, und in dem entfernten Kolchis seinen Tod fand, erst versöhnt, und das goldne Fließ, was jener dorthin gebracht, erst wieder erbeutet wäre.

Dieser Phryxus, welcher in Kolchis starb, war nehmlich ein Sohn des Athamas, und des Aeolus Enkel. – Athamas, der in Böotien herrschte, hatte mit der Nephele den Phryxus und die Helle erzeugt, nachher aber mit der Ino, des Kadmus Tochter, sich vermählt, die jene beiden Kinder des Athamas mit stiefmütterlichem Haß verfolgte, und ihren Tod beschloß.

Nephele erschien ihren Kindern, und entdeckte ihnen die Gefahr, worin sie schwebten, Schlachtopfer von Inos Haß zu werden, wenn sie nicht schnell die Flucht ergriffen, zu deren Beförderung schon ein Widder mit goldnem Fell bereit stand, der auf den Wink der Götter den Phryxus und die Helle über Länder und Meere auf seinem Rücken trug.

Die Fahrt ging gegen Morgen nach dem entfernten Kolchis, wo

261   Aeetes, ein Sohn der Sonne | herrschte. – Helle, die Schwester des Phryxus aber sank unterwegens in die Fluthen, und das Meer, wo sie untersank, wurde nach ihrem Nahmen der Hellespont genannt.

Phryxus langte in Kolchis beim Aeetes an, wo er den Widder, der ihn trug, den Göttern zum Opfer brachte, und das goldne Fell des Widders, oder goldne Fließ, als ein kostbares Heiligthum, in einem geweihten Haine aufhing; er selber vermählte sich mit der Tochter des Königs und starb im fremden Lande.

Das goldne Fließ in Kolchis, wovon das Gerücht erscholl, erweckte schon lange die Sehnsucht aller, die etwas Köstliches zu erstreben wünschten. Es war im f e r n e n O s t e n das, was in Westen die goldnen Aepfel der Hesperiden waren; man dachte sich darunter etwas, das der größten Mühe, Anstrengung und Gefahren werth sey. – So wie denn überhaupt bei den Alten das Bild vom Widder und vom hochwolligten Widderfell vorzüglich den Begriff des R e i c h t h u m s in sich faßte, wodurch denn auch die Dichtung von dem goldnen Fließ, in so fern man sich darunter Reichthum und Schätze dachte, natürlich veranlaßt wurde.

Das Wunderbare aber, und die weite Entfernung lockte am meisten den Muth der Helden an; und Jason hatte kaum des Pelias Wort ver-| nommen, so war auch schon sein Muth zur rühmlichen That ent-   262 flammt, er verpflichtete sich das goldne Fließ zu hohlen, und zu Gefährten der kühnen Unternehmung lud er Griechenlands berühm- teste Helden ein.

Die Fahrt der Argonauten.

Zu der Fahrt nach Kolchis wurde aus Fichten vom Berge Pelion ein Schiff erbaut, das größer als alle bisherigen, und dennoch leicht zum Segeln war; weswegen man es A r g o , die S c h n e l l s e g e l n d e , nannte, und diejenigen, welche darauf nach Kolchis schifften, die A r g o n a u t e n hießen.

Aus dem Walde zu Dodona, wo die Eichen wahrsagten, war der Mast genommen; und man betrachtete nun die Argo gleichsam als ein beseeltes, mit dem Schicksal einverstandenes Wesen, dem man sich desto sicherer anvertrauete. Die folgenden Nahmen glänzten vorzüg- lich unter der Zahl der Helden, die den Jason begleiteten:

H e r k u l e s ;

K a s t o r und P o l l u x ;

K a l a i s und Z e t e s , die Söhne des Boreas;

P e l e u s , der Vater des Achilles;

Admet, der Gemahl der Alceste;

Neleus, der Vater des Nestor;

263			Meleager;

Orpheus;

Telamon, der Vater des Ajax;

Menötius, der Vater des Patroklus;

Lynceus, der Sohn des Aphareus;

Theseus;

Pirithous.

Die Väter der berühmtesten Helden, die im Trojanischen Kriege glänzten, sind auf der Fahrt nach Kolchis zum Theil noch selbst in blühender Jugend. — Ein Heldengeschlecht geht hier voran, um mit vereinten Kräften einen kostbaren Schatz den Händen der Barbaren zu entreißen; so wie nachher das zweite Heldengeschlecht vereint durch Trojas Zerstörung den Raub der Schönheit rächte.

Bei günstigem Winde segelt nun die Argo aus dem Hafen von Jolkos in Thessalien ab. — Orpheus schlug die Harfe, und sein Gesang belebte den Muth bei drohenden Gefahren; — des Lynceus scharfer Blick durchdrang die fernste Gegend, — und der schiffahrtskundige Tiphys lenkte mit weiser Hand das Steuerruder.

Die Fahrt der Argonauten war eine zeitlang glücklich von statten gegangen, als sich plötzlich ein Sturm erhub, der sie nöthigte, in den 264		Hafen von Lemnos einzulaufen. Merkwürdig ist es, | daß einige der Helden bei diesem Sturm gelobten, sich in die Samothracischen Geheimnisse einweihen zu lassen; eben so wie Herkules, da er zu der gefahrvollsten Unternehmung in die Unterwelt hinabstieg, sich erst in die Eleusinischen Geheimnisse einweihen ließ.

In Lemnos drohte den Argonauten eine größre Gefahr, als selbst der Sturm war, der sie dorthin verschlug. Die Schönheit und die Liebkosungen der Lemnierinnen fesselten die Helden, und verweilten ihre Fahrt nach Kolchis auf eine geraume Zeit.

Kurz vor der Ankunft der Argonauten hatten nehmlich die Einwohnerinnen von Lemnos alle Männer auf ihrer Insel ermordet; nur Hypsipyle hatte ihrem Vater, dem Könige Thoas, das Leben erhalten. Der Zorn der Venus gegen die Lemnierinnen, welche die mächtige Göttin nicht gnug verehrten, veranlaßte diese schreckliche That.

Die zürnende Göttin flößte den Männern von Lemnos, welche mit den Thraciern Krieg führten, eine unüberwindliche Abneigung gegen ihre Weiber ein, statt deren sie sich Thracische Sklavinnen zu Beischläferinnen wählten; welche Schmach die Weiber von Lemnos nicht ertrugen, sondern alle ihre Männer, die nicht in Thracien zurückgeblieben waren, in einer Nacht im Schlafe ermordeten.

Als nun die Argonauten in Lemnos landen wollten, so widersetzten sich ihnen zuerst die Weiber, weil sie glaubten, es wären ihre aus Thracien rückkehrende Männer, welche den Tod der Ermordeten rächen wollten. Sobald sie aber ihren Irrthum einsahen, nahmen sie die Fremden mit offnen Armen auf, welche nun zwei Jahr auf dieser Insel blieben, wo Jason mit der Hypsipyle zwei Söhne, den Thoas und den Euneus erzeugte. 265

Von Lemnos segelten die Argonauten nach Samothracien, wo die Einweihung in die Geheimnisse den Helden zu ihrer gefahrvollen Unternehmung neuen Muth gab. Als sie bei Troas landeten, wurden sie von dem Herkules, der den Hylas suchte, und von dem Telamon, dem Gefährten des Herkules, verlassen.

Am Fuße des Dindymus lag die Stadt Zyzikus, in welcher ein König gleiches Nahmens herrschte, der die Argonauten, als sie hier landeten, gütig aufnahm, und mit Geschenken sie entließ. Da nun in der Nacht ein Sturm das Schiff wieder in den Hafen trieb, hielt Cycikus aus Irrthum die Landenden für Feinde, und wurde, da er sie angriff, von Jason im Gefecht erschlagen, der zur Aussöhnung dieser, obgleich unvorsetzlichen That, der Mutter der Götter auf dem Berge Dindymus Opfer brachte, und ihr einen Tempel baute.

Die Argonauten, welche immer nach Osten zu ihren Lauf richteten, landeten nun in Bebrycien an, wo Amykus herrschte, der zum Gefecht mit Streitkolben jeden Fremden aufforderte, und welchen Pollux im Zweikampf überwand. – 266

Auf ihrer weitern Fahrt von hier wurden die kühnen Schiffer durch einen Sturm an die Küste von Thracien verschlagen, und landeten zu Salmydessa, wo der von den Göttern bestrafte wahrsagende und blinde Phineus herrschte, den unaufhörlich die Harpyen, die Töchter des Thaumas quälten, deren unter den Erzeugungen der alten Götter schon gedacht ist.

Phineus war mit einer Tochter des Boreas vermählt, mit welcher er zwei Söhne erzeugte, die er dem stiefmütterlichen Haß seiner zweiten Gemahlin Idea Preis gab, auf deren Anstiften und Verläumdung er sie des Augenlichts beraubte, und nun durch seine eigene Blindheit für dieß Verbrechen büßte, indeß die wahrsagenden Harpyen, Celäno, Aello, und Ocypete, welche ein jungfräuliches Antlitz hatten, und übrigens gräßlichen Raubvögeln gleich gestaltet waren, dem Phineus alle Speise, die er genießen wollte, entrissen oder besudelten.

Phineus, der in die Zukunft blickte, gab den Argonauten weise Rathschläge zur Fortsetzung ihrer Reise, und einen Wegweiser durch die Cyanei-|schen Felsen, oder Symplegaden, deren Durchfahrt den Argonauten nun bevorstand.

Kalais und Zetes, die Söhne des Boreas, welche beflügelt waren, verjagten zur Dankbarkeit die Harpyen von des Phineus Tische, und verfolgten sie bis an die Strophadischen Inseln, wo sie auf den Befehl der Götter von ihrer Verfolgung abließen, und zu den Argonauten wieder zurückkehrten; von welcher Rückkehr auch jene Inseln bei den Alten ihren Nahmen führten.

Die Cyaneen oder Symplegaden, durch welche die Argonauten nun schiffen mußten, waren zwei Felsen, die am Eingange des schwarzen Meeres einander gegenüber lagen, und nach den verschiedenen Richtungen, worin man sich ihnen näherte, durch einen optischen Betrug, sich bald zu öfnen, und bald zu schließen schienen, woher die alte Dichtung entstand, daß diese Felsen beweglich wären, und sich wirklich so wie Scheeren auf und zuthäten, welches den Durchgang der Schiffe durch dieselben äußerst gefahrvoll machte. — Sehr natürlich ist daher auch die Dichtung, daß, seitdem die

Argonauten die Durchfahrt einmal gewagt hatten, und also der optische Betrug entdeckt war, Neptun diese Felsen b e f e s t i g t habe. –

Nach glücklich vollendeter Durchfahrt durch die Symplegaden, ward nun in dem Gebiet des L y k u s angelandet, welcher, von Geburt ein | Grieche, die Fremdlinge aus seinem Vaterlande mit offnem Arm 268 aufnahm. Hier starb Tiphys, der Steuermann der Argo, an dessen Stelle A n c ä u s trat; worauf die weitere Fahrt nach Kolchis vor sich gieng, wo endlich die geweihte A r g o, nachdem sie lange das Meer durchschnitten, und manchen Sturm erlitten hatte, an das gewünschte Ufer stieß.

Allein hier war es, wo die größte Gefahr dem Jason drohte, wogegen ihn aber auch schon im Voraus die Gunst der Götter schützte. –

A e e t e s nahm die Argonauten nicht unfreundlich auf; schrieb aber dem Jason, der das goldne Fließ begehrte, solche Bedingungen vor, deren Erfüllung er selbst für unmöglich hielt; weil unter den Gefahren, die er ausgedacht, der kühnste Held nothwendig erliegen mußte!

Zuerst sollte Jason, um den Besitz des goldnen Fließes sich zu erwerben, zwei flammenathmende, dem Vulkan geweihte Stiere an einen diamantnen Pflugschaar spannen, und reißen damit vier Morgen eines noch nie gepflügten, dem Mars geweihten Feldes auf. –

Dann sollte er den Rest der Drachenzähne des K a d m u s, welche Aeetes besaß, in die gepflügten Furchen säen, und die geharnischten Männer, die aus der furchtbaren Saat erwachsen würden, alle bis auf einen tödten; und wenn er das | gethan, den Drachen, der das goldne 269 Fließ bewachte, bekämpfen und erlegen.

M e d e a, eine Tochter des Aeetes, mächtig in Zauberkünsten, hatte kaum den Jason erblickt, als durch den Einfluß und die Veranstaltung der Götter, die den Helden schützten, eine zärtliche Neigung gegen ihn, sich in ihrem Busen regte, die bald bis zur heftigsten Flamme der Leidenschaft emporschoß.

Beim Tempel der H e k a t e, die mächtige Göttin anzuflehen, begegneten sich Jason und Medea. Medea entdeckte dem Jason ihre Liebe, und wenn er ihr Treue schwüre, versprach sie, in den Gefahren, die ihm drohten, ihm mächtig beizustehen, und ihm zu helfen, sein glorreiches Unternehmen sicher zu vollführen.

Jason schwur ihr Treue; Medea erwiederte den Schwur, und machte durch ihre Zauberkraft den Helden unüberwindlich, sie gab ihm einen Stein, um ihn unter die aufkeimende Saat der geharnischten Männer hinzuschleudern, und gab ihm Kräuter und einen Trank, den Drachen einzuschläfern.

Als Jason mit seinen Gefährten nun am andern Tage, in Gegenwart des Königs und des Volks auf dem Felde des Mars erschien, und man 270 nun im Begriff war, zuerst die flammenathmen-|den Stiere loßzulassen, stand alles stumm und schweigend auf den Ausgang harrend. –

Wild und schnaubend stürzten die Stiere auf den Helden loß, allein die Zauberkraft, womit Medea ihn begabt hatte, machte sie plötzlich zahm; sie beugten willig ihren Nacken unter das Joch, indem sie Jason an den Pflug spannte, und auf dem F e l d e d e s M a r s die Furchen zog, worin er die Zähne des Drachen säte.

Als nun plötzlich die Saat der geharnischten Männer aus dem Boden keimte, die alle ihre Schwerdter gegen den Jason kehrten, so warf dieser in ihre Mitte den bezaubernden Kieselstein, der ihre Herzen verhärtete, daß sie mit wechselseitiger Wuth sich selbst aufrieben, und mit ihren todten Körpern den Boden deckten, woraus sie kaum erst entsprossen waren.

Ehe noch der König und das Volk von seinem Erstaunen sich erhohlte, eilte Jason schon, den Drachen einzuschläfern; er tödtete das Ungeheuer, und triumphirend hielt seine Rechte das goldne Fließ empor. – Siegreich kehrte er nun mit seinen Gefährten in sein Schiff zurück. Heimlich in nächtlicher Stille ihres Vaters Haus verlassend, um ihrem Geliebten nachzufolgen, begab sich Medea auf das Schiff, das in der Nacht noch unter Segel ging.

271   Aeetes, welcher bald die Flucht seiner Tochter inne ward, verfolgte die schnellsegelnde Argo mit seinen Schiffen; als nun beim Ausfluß der Donau, Medea die nahen Segel ihres Vaters erblickte, griff sie zu einem verzweifelten und grausamen Mittel, um sich und ihren Geliebten aus der Gefahr zu retten.

Sie hatte ihren kleinen Bruder A b s y r t u s, gleichsam als Geißel mitgenommen, und da sie kein andres Rettungsmittel sahe, tödtete und zerstückte sie ihn; stellte Haupt und Hände auf einem hohen Felsen aus, und streuete die übrigen Glieder an dem Ufer hier und da umher, damit durch diesen jammervollen Anblick, und bei dem Sammlen der Glieder seines Sohnes, der Vater sich verweilte, und die Fliehenden zu verfolgen abließe. – Um diese Frevelthat zu bezeich=nen, wurden einige kleine Inseln in dieser Gegend nachher die A b - s y r t i s c h e n genannt.

Die Argonauten, denen P h i n e u s gerathen hatte, sie sollten durch einen andern Weg, als den, welchen sie gekommen wären, in ihr Vaterland zurückkehren, schifften nun die Donau hinauf, und da sie auf diesem Flusse nicht weiter kommen konnten, läßt die Dichtung sie das leichtgebaute Schiff eine Strecke von vielen Meilen über Berg und Thal, bis an den adriatischen Meerbusen auf ihren Schultern tragen.

Als sie sich hier nun wieder einschiften, ließ die Argo aus der Eiche 272 des Dodonischen Waldes folgenden Orakelspruch ertönen: daß ihnen die Rückkehr in ihr Vaterland nicht eher bestimmt sey, bis Jason und Medea erst von dem Mord des Absyrtus loßgesprochen, und durch die auferlegte Büßung ihr Verbrechen ausgesöhnt sey.

Um dieser Aussöhnung willen liefen sie in den Hafen von A e e a, dem Aufenthalt der C i r c e, einer Tochter der Sonne, und Schwester des Aeetes ein, die sich aber weigerte, auf die Bitte des Jason und der Medea, den Mord des Absyrtus durch die gebräuchlichen Opfer aus=zusöhnen, und ihnen verkündigte, daß sie nicht eher als auf dem Vorgebürge M a l e a ihre Schuld würden tilgen können.

Von hier schiften nun die Argonauten, u n t e r d e m S c h u t z d e r J u n o, glücklich durch die Scylla und Charybdis. – Durch des Or= pheus Ueberredung vermieden sie die Gefahr, die ihnen von den S i r e n e n drohte, und kamen nun auf die Insel der Phäacier an, wo sie auf die Flotte der Kolchier trafen, die hier auf einem andern Wege den Fliehenden gerade entgegen kam, und die Medea, wenn sie dem Jason noch nicht vermählt wäre, wieder zurückverlangten.

Alcinous, der König der Phäacier, ließ noch in derselben Nacht den
273 Jason und die Medea die | Gebräuche der Vermählung feiern, und
verkündigte diese Verbindung am andern Morgen den Abgeordneten
von Kolchis, die nun mit ihrer Flotte wieder den Rückweg nahmen.
Die Argonauten gingen nun wieder unter Segel, und suchten dem
Vorgebürge Malea sich zu nähern, als plötzlich ein Sturm sie an die
Lybischen Sandbänke warf, wo sie in einem der Seen sich verwickelt
sahen, als ihnen ein Triton erschien, der gegen das Geschenk eines
köstlichen Dreifußes, den Jason im Schiffe mit sich führte, ihnen
einen Weg zu zeigen versprach, wo sie der Gefahr entrinnen könnten.
Jason schenkte den Dreifuß dem Triton, der sich daran ergötzte,
und dem E u p h e m u s , einem von den Argonauten, dessen Nachkommen über Lybien herrschten, als ein bedeutendes Geschenk,
e i n e   E r d s c h o l l e gab; als diese Erdscholle in der Folge ins Meer
fiel, weißagte Medea dem Euphemus, daß seine Nachkommen nun
noch nicht sobald in Lybien herrschen würden.

Endlich langte nun die Argo bei dem Vorgebürge Malea an, wo
nach der Circe Verheißung, Jason und Medea von dem Mord des
Absyrtus ausgesöhnt, sich nun das nahe Ende der langen Reise versprechen durften. – Ohne irgend einen neuen Unfall liefen die Ar-
gonauten glücklich in den Hafen von Jolkos ein. – Die A r g o weihte|
274 Jason auf dem Corinthischen Isthmus dem Neptun, und die folgenden
Dichtungen lassen sie als ein leuchtendes Gestirn am Himmel glänzen.

Das goldne Fließ war nun erbeutet, allein die Absicht, weswegen
Jason sich allen diesen Gefahren unterzogen hatte, war vereitelt, weil
sein Vater Aeson, eben so wie Pelias, nun schon ein abgelebter kindischer Greiß, der glorreichen Thaten seines Sohnes sich nicht mehr
freuen konnte. –

Und nun war Jasons erste Bitte an Medeen, durch die Gewalt der
magischen Kräfte, w o   m ö g l i c h   s e i n e n   V a t e r   z u   v e r j ü n g e n.
– Medea ließ dem Aeson aus verborgenen Kräutern den neuen Le-
benssaft durch alle Adern strömen, und dieser fühlte plötzlich die
Rückkehr seiner muntern Jugend und neue Lebenskraft; indeß die

Töchter des P e l i a s, den Versuch der Medea thöricht nachahmend, ihrem Vater, den sie auch verjüngen wollten, das Leben raubten, so daß dem Aeson nun allein die Herrschaft blieb.

Jason begab sich mit der Medea nach Korinth, das vormals Ephyra hieß, und vom Aeetes, dem Vater der Medea, ehe er nach dem fruchtbarern Kolchis gieng, beherrscht ward. Medea bemächtigte sich der Regierung für den Jason, welchem, nachdem er hier zehn Jahr mit ihr verlebt, so wie dem Herkules, Perseus, und Bellerophon, ein tragisches Schicksal noch zuletzt bevorstand.

Medeens überdrüssig, war Jason im Begriff sich mit der fürstlichen Tochter K r e o n s zu vermählen, uneingedenk der Rache, verachteter Eifersucht und verschmähter Treue. Medea stellte sich sanft und duldend; sie schickte selber der Braut ein Hochzeitkleid. Kaum hatte diese es angelegt, so fühlte sie schon die Flamme ihr Innerstes verzehren und starb einen qualenvollen Tod. –

⟨Abb. 20⟩
275

Nun ließ Medea ihrer Rache freien Lauf; auf Kreons Pallast ließ sie Feuer regnen; den Kreon selbst einen Raub der Flammen werden; – ermordete ihre beiden Kinder, die Jason mit ihr erzeugt hatte, und eilte darauf in ihren mit Drachen bespannten Wagen durch die Lüfte, indem sie den Jason seinem Gram und der Verzweiflung überließ, die seine Tage kürzte, und ihm den Rest seines Lebens verbitterte.

Auf der hier beigefügten Kupfertafel sind Jason und Medea, sich einander die Hände gebend, nebst Jasons Waffenträger, nach einem antiken Basrelief aus Winkelmanns Monumenten, abgebildet, indeß der mit dem Drachen umwundne Lorbeerbaum den Sieg des Jason schon im Voraus andeutet, der mit Medeens Zauberkräften ausgerüstet, seiner Waffen, die an der Wand hängen, nicht mehr bedarf, und leichtbekleidet ohne Harnisch dasteht. Auf eben dieser Tafel ist, nach einer antiken Gemme, auch M e l e a g e r und der Kopf des Kalydonischen Ebers vor ihm, dargestellt.

276 # Meleager.

Oeneus, der in Kalydon herrschte, war ein Vater berühmter Kinder; der Dejanira, die dem Herkules vermählt war; des Meleager, und des Tydeus, dessen tapferer Sohn Diomedes im Trojanischen Kriege es mit den Göttern selbst im Streit aufnahm. — Dieser Oeneus hatte das Unglück, den Zorn der Diana auf sich und sein Land zu laden, weil er beim Opfer sie vergaß, da er den übrigen Göttern für den Wachsthum der Früchte des Feldes dankte.

Diana schickte einen ungeheuren Eber in das Kalydonische Gebiet, der die aufkeimende Saat zernichtete, die Aecker verwüstete, und den Einwohnern des Landes rund umher Tod und Verderben drohte. — Oeneus erbat sich den Beistand der Helden, dies Ungeheuer zu erlegen; und dies war wiederum eine Unternehmung, welche, so wie die Fahrt der Argonauten, die gleichzeitigen berühmtesten Helden Griechenlands vereinte.

Die Kalydonische Jagd.

Bei der Jagd des Kalydonischen Ebers versammleten sich zum Theil die Helden wieder, die auf der Fahrt nach Kolchis manche Gefahr zusammen überstanden hatten. Die berühmtesten von den Argonau-
277 ten, welche mit dem Meleager, dem | Sohn des Oeneus, gegen das Ungeheuer kämpften, waren

Jason;

Kastor und Pollux;

Idas und Lynceus;

Peleus;

Telamon;

Admetus;

Pirithous und Theseus.

Zu diesem glänzenden Haufen gesellten sich die Brüder der Althea, der Vermählten des Oeneus, einer Tochter des Thestius, der in Pleuron herrschte; und Atalante, die Tochter des Schöneus, eines arkadischen Fürsten, die gleich der Diana selber die Jagd liebte, und sich dem jungfräulichen Stande gewidmet hatte.

Atalante verwundete zuerst mit ihrem Pfeil den Eber; und nun erlegte Meleager das Ungeheuer, hieb ihm den Kopf ab, und überreichte ihn der Atalante, als der Siegerin, die den Preis in diesem Kampfe davon getragen hatte. – Die Söhne des Thestius, Brüder der Althäa, der Mutter des Meleager, machten den Preis der Atalante streitig; und nun erregte Diana, die ihrem Zorn noch keine Grenzen setzte, zwischen dem Meleager und den Söhnen des Thestius einen Streit, der zu einem blutigen Kriege wurde, | und dieser Begebenheit 278 einen tragischen Ausgang gab.

Meleager tödtete im Gefecht seiner Mutter Brüder. Als diese nun die Leichname der Erschlagenen erblickte, schwur sie, den Tod der Brüder an ihrem eigenen Sohne zu rächen. Die Parzen hatten nehmlich bei der Geburt des Meleager ein Scheit Holz nah an die Flamme auf den Heerd gelegt, mit dem Bedeuten, daß der Althäa Sohn so lange leben würde, als die Flamme nicht dies Holz verzehrte.

Althäa hatte, wie ein köstliches Kleinod, bis jetzt dies Scheit Holz aufbewahrt; nun warf sie es in die lichte Flamme, mit lauten Verwünschungen gegen ihren Sohn, der plötzlich von verzehrender Gluth sein Inneres ausgetrocknet, seine Gebeine zermalmet fühlte, und unter zuckender Qual verschied. – Kaum aber vernahm Althäa die schreckliche Wirkung, von dem, was sie gethan, so gab sie aus Reue und Verzweiflung sich selbst den Tod.

Atalante.

Auch Atalante freute sich ihres Sieges nicht lange; sie vermied so lange sie konnte, sich zu vermählen, weil unvermeidliches Unglück in der Ehe, nach einer Weißagung, ihr bevorstand. Um nun die Freier abzuschrecken, trug sie jedem, der um | sie warb, einen Wettlauf an. 279 Dem, welcher sie besiegen würde, versprach sie sich zu ergeben; dem Besiegten aber war der Tod bestimmt.

Hippomenes, der diesem gefährlichen Wettlauf sich unterzog,
flehte die Venus um Beistand an, die ihm drei goldne Aepfel schenkte,
welche er einen nach dem andern im Laufen fallen ließ, und als
Atalante diese Aepfel, sie bewundernd, aufhub, vor ihr das Ziel erreichte. –

Allein Hippomenes vergaß des Dankes, den er der Venus schuldig
war, und Atalante mußte, da sie mit ihm vermählt war, zugleich auch
sein Vergehen gegen die Göttin büßen, auf deren Anstiften beide ein
Heiligthum der Cybele entweihten, welche mit furchtbarer Gewalt
das frevelnde, durch das Band der Ehe verknüpfte Paar, in
Löwen verwandelte, die unter einem Joch ihren Wagen zogen.

Minos.

In der Gestalt des muthigen Stiers, worin die Alten gern, als ein
Sinnbild der Stärke, die Gottheit hüllten, entführte Jupiter die Europa, des Agenors Tochter, nach Kreta, wo er den Minos mit ihr
erzeugte, der, seines erhabenen Ursprungs würdig, den Völkern Gesetze gab, und sie zuerst zu einem Staate durch weise Einrichtung
bildete.

280   Die Dichtung läßt den Minos in einer Grotte auf dem Ida von Zeit
zu Zeit mit dem Jupiter geheime Unterredungen pflegen, deren In-
halt er, als die Grundlage seiner Gesetzgebung, dem horchenden Volke bekannt macht. Wegen seiner weisen Regierung eignete die Dichtung dem Minos, nebst seinem Bruder und Rathgeber Radaman-
thus, als den gerechtesten Menschen, das Richteramt über die Todten zu; zu diesen beiden gesellte sie den Aeakus, des Peleus Vater,
und, nach einer andern Sage, auch den Triptolemus, der ein Wohlthäter der Menschen war.

Minos, des Gesetzgebers Enkel, war ein tapfrer und kriegrischer
Fürst, der das mittelländische Meer von Seeräubern befreite, und die
Fahrt auf demselben wieder sicher machte. – Allein ihn betrafen
Unglücksfälle, wodurch seine glorreichsten Siege ihm vergällt, sein
Leben verbittert wurde.

Die Vermählte des Minos war P a s i p h a e , eine Tochter der Sonne
und Schwester des Aeetes. – Venus warf auf dieß Geschlecht einen
alten Haß, weil H e l i o s oder die Sonne einst ihr Liebesverständniß
mit dem Mars entdeckt und verrathen hatte.

Sie flößte der Pasiphae zu einem Stier, den Neptun aus dem Meere
steigen ließ, eine schändliche Liebe ein. – Während der Abwesenheit
des | Minos beging Pasiphae das unnatürliche Verbrechen, und gebahr   281
ein Ungeheuer, halb Mensch halb Stier, das unter dem Nahmen des
M i n o t a u r u s zum öftern in diesen Dichtungen auftritt.

D ä d a l u s , der kunstverständigste Bildner und Baumeister, welcher damals lebte, hatte sich wegen eines Verbrechens aus Athen nach
Kreta geflüchtet; und Minos, um die Schande seines Hauses den Blicken der Menschen und dem Antlitz des Tages zu verbergen, trug dem
Dädalus auf, ein unterirdisches Gewölbe, mit unzähligen irreführen-
den Gängen, ihm zu erbauen.

Dieß war das berühmte Labyrinth in dessen Mitte der Minotaurus
eingeschlossen, nur von denen erblickt wurde, die ihm zur Strafe als
Opfer vorgeworfen wurden, und um ihren Tod zu finden, das Labyrinth betraten.

A n d r o g e u s , ein Sohn des Minos, war während der Zeit nach
Athen gereist, um dort, mit vielen andern Fremden, den Atheniensischen Spielen beizuwohnen, wo er bei allen Kämpfen den Preis
davon trug, und durch den Beifall des ganzen Volks, den er sich erwarb, die Eifersucht und den Verdacht des kinderlosen A e g e u s rege
machte, der damals Athen beherrschte, und den hofnungsvollen Sohn
des Minos meuchelmörderischer Weise ermorden ließ.

Kaum hatte Minos dieß neue Unglück seines Hauses vernommen,   282
so kam er mit seiner ganzen Macht, den grausamen und schändlichen
Mord zu rächen. – Zuerst belagerte er N i s a , wo N i s u s , ein Bruder
des Aegeus herrschte. – Den Nisus verrieth seine eigne Tochter Scylla,
indem sie eine gelbe Haarlocke, wodurch er unüberwindlich war, von
seinem Haupte schnitt, und sie dem Minos brachte, gegen den sie von
Liebe entbrannt, der Pflicht und kindlichen Zärtlichkeit vergaß, und
nach Verdienst bestraft wurde, indem sich Minos zwar ihres Ge-

schenks bediente, die Verrätherin aber mit Zorn und Verachtung von sich stieß.

Als Minos die Stadt Nisa, welche nachher Megara hieß, erobert hatte, rückte er gerade auf Athen, das schon vorher von Dürre und Hungersnoth gedrückt, der Götter Zorn empfand, und unter seinem traurigen Schicksal seufzte.

Als zu dem allen noch das Orakel den Ausspruch that: die Götter würden nicht aufhören, Unglück über die Stadt zu schicken, bis dieselbe dem Minos für den Mord seines Sohnes, erst völlige Genugthuung geleistet; so schickten sie Abgeordnete an den König von Kreta, die ihn in flehender Gestalt um Frieden baten.

Die harte Bedingung des Friedens war, daß die Athenienser dem Minos jährlich sieben der schönsten Knaben, und sieben der schönsten Mäd-|chen nach Kreta schicken mußten, wo sie um den Mord des Androgeus abzubüßen, als Schlachtopfer für ihr Vaterland, dem Minotaurus zur Beute wurden.

Als Theseus endlich den Minotaurus erlegte, und mit der Ariadne, des Minos Tochter entflohe, schloß Minos, da er sich weiter nicht rächen konnte, den Athenienser Dädalus, nebst seinem Sohn Ikarus, in das von dem Künstler selbst erbaute Labyrinth. – Dem Dädalus aber bot die Kunst ein Mittel dar, mit seinem Sohn dem Kerker zu entfliehn.

Kokalus, ein Fürst in Sicilien, nahm den Dädalus auf; und lud den Minos, welcher kam, und die Auslieferung des Dädalus verlangte, selbst zu einer Unterredung ein, stellte sich freundlich gegen ihn, und bewirthete ihn in seinem Hause, wo er hinterlistiger Weise ihn zuletzt im Bade erstickte. – So fand Minos, der tapfre Krieger, da er den Künstler verfolgte, den die Götter schützten, in einem fremden Lande seinen Tod.

Dädalus.

In dem der Minerva geweihten Athen entwickelten sich zuerst die bildenden Künste, und hatten unter den Beschäftigungen der Men-

schen einen hohen Rang. — Dädalus, der aus dem königlichen | Ge-
schlecht der Erechthiden stammte, gab, nach der Dichtung, den
Bildsäulen, die er verfertigte, Leben und Bewegung.

Er war es, der zuerst die dicht aneinander geschloßnen Füße, so wie
man sie noch an den ägyptischen Bildsäulen sieht, voneinander trennte, die dicht anliegenden Aerme vom Rumpfe lößte, und seinen Bildsäulen eine fortschreitende Stellung gab. — Was Wunder, daß
dieser ganz neue Anblick jeden in Erstaunen setzte, und die Sage
veranlaßte, daß die Bildsäulen des Dädalus sich bewegten.

In diesem ersten Schritt des Dädalus in der Kunst, lag etwas Hohes
und Göttliches, das die Verehrung und Bewundrung der Nachwelt auf
sich zog, und den Nahmen des Künstlers unsterblich machte, der
dennoch seinen Ruhm durch eine grausame und schwarze That befleckte.

Unter seiner Anführung bildete sich ein Jüngling, Nahmens Talus, ein Sohn der Schwester des Dädalus. — Als dieser einst mit dem
Kinnbacken einer Schlange ein Stück Holz voneinanderschnitt, kam
er auf den Gedanken, die Schärfe der Zähne im Eisen nachzuahmen,
und so erfand er die Säge, eines der nützlichsten Werkzeuge, dessen
die Menschen sich bedienen. Auch die Erfindung der Töpfer-
scheibe war das Werk des Talus.

Dädalus, über die Fortschritte seines Lehrlings eifersüchtig, warf
einen tödtlichen Haß auf ihn. — Der grausamste Künstlerneid war
schon mit der ersten Entstehung der Kunst verwebt. — Dädalus führte
den Jüngling auf eine steile Anhöhe, wovon er, ehe jener es sich
versahe, ihn hinunterstürzte, und so den Talus durch seinen Fall für
die Erfindungen büßen ließ, womit er seinen Meister überfliegen
wollte.

Als die grausame That des Dädalus kund wurde, ward er zum Tode
verdammt, und mußte aus Athen entfliehen, worauf er erst eine Zeitlang flüchtig umher irrte, bis er in Kreta bei dem Könige Minos, dem
er das Labyrinth erbaute, eine Zuflucht fand.

Als Minos aber nachher den Dädalus mit seinem Sohn Ikarus in
dem von dem Künstler selbst erbauten Labyrinthe gefangen hielt; so

strebte die eingehemmte Kunst, selbst das Unmögliche zu versuchen,
und weil nur ein Ausgang nach oben war, mit a n g e s e t z t e n k ü n s t -
l i c h e n F l ü g e l n sich in die Lüfte emporzuheben. Dädalus suchte
mit klebenden Wachs die Fugen der Flügel zu verbinden, und legte
sie sich und seinem Sohn an, den er vorher sich üben ließ, allmälig
sich emporzuschwingen.

Als sie nun die Reise durch die Luft antraten, warnte Dädalus
seinen Sohn, ja nicht zu hoch | im Fluge sich zu erheben! – Dieser aber
vergaß der Warnung, – da schmolzen ihm die Flügel im Sonnenstrahl,
und er fand in dem Meere seinen Tod, das man nach seinen Nahmen
das I k a r i s c h e nannte. – Dädalus, der den T a l u s stürzte, sah nun zu
seiner Qual den Fall seines eignen Sohnes, den er nicht retten konnte.

Er selber ließ sich in Sicilien nieder, wo K o k a l u s ihn gastfreundlich aufnahm, und ihn vor der Verfolgung des Minos schützte, dem er
bei einem Besuch sogar das Leben raubte, und auf die Weise den
Dädalus sicher stellte, welcher zur Dankbarkeit verschiedne große
Werke in dem Gebiete des Kokalus unternahm; Kanäle und Teiche
grub; ein Schloß auf einem Felsen erbaute; den Gipfel des Berges
E r y x ebnete; und zuletzt eine goldne Kuh, von ihm selbst verfertigt,
der E r y c i n i s c h e n V e n u s weihte.

Geraume Zeit nachher fand man noch Spuren von seinen Werken;
– sein Nahme ward zum Sprichwort, worunter man alles sinnreich
Erfundne und Künstliche mit einemmal begriff. –

Auf einer antiken Gemme, deren Umriß auf der hier beigefügten
Kupfertafel sich befindet, ist Dädalus dargestellt, wie er sitzend und
sinnend an dem vor ihm stehenden k ü n s t l i c h e n F l ü g e l noch mit
bildender Hand arbeitet. – Auf eben dieser Tafel befindet sich auch,
nach einem antiken | geschnittnen Steine, eine Abbildung des T h e -
s e u s , der einen großen Stein aufhebt, worunter Schuh und Schwerdt
seines Vaters verborgen lagen.

Theseus.

A e g e u s , ein Sohn des Atheniensischen Königs P a n d i o n , welchem
er in der Regierung folgte, that, weil er ohne Kinder blieb, eine Reise
nach Delphi, um das Orakel des Apollo um Rath zu fragen. Die Pythia
befahl ihm, er solle, bis nach seiner Zurückkunft in Athen, alles Umgangs mit Weibern sich enthalten; und gerade dieß Verbot bewirkte,
daß er zum Gegentheil sich verleiten ließ.

Er kehrte auf seinem Rückwege in T r ö z e n e , beim P i t t h e u s ,
einem Sohn des P e l o p s ein, und vermählte sich heimlich mit dessen
Tochter A e t h r a . – Als Aegeus von T r ö z e n e abreiste, verbarg er
unter einem großen Steine sein Schwerdt und seine Schuhe, und
befahl der Aethra, wenn sie einen Sohn gebähren sollte, denselben
nicht eher zu ihm nach Athen zu schicken, als bis er stark genug wäre,
den Stein hinwegzuwälzen, worunter seines Vaters Schwerdt und
Schuhe verborgen lagen.

Aethra gebahr den Theseus, der unter des weisen Pittheus Aufsicht
vom C h o n i d a s erzogen | ward; die Athenienser verehrten in der 288
Folge, so oft sie das Fest des Theseus feierten, auch das Andenken von
diesem C h o n i d a s dem E r z i e h e r des Helden.

Als Theseus erwachsen war, führte ihn seine Mutter zu dem Steine,
woran seine Stärke sich prüfen sollte, und welchen er aufhob und
darunter das Schwerdt und die Schuh seines Vaters fand, so wie die
obige Abbildung ihn darstellt. – Das S t e i n a u f h e b e n ist bedeutend
in den Dichtungen von der Heldenzeit, und wird beständig als ein
Merkmahl von der Stärke angeführt, wodurch das damalige Geschlecht der Menschen sich von den folgenden schwächern Erzeugungen unterschied.

Als Theseus nun seine Reise nach Athen antrat, so wählte er, durch
das Beispiel des Herkules angefeuert, den gefährlichsten Weg zu Lande, wo er mit Räubern kämpfen mußte, die die Straßen unsicher
machten, und auf eine grausame Weise die Fremden behandelten, die
sie in ihre Gewalt bekamen.

Ob nun Theseus gleich den Herkules sich zum Muster nahm, so unterscheidet er sich dennoch durch eine gewisse Feinheit der Züge in seinem Wesen, von jenem rohen Thebanischen Helden, der als ein kolossalisches Sinnbild von Körperkraft und unüberwindlicher Stärke, überall in den Dichtungen auftritt, und in dem Ausdruck dieser 289 Kraft auch durch die bildende Kunst sich darstellt, | welche dem Theseus einen schlankern Wuchs und feinere Züge giebt.

Als Theseus, mit seines Vaters Schwerdt bewafnet, von Trözen auf den Isthmus zuwandernd, durch die Länder von Epidaurus kam, stieß er zuerst auf den wegen seiner Grausamkeit berüchtigten Periphetes, der bei seiner Riesenstärke bloß mit einer Keule bewafnet, den Reisenden furchtbar war; als er es wagte, den Theseus anzugreifen, schlug dieser ihn zu Boden und tödtete ihn, und trug nachher beständig, zum Andenken seines ersten Sieges, die Keule des Periphetes.

Da er nun auf dem Isthmus von Korinth anlangte, mußte er mit einem noch grausamern Mörder, dem Sinnis kämpfen, den man den Fichtenbeuger nannte, weil er die Fremden zwischen zwei zur Erde gebeugten und schnell wieder in die Höhe fahrenden Fichten festgebunden, zu seiner Lust zu zerreißen pflegte. Als Theseus ihn überwunden hatte, ließ er mit der von dem Mörder selbst erfundnen Todesart, ihn für seine Grausamkeit und seinen Frevel büßen.

Auch befreite Theseus die Länder, durch welche er reiste, von Ungeheuern, und tödtete unter andern die Krommyonische Sau, welche dem ganzen Lande furchtbar, überall Schaden stiftete und die 290 Aecker verwüstete. – Als er hierauf an | die Gränzen von Megara kam, überwand er den Skiron, und stürzte ihn von demselbigen steilen Fels ins Meer, von welchem dieser Tyrann die Reisenden, die vorbeikamen, hinunter zu stürzen pflegte.

In Eleusis mußte Theseus mit dem Kerkyon kämpfen, den er überwand und tödtete; und als er nicht weit davon in Hermione anlangte, besiegte er den Damastes, den man wegen der besondern Art von Grausamkeit, womit er die Fremden mißhandelte, den Ausdehner oder Prokrustes nannte.

Dieser Prokrustes hatte nehmlich zwei eiserne Betten von verschiedner Länge, worinn er die Fremden legte. Die kurzen Personen legte er in das lange, und dehnte ihre Körper mit Gewalt bis zu der Länge des Bettes aus; die langen Personen legte er in das kurze, und was über die Länge des Bettes reichte, hieb er von ihren Füßen ab.

Es scheint, als wolle diese Dichtung die Verletzung des Gastrechtes in ihrem hassenswürdigsten Lichte darstellen; denn man kann sich nichts Grausamers denken, als daß selbst die Lagerstätte, die den müden Wandrer erquicken sollte, von dem Tyrannen zur Folterbank gemacht wurde.

Die Heiligkeit des Gastrechts war es, unter dessen Schutz die Menschen zuerst einander sich mittheilen, und wechselseitig sich bilden konnten. Die | Störer dieses heiligen Gastrechts zu vertilgen, ist das Werk der Helden, welche Wohlthäter der Menschen sind, wie Theseus war, der den Prokrustes erst die von ihm selbst erfundne Marter dulden ließ, und dann von diesem Ungeheuer die Erde befreite. 291

Als Theseus nun in Athen anlangte, erkannte ihn Aegeus an dem Schwerdt und Schuhen für seinen Sohn, worüber die Söhne des P a l - l a s eines Bruders des Aegeus, die schon mit der Hoffnung dem kinderlosen Aegeus in der Regierung zu folgen sich geschmeichelt hatten, einen Aufruhr erregten, den aber Theseus in seiner Entstehung dämpfte.

Nun war es gerade das dritte Jahr, in welchem die Athenienser dem Minos, wegen der Ermordung seines Sohns Androgeus, den traurigen Tribut bezahlen mußten, der darin bestand, sieben der schönsten Jünglinge oder Knaben, und sieben der schönsten Mädchen, aus edlem Blut entsprossen, nach Kreta überzuschiffen, wo sie im Labyrinth dem Minotaurus zur Beute wurden. So lange dieß Ungeheuer nicht erlegt war, hatten die Athenienser keine Befreiung von dem traurigen Tribut zu hoffen.

Als nun die Jünglinge und Mädchen schon das Todes-Looß gezogen hatten, und zu Schlachtopfern für dieß Jahr bestimmt, eingeschifft wer-|den sollten, bot sich Theseus freiwillig zum Opfer für sein Vaterland in die Zahl der übrigen Jünglinge dar, weil er, in Ahndung seiner Heldenkraft, den Minotaurus zu erlegen hoffte. 292

Vor der Abreise that Theseus dem Apollo ein Gelübde, jährlich zu seinem Tempel ein Schiff mit Opfern und Geschenken nach der Insel D e l o s zu schicken, wenn ihm sein Unternehmen glückte. Als er nun auch noch das Orakel befragte, gab dieses ihm zur Antwort, er werde dann glücklich seyn, w e n n e r d i e L i e b e z u r F ü h r e r i n w ä h l - t e. −

Mit seinem Vater traf Theseus noch vorher die Abrede, daß, bei der Rückkehr des Schiffes, statt des schwarzen ein weißes Seegel den glücklichen Ausgang des Unternehmens ihm verkündigen sollte.

Bald langte nun das Schiff mit günstigem Winde in Kreta an, und kaum waren die übersandten Opfer dem Minos vorgestellt, als A r i - a d n e , des Minos Tochter, ihre Blicke auf den Theseus warf, dessen Heldenwuchs und Schönheit auf die Königstochter einen unauslösch- lichen Eindruck machte.

Nun wählte auch Theseus, nach dem Ausspruch des Orakels, die Liebe zur Führerin, indem er aus den Händen der Ariadne den Knäul empfing, der ihm einen sichern Ausgang aus dem Labyrinth ver- schafte. Mit dem Faden der Ariadne | in der Hand, stieg er nun muthig mit seinen Gefährten in die unterirrdische Wölbung nieder, bis er selbst an den Aufenthalt des Minotaurus kam, mit dem er sich in Kampf einließ, und ihn mit Hülfe der Rathschläge Ariadnens über- wand.

Da nun dieß Ungeheuer erlegt war, so waren die Athenienser auch von dem Tribut befreit, und ihre zum Tode bestimmten Söhne und Töchter dankten dem Theseus nun ihr Leben. So stellt ein Gemählde in Herkulanum den Helden dar, wie zarte Knaben, die dem Tode geweiht waren, die Händ' ihm küssen, und zärtlich seine Knie um- schlingen.

Ariadne entfloh mit ihrem geliebten Theseus; − sie landeten auf N a x o s , wo Theseus auf den Befehl der Götter sie verließ, weil Ari- adnens Reitze den Bachus selber gefesselt hatten, der hier die einsame verlaßne Schöne unter nächtlichem Himmel schlummernd fand, und da sie erwachte, zum Zeichen seiner Gottheit die Krone von ihrem Haupte gen Himmel warf, wo sie als ein leuchtendes Sternbild glänz- te, und Zeuge der Vermählung der Ariadne und des Bachus war.

Ehe nun Theseus nach Athen zurückkehrte, seegelte er, um dem Apollo sein Gelübde zu bezahlen, nach der Insel D e l o s , wo er zugleich der Venus, wegen des Beistandes, den sie ihm geleistet, eine vom D ä d a l u s verfertigte Bildsäule | weihte. Und um das Andenken seines Sieges über den Minotaurus zu erhalten, stiftete Theseus auf dieser Insel einen Tanz, worinn man die Krümmungen des Labyrinths nachahmte.

Mit der größten Sorgfalt beobachteten die Athenienser stets nachher dieß heilige Gelübde. Mit demselbigen Schiffe, auf welchem Theseus aus Kreta wiederkehrte, schickten sie jährlich Abgeordnete, mit Oehlzweigen bekränzt, nach der Insel Delos. Auch suchten sie das heilige Schiff gleichsam unvergänglich zu erhalten, indem sie es nie mit einem neuen vertauschten, sondern durch immer neuen Zusatz, was die Zeit davon zerstörte, zu ergänzen suchten, um sich die Vorstellung zu erhalten, daß dieses d a s s e l b e Schiff sey, welches den Theseus trug.

Auch war es nicht erlaubt, so lange dieß Schiff auf seiner Fahrt nach der Insel Delos unterwegens blieb, in Athen die Verurtheilten hinzurichten. Denn da durch dieß Gelübde die Rettung der Atheniensischen Jugend gefeiert wurde, so durfte man während der Zeit dem Tode kein Opfer bringen.

Von Delos segelte Theseus nun gerade auf Athen, die Bothschaft der frohen Begebenheit zu bringen, welche dennoch nicht ohne einen t r a g i s c h e n A u s g a n g blieb. Da nehmlich A e g e u s von einem Felsen mit ängstlicher Besorgniß dem | kommenden Schiffe entgegen sahe, und das s c h w a r z e S e g e l erblickte, welches der Steuermann mit dem weißen zu vertauschen aus der Acht gelassen, stürzte er sich voll Verzweiflung, weil er nun alles für verlohren hielt, vom Felsen in das Meer herab, welches nachher nach seinem Nahmen das A e g e i - s c h e hieß.

Den Theseus empfingen die Athenienser mit lautem Jubel, als ihren Schutzgott, dem sie allein ihre Rettung dankten. – Als Theseus nun in der Regierung dem Aegeus folgte, nutzte er die Liebe des Volks dazu, um einer weisen Gesetzgebung Eingang zu verschaffen.

Er schuf zuerst den Staat, indem er das zerstreute Volk, so viel wie
möglich, in eine einzige Stadt zu versammlen suchte, und es in Klas-
sen theilte. Auch setzte er, im Einverständniß mit den benachbarten
Völkern, dem Attischen Gebiete seine festen Grenzen. – Und weil es
ihm gelungen war, nach seiner Einsicht das Volk zu l e n k e n, so
führte er zuerst den Dienst der P i t h o, der Göttin der U e b e r r e -
d u n g, ein.

Großmüthig begab er darauf sich selbst des größten Theils seiner
Gewalt, weil er schon damals, nach einem Orakelspruch, Athen zu
einem F r e i s t a a t zu bilden suchte. – Zu Ehren des Neptun, den das
Gerücht für seinen Vater ausgab, erneuerte er auch die I s t h m i -
296 s c h e n Spiele,│zu welchen man aus ganz Griechenland sich versammlete, und wodurch die Mittheilung und wechselseitige Bildung der
Völker vorzüglich mit befördert ward.

Demohngeachtet ruhte Theseus auch von den kriegrischen Ge-
schäften nicht. Als er den Herkules begleitete, und ihm beim Flusse
T h e r m o d o n die Amazonen besiegen half, vermählte dieser ihm zur
Dankbarkeit die gefangne Königin A n t i o p e, mit welcher Theseus
den H i p p o l y t erzeugte. – Die Amazonen fielen hierauf ins Attische
Gebiet, wo Theseus sie zum zweitenmal besiegte.

Einen liebenswürdigen Zug in der Geschichte des Theseus, macht
noch die u n z e r t r e n n l i c h e F r e u n d s c h a f t aus, die zwischen
ihm, und dem P i r i t h o u s herrschte. Dieser Pirithous war ein Thes-
salischer Fürst, und herrschte über die L a p i t h e n. Seine Freundschaft mit dem Theseus war entstanden, da sie einstmals, ein jeder
eifersüchtig auf des andern Ruhm, im Zweikampf ihre Stärke und
Tapferkeit versuchten, und auf einmal von wechselseitiger Achtung
und Zuneigung angezogen, dem Streit ein Ende machten, und Hand
in Hand ein unzertrennliches Bündniß knüpften.

Keine Gefahr war nun so groß, worin die Helden sich nicht einander zur Seite standen. – Pirithous war in einen Krieg mit den C e n -
297 t a u r e n, einem Thessalischen Volke, verwickelt, welche │ die Dichtung, weil sie zuerst beständig zu Pferde stritten, gleichsam wie an das
Roß gewachsen, halb als Menschen, halb als Pferde, darstellt.

Als Pirithous nun mit der H i p p o d a m i a sich vermählte, lud er
außer dem Herkules, Theseus, und mehrern berühmten Helden, bei
einem Waffenstillstande, auch die Centauren zu seinem Hochzeit-
mahle, welche zuletzt vom Wein erhitzt, noch während dem Gastmahl einen Streit anhuben, und die Hippodamia selber zu entführen
drohten, wenn Herkules und Theseus nicht dem Pirithous tapfer bei-
gestanden, und der Centauren Uebermuth bestraft hätten, die von
dieser Zeit an in jedem Treffen die Flucht ergriffen, bis sie zuletzt
vom Herkules, Pirithous und Theseus gänzlich besiegt und geschlagen wurden. – Dieß ist der berühmte Streit der C e n t a u r e n und
L a p i t h e n , worauf die Dichtkunst und die bildende Kunst der Alten
oft verweilt.

Auch die Gegenstände ihrer zärtlichen Wünsche, halfen sie sich
einer für den andern mit erstreiten. Pirithous half dem Theseus die
Helena entführen, welche dieser seiner Mutter Aethra in Aphidnä zur
Aufsicht übergab, um wieder dem Pirithous beizustehen, der nach
dem Tode der Hippodamia, um gleichsam an dem Pluto sich zu rächen, entschlossen war, die Proserpina selber aus der Unterwelt zu
entführen. – Eine Dichtung, die sehr | bedeutend ein Unternehmen   298
bezeichnet, mit welchem unvermeidliche Todesgefahr verknüpft
ist. –

Theseus, seinem Freunde bis in den Tod getreu, stieg mit ihm in
das Reich der Schatten; wo Pluto, als die vermeßne That mißlang, die
beiden an Ketten gefangen hielt; bis Herkules in der Folge den Cerberus bändigte, und zugleich die Bande des Theseus lößte; den Pirithous aber zu befreien, vergebens seine Macht anwandte, so daß nun
doch der Tod das treuste Freundschaftsbündniß trennte.

Von nun an huben auch die Unglücksfälle des Theseus an, die den
Rest seiner Tage ihm verbitterten. Ihn traf das Schicksal der größten
Helden, deren ruhmvolles Leben ein tragischer Ausgang schloß. Als
er nach Athen zurückkam, fand er das undankbare und unbeständige
Volk durch seine Feinde gegen sich aufgewiegelt.

Hierzu kam noch häusliches Unglück. – Nach dem Tode der Antiope hatte Theseus mit der P h ä d r a , einer Tochter des Minos, und

Schwester der Ariadne sich vermählt. – Der Haß der Venus gegen die
Pasiphae verfolgte auch ihre Tochter, der sie eine strafbare Liebe zum
Hippolytus, dem mit der Antiope erzeugten Sohn des Theseus ein-
flößte.

299   Als aber der Jüngling ihrem Antrage kein Gehör gab, verwandelte
sich ihre verschmähte Liebe | in Haß; und sie verläumdete den Hip-
polyt beim Theseus, als habe er selber sie zur Untreue verleiten wollen.

Theseus, von schnellem Zorn entbrannt, erinnerte sich, daß ihm
Neptun verheißen, den nächsten Wunsch, den er thun würde, zu gewähren; und nun verwünschte Theseus seinen Sohn, der grade um
diese Zeit am Ufer des Meers mit seinen Rossen den Wagen lenkte.

Kaum war der Fluch über Theseus Lippen gekommen, so stieg ein
Meerungeheuer aus der Tiefe empor, vor dessen Anblick des Hippolytus Pferde scheuten, und den Unglücklichen schleiften und zerrissen. Als Phädra dieß vernahm, gab sie sich selbst den Tod, und Theseus, der zu spät die Unschuld seines Sohns erfuhr, war der Verzweiflung nahe.

Die Unzufriedenheit des Volks war während der Zeit noch höher
gestiegen, und Theseus endlich des Undanks müde, verbannte sich
selber aus Athen, und sprach, ehe er sich zur Abreise einschifte, an
einem Orte, der nachher der Ort der Verwünschungen hieß, gegen die
Athenienser die bittersten Flüche aus.

Er glaubte nun auf der Insel S c y r u s seine übrigen Tage in Ruhe
zu verleben; allein der verräthrische L y k o m e d e s , welcher in Scyrus herrschte, verletzte aus Furcht vor des Theseus Feinden, das hei-
300   lige Gastrecht. – Unter dem | falschen Vorwande, ihm die Insel zu
zeigen, führte Lykomedes den Theseus auf eine steile Anhöhe, und
stürzte, ehe dieser es sich versahe, ihn von dem steilen Felsen herab. –
So fiel der Held, dem Griechenland Ruhe und Sicherheit, sein Vaterland seine Rettung dankte.

Nach seinem Tode bauten die Athenienser dem Theseus Tempel
und Altäre, verehrten ihn wie einen Halbgott, brachten ihm Opfer
dar, und stifteten Feste ihm zu Ehren. – Man fand in der Folge in

Scyrus des Theseus Sarg, der durch seine Größe die damals Lebenden in Erstaunen setzte. – Ein Tempel des vergötterten Theseus in Athen, hieß das Theseum, worin die Thaten des Helden geschildert waren. – So ehrte die spätere Nachwelt das Andenken jenes götterähnlichen Geschlechts der Menschen, bei denen der Prometheische Funken, der in ihrem Busen glühte, zur hellen Flamme emporschlug.

Die Wesen, welche das Band zwischen Göttern und Menschen knüpfen.

So wie die Dichtung vom Himmel zur Erde nieder steigt, v e r v i e l - f ä l t i g e n sich die Göttergestalten. – Die Einbildungskraft belebt die Quellen, Haine, und Berge. – Unter dem Bilde der Gottheit wird zuletzt die ganze leblose Natur geweiht, in welche der Mensch so innig sich verwebt fühlt, und sich so nahe an sie schließt, daß durch dieß Band die Götter- und Menschenwelt, ein schönes Ganze wird.

Genien.

Die Genien, oder Schutzgötter der Menschen waren es vorzüglich, wodurch, in der Vorstellung der Alten, die Menschheit sich am nächsten an die Gottheit anschloß. Die höchste Gottheit selber vervielfältigte sich gleichsam durch diese Wesen, in so fern sie über jeden e i n z e l n e n Sterblichen wach-|te, und ihn, von seiner Geburt an bis zum Tode, an ihrer Hand durchs Leben führte. – In diesem schönen Sinne war es, daß die Männer bei i h r e m Jupiter, und die Frauen bei i h r e r Juno schwuren, indem sie unter dieser Benennung sich ihren e i g e n e n Genius, oder ihre besondre schützende Gottheit dachten.

An ihren Geburtstagen brachten die Alten ihrem Genius Opfer, der unter der Gestalt eines schönen Jünglings abgebildet war, dessen Haupt sie mit Blumen umkränzten. –

Ein jeder verehrte auf die Weise, durch ein zartes Gefühl gedrungen, in sich etwas Göttliches und Höheres, als er, in seiner Beschränktheit und Einzelnheit, selber war; und dem er nun, wie einer Gottheit, Opfer brachte, und gleichsam durch Verehrung das zu ersetzen suchte, was ihm an deutlicher Erkenntniß seines eigenen Wesens und seines göttlichen Ursprungs abging.

Nach einer andern Dichtung, sind die Seelen der Verstorbnen, aus dem goldnen Zeitalter der Menschen, als untadliche in die Gottheit übergegangne Wesen, die Schutzgötter der Lebenden.

Musen.

Die Dichtung läßt diese himmlischen Wesen vom Jupiter und der 303 Mnemosyne abstammen. – | Mnemosyne, deren in der Reihe der alten Gottheiten schon gedacht ist, war eine Tochter des Himmels und der Erde, und eine Schwester des Saturnus. – Durch die himmlischen Einflüsse, welche bei ihrer Bildung mit den irdischen sich vermählten, ward zuerst die Erinnrungskraft, die Mutter alles Wissens und Denkens, in ihr gebohren. – Neun Nächte lang umarmte Jupiter die Mnemosyne, als er die Musen mit ihr erzeugte.

Einer der ältesten Dichter singt das Lob der Musen: sie gießen auf die Lippen des Menschen, welchem sie günstig sind, den Thau der sanften Ueberredung aus; sie geben ihm Weisheit, Recht zu sprechen, Zwiste zu schlichten, und machen ihn unter seinem Volke berühmt. – Den Dichter aber lehren sie selbst auf Bergeshöhen, und im einsamen Thale, die göttlichen Gesänge, welche jedem, der sie vernimmt, die Sorgen und den Kummer aus der Brust verscheuchen.

Die Nahmen der neun Schwestern bezeichnen Tonkunst, Freude, Tanz, Gesang, und Liebe; sie heißen:

Klio;

Melpomene;

Thalia;

Kalliope;

Terpsichore;   304

Euterpe;

Erato;

Urania;

Polyhymnia.

Musik, Gesang und Tanz sind eigentlich das Geschäft der Musen; in der Folge hat die spielende Dichtung einer jeden irgend eine besondre Beschäftigung zugetheilt: so ist nun Klio die Muse der Geschichte; Kalliope des Heldengedichts; Melpomene die tragische, Thalia die komische Muse; auf Polyhymniens Lippen wohnt die Beredtsamkeit; Uraniens Blick gen Himmel mißt und umfaßt den Lauf der Sterne. Die übrigen drei, Euterpe, Terpsichore und Erato, theilen sich in Musik, Gesang und Tanz. – Euterpe spielt die Flöte; Terpsichore tanzt; Erato singt der Liebe süße Lieder. – Doch werden die besondern Beschäftigungen der Musen in den Dichtungen oft verwechselt.

So wie die Alten überhaupt die Götter des Himmels gern nach ihren Wohnplätzen unter den Menschen zu benennen pflegten, so erhielten auch die Musen von den Bergen, die sie bewohnten, und von den Quellen, die diesen Bergen entströmten, wohltönende Nahmen, womit die Dichter ihren Beistand sich erflehten.

Der vorzüglichste Aufenthalt der Musen waren die berühmten   305
Berge: Parnassus, Pindus, Helikon. Auf dem Gipfel des Helikon entsprang vom Fußtritt des Pegasus die begeisternde Hippokrene und Aganippe. – Am Fuße des Parnassus strömte der Kastalische Quell; auch die mit immerwährender Fülle sich ergießende Pimplea, auf einem Berge, gleiches Nahmens, war den Musen heilig, auf deren Lippen nie der Strom des rühmenden Gesanges und der süßen Rede versiegte.

Pierinnen hießen die Musen von Pierien, wo die Dichtung ihren Geburtsort hin versetzte. – Apollo schließt sich unter den himmlischen Göttern dem Chor der Musen am nächsten an. – Unter seinem Vorsitz auf dem Gipfel des Parnaß ertönt ihr Saitenspiel. – Die bildende Kunst der Alten stellt sogar zuweilen den Apollo unter den

Musen in reitzender Schönheit w e i b l i c h g e k l e i d e t dar. – Apollo,
der unter dem Nahmen M u s a g e t e s, den Chor der Musen anführt,
ist eine der schönsten Dichtungen des Alterthums, woran auch die
bildende Kunst der neuern sich versucht hat. –

Merkwürdig ist es, daß auch H e r k u l e s unter dem Nahmen M u -
s a g e t e s, als der Anführer der Musen, bei den Alten verehrt wurde,
und man auf die Weise der Körperkraft, und den Leibesübungen die
geistigen Vorzüge zugesellte, und beide sich unter einem Sinnbilde
dachte.

306   Einst wurden die Musen von den S i r e n e n zum Wettstreit im
Singen aufgefordert, und als sie jene mit leichter Mühe besiegten, so
war die Strafe der Vermeßnen, daß die Musen ihnen die Federn aus
den Flügeln rupften, und solche nachher zum Zeichen ihres Sieges
auf den Köpfen trugen. Man findet daher die Musen zum öftern mit
diesem Hauptschmuck gebildet.

Auf einem alten Denkmale ist eine Sirene dargestellt, bis auf die
Mitte des Leibes wie eine Jungfrau, nach unten zu wie ein Vogel
gestaltet, mit großen Flügeln auf dem Rücken, zwei Flöten in den
Händen, und sich betrübt nach der Muse umsehend, welche stolz auf
ihren Sieg, mit der einen Hand den Flügel der Sirene hält, indeß sie
mit der andern ihr die Federn ausrupft.

Der Gesang der Musen war treu und wahr; falsch und verführe-
risch aber die schmeichelnden Lieder der Sirenen, womit sie die Vor-
beischiffenden an ihr Ufer in Tod und Verderben lockten; – so wie
auch ihre jungfräuliche Gestalt in das Ungeheure sich verlohr. – Die
Dichtung von dem Siege der Musen über die Sirenen ist daher schön
und bedeutend!

Ueberhaupt lassen die alten Dichtungen gegen angemaßte Kunst-
talente immer ein sehr strenges Urtheil ergehen. Der Satyr M a r s y a s
307 wurde | vom Apollo g e s c h u n d e n, weil er auf ein zu hohes Kunst-
talent Anspruch machte, und es wagte, mit dem Gott der Tonkunst
selber in einem Wettstreit auf der Flöte es aufzunehmen. – Diese
Dichtungen selber scheinen bei den Alten eine Art von Erbitterung
gegen alles Mittelmäßige und Schlechte in der Kunst vorauszusetzen.

– Auch Thamyris, ein König in Thracien mußte für seine Eitelkeit
büßen, da er sich rühmend und seiner Talente in der Musik und
Dichtkunst sich überhebend, die Musen selber zum Wettstreit aufzu-
fordern wagte, die ihn mit Blindheit straften, und der Gabe zu dichten
ihn ganz beraubten.

Was nun die Abbildungen der Musen anbetrift, so findet man sie
am öftersten dargestellt mit einem Volumen, mit zwei Flöten,
oder mit einer Leyer in der Hand. – Das Volumen oder die Perga-
mentrolle bezeichnet entweder die Klio als die Muse der Geschichte,
oder die Polyhymnia als die Muse der Beredtsamkeit. – Bei den Flöten denkt man sich die Euterpe als die Muse der Tonkunst; und bei der
Leyer die Erato, als die Muse der Liebe einflößenden Gesänge. –
Melpomene, die tragische Muse, wird an der tragischen, Thalia die
komische Muse, an der komischen Larve erkannt. – Kalliope, als die
Muse des Heldengedichts, soll sich durch die Tuba, Terpsichore, die
Muse der Tanzkunst, durch eine tanzende Stel-|lung unterscheiden. – 308
Urania zeichnet durch ihren gen Himmel erhobnen Blick sich aus.

Indeß sind alle diese Darstellungen bei den Alten mehr willkürlich
gewesen. – Die vielfache Zahl der Musen bezeichnete die Harmonie
der schönen Künste, welche verschwistert Hand in Hand gehen, und
nie zu scharf eine von der andern abgesondert werden müssen. So
stellt auch in den Abbildungen der Alten eine jede einzelne Muse
gleichsam die übrigen in sich dar; und erst in neuern Zeiten hat man
mit pedantischer Genauigkeit einer jeden Muse ihr eignes bestimmtes Geschäft anzuweisen gesucht.

Die Einbildungskraft der Alten ließ sich hierbei freien Spielraum.
– Man sieht auf alten Marmorsärgen die versammleten Musen auf
mehr als einerlei Art, und in abwechselnden Stellungen abgebildet. –
Ein Gemählde in den Herkulanischen Alterthümern, ist das einzige,
welches die neun Musen ganz genau voneinander unterschieden darstellt, weil unter der Abbildung einer jeden auch ihr Nahme befind-
lich ist. – Es scheint aber, als habe dieser Künstler eben deswegen zu
der Unterschrift der Nahmen seine Zuflucht nehmen müssen, weil er
selbst die äußern Merkmale seiner Musen, auch nach den damaligen
Begriffen, nicht genug unterscheidend und bezeichnend fand.

Auf der hier beigefügten Kupfertafel ist nach einer schönen antiken Gemme, die Muse stehend abgebildet, wie sie die Leyer stimmt. – Eine Darstellung, wodurch nicht eine einzelne Muse ausschließend, sondern d i e M u s e überhaupt bezeichnet wird, in so fern die Tonkunst, nach den ältesten Begriffen, ihr Hauptgeschäft ist. – Denn mit der Tonkunst entwickelten sich zuerst die schlummernden Kräfte für die übrigen Künste. – Musik, Gesang und Tanz war, wie wir schon bemerkt haben, das Hauptgeschäft der Musen, und es giebt keine eigne Muse für die b i l d e n d e n K ü n s t e.

Auf eben dieser Kupfertafel ist auch nach einer antiken Gemme, ein L i e b e s g o t t abgebildet, welcher den Löwen, auf dem er reitet, mit den h a r m o n i s c h e n T ö n e n s e i n e r L e y e r zähmt, wodurch der Künstler in einem schönen Sinnbilde die vereinte Macht der Liebe und Tonkunst ausdrückt.

Liebesgötter.

Auch die Göttergestalt des Amor vervielfältigte sich in der Einbildungskraft der Alten; die Liebesgötter, welche allenthalben in den Dichtungen unter reitzenden Gestalten erscheinen, sind gleichsam Funken seines Wesens; und die Dichtkunst ist unerschöpflich in schönen sinnbildlichen Darstellungen dieser alles besiegenden Gottheit.

310 So findet man den Liebesgott dargestellt, wie er Jupiters Donnerkeil zerbricht; wie er mit des Herkules Löwenhaut umgeben, und mit seiner Keule bewafnet ist; oder wie er auf den Helm des Mars tritt, dessen Schild und Wurfspieß vor ihm liegen.

Unter dem griechischen Nahmen E r o s und A n t e r o s, L i e b e und G e g e n l i e b e, stellt die bildende Kunst der Alten zwei Liebesgötter dar, die um einen Palmzweig streiten, gleichsam um den Wetteifer in der wechselseitigen Liebe zu bezeichnen.

In allerlei Arten von Beschäftigungen stellte man die Liebesgötter dar. So sieht man auf einem alten Denkmale, wo ein Weinstock sich um einen Ulmbaum schlingt, oben auf dem Baume sitzend einen Liebesgott, der Trauben pflückt, indeß zwei andre Liebesgötter unter dem Baume stehend warten. –

Jagend, fischend, zu Wasser das Ruder, zu Lande den Wagen lenkend, und sogar die mechanischen Arbeiten der Handwerker emsig
betreibend findet man die Liebesgötter auf alten Gemmen und Ge-
mählden. Weil aber in der Vorstellungsart der Alten auch jedes Geschäft s e i n e n G e n i u s hatte, so geht hier die Dichtung von den
Liebesgöttern wieder in den Begriff von den G e n i e n über, und diese
zarten Wesen der Einbildungskraft verlieren sich ineinander. –

Grazien. 311

Die hohen blendenden Reitze der mächtigen Liebesgöttin, verviel-
fältigen sich in den G r a z i e n oder C h a r i t i n n e n , und wurden
wohlthätig, sanft und milde. Vom Himmel senkten die drei Huld-
göttinnen zu den Sterblichen sich hernieder, um die schönen Emp-
findungen der D a n k b a r k e i t und des w e c h s e l s e i t i g e n W o h l -
w o l l e n s in jeden Busen einzuflößen. Auch waren sie es, welche vor
allen andern Göttern, den Menschen die süße G a b e z u g e f a l l e n
ertheilten.

Sie hießen mit ihren besondern Nahmen A g l a j a , T h a l i a , und
E u p h r o s y n e , und waren vom Jupiter mit der E u r y n o m e , der
schönen Tochter des Oceans, erzeugt, die unter den a l t e n G o t t h e i -
t e n in den Dichtungen schon mit aufgetreten ist.

Den Grazien waren allenthalben Tempel und Altäre errichtet; –
um ihre Gunst flehte jedes Alter und jeder Stand; – ihnen huldigten
Künste und Wissenschaften; – auf ihren Altären zündete man täglich
Weihrauch an; – bei jedem frohen Gastmahl waren sie die Losung,
und man nannte mit Ehrfurcht ihre Nahmen.

Dem Amor und den Musen wurden die Grazien zugesellt; oft hatten sie mit dem Amor, öfter noch mit den Musen, gemeinschaftlich
einen Tem-|pel; sie umgaben selbst Jupiters Thron; – im Himmel und 312
auf Erden erkannte man ihre Herrschaft, und huldigte ihrem Einfluß,
ohne welchen die Schönheit selber zum todten Gemählde wird.

Denn durch die Grazien, in tanzender Stellung abgebildet, wird
vorzüglich d e r R e i t z d e r B e w e g u n g im Gang, Gebehrden und

Mienen ausgedrückt, wodurch die Schönheit am meisten die Seele fesselt. – Hand in Hand geschlungen wandelnd bezeichneten sie wieder jede sanfte Empfindung des Herzens, die in Zuneigung, Freundschaft, und Wohlthun sich ergießt. – Gewiß mußte die religiöse Verehrung dieser schönen Wesen auf das Leben und die Denkart der Alten einen unverkennbaren Einfluß haben.

Um gleichsam zu bezeichnen, daß bei den ausschweifendsten Bildungen der Phantasie, die Grazie dennoch versteckt seyn, und die Grenze bezeichnen müsse, machte man hohle Bildsäulen von Satyrn, worin man, wenn sie eröfnet wurden, kleine Bilder der Grazien fand.

Auf der hier beigefügten Kupfertafel befindet sich außer den Grazien, nach einer antiken Gemme, noch eine der Horen oder Jahrszeiten, vor einer Art von Altar stehend, mit Palmblättern auf dem Haupte, und tanzend Früchte in den Händen tragend, nach einem antiken Marmorwerk aus Winkelmanns Monumenten.

⟨Abb. 23⟩
313

Die andern beiden Figuren auf eben diesem Denkmale sind auf ähnliche Weise sich zum Tanz bewegend dargestellt, nur mit dem Unterschiede, daß zu den Füßen der einen, welche den Frühling bezeichnet, eine Blume aufsprosset; und zu den Füßen der andern, die den Winter andeutet, auf der Altar ähnlichen Erhöhung von aufeinander gelegten Steinen, ein kleines Feuer lodert.

Da nun die erste Figur, mit den Früchten, den Herbst abbildet, so finden in dieser sinnbildlichen Darstellung nur drei Jahreszeiten statt, weil man unter dem Merkmale der reifen Früchte, in jenem wärmern Himmelsstrich, sowohl den Sommer als Herbst begriff. – In einigen ältern Dichtungen ist die Zahl der Horen nur zwei, weil man das ganze Jahr in Sommer und Winter theilte.

Horen.

Unter dem Nahmen der Horen wurden in den Dichtungen der Alten sowohl die Göttinnen der Gerechtigkeit, welche Jupiter mit der Themis erzeugte, als auch die Jahrszeiten begriffen, welche

gleichsam mit g e r e c h t e r Theilung ihrer Wohlthaten, durch ihren
immerwährenden Wechsel, das schöne G l e i c h g e w i c h t in der Natur erhalten, und mit abgemeßnen Schritten tanzend und einander
folgend, ihren bestimmten Lauf vollenden.

Es giebt kein schönres Bild, um sich darunter die Flucht der Zeit zu 314
denken, als die tanzenden Horen, welche daher auch in den Dichtungen zu den Grazien sich gesellen, und gemeinschaftlich mit ihnen
Tänze aufführen. –

Auch die Horen stehen um Jupiters Thron, und ihr Geschäft ist die
T h ü r e n d e s H i m m e l s zu öfnen und zu schließen, indem sie ihn
bald in finstre Wolken hüllen, und bald mit neuem Glanz ihn wieder
aufheitern. – Auch spannten die Horen jeden Morgen die Rosse an
den S o n n e n w a g e n, und waren zugleich Dienerinnen der Juno, die
über den L u f t k r e i s herrscht.

Nymphen.

Die unerschöpfliche Dichtungskraft der Alten schuf sich Wesen, wodurch die Phantasie die l e b l o s e N a t u r beseelte. Die Quellen,
die Berge, die Wälder, die einzelnen Bäume, hatten ihre Nymphen. –
Man knüpfte gern die Idee von etwas Göttlichem an das Feste und
Bleibende, was die einzelnen Menschengeschlechter überlebt; an den
festgegründeten Berg, den immerströmenden Quell, und die tausend-
jährige Eiche. –

Alle diese Dichtungen aber waren gleichsam nur der Wiederschein
vom Gefühl erhöhter Menschheit, der sich aus dem Spiegel der gan-
zen Natur | zurückwarf, und wie ein reitzendes Blendwerk über der 315
Wirklichkeit gaukelnd schwebte.

So schweifte die O r e a d e auf den B e r g e n umher, um mit ihren
Schwestern, im Gefolge der Diana, die Spur des Wildes zu verfolgen;
jeder zärtlichen Neigung ihr Herz verschließend, so wie die strenge
Göttin, die sie begleitete.

Mit ihrem Wasserkruge saß, in der einsamen Mittagsstunde, die
N a j a d e am Q u e l l, und ließ mit sanften Murmeln, des Baches klare

Fluth hinströmen. – Gefährlich aber waren die Liebkosungen der Najaden; sie umarmten den schönen Hylas, des Herkules Liebling, als er Wasser schöpfte, und zogen ihn zu sich in den Brunnen herab. – Vergebens rief Herkules seinen Nahmen, nie ward sein Liebling mehr gesehen.

Im heiligen Dunkel des Waldes wohnten die Dryaden; und die Hamadryade bewohnte ihren einzigen Baum, mit dem sie gebohren ward und starb. – Wer einen solchen Baum erhielt, dem dankte die Nymphe ihr Leben. – so ward selbst die leblose Natur ein Gegenstand des theilnehmenden Wohlwollens der Sterblichen.

Satyrn.

316 In das Dunkel des Waldes versetzt die Dichtung auch die Satyrn mit Hörnern und Ziegen-|füßen. – Diese Wesen machen gleichsam einen Schlußpunkt für die Thierwelt und die Menschenwelt, worin sich das Getrennte in einer neuen Erscheinung spielend wieder zusammen findet.

Es ist der leichte Ziegenfuß, welcher sich in dieser Dichtung scherzend der Menschenbildung anschmiegt. – Jugendliche Schalkhaftigkeit, und unbesorgter Leichtsinn zeichnen die Bildung dieser Wesen aus, welche, obgleich sterblich, dennoch durch eine höhere Natur, über die Sorgen und den Kummer der Menschen erhaben sind.

Die bildende Kunst stellte erst diese Wesen der Phantasie dem Auge dar; und der Glaube an ihre Würklichkeit mußte sich desto länger erhalten, weil, nach den Volksbegriffen, keiner ungestraft eine Nymphe oder einen Waldgott sehen durfte.

Statt also dem wirklichen Daseyn dieser Wesen nachzuforschen, suchte vielmehr ein jeder vor ihrer unvermutheten Erscheinung in einsamen Gegenden sich zu hüten; und nur der begeisterte Dichter sahe im Gefolge des Bachus, auf dem einsamen Felsen, Nymphen, die auf des Gottes Lehren horchten, und Bockfüßige Satyrn, die mit spitzen Ohren lauschten.

In den Satyrn hat die bildende Kunst die menschliche Gestalt so
nahe wie möglich an die thierische grenzend, darzustellen gesucht. –
Ein Satyr, auf einer antiken Gemme, der mit einem | Bock sich stößt,   317
ist von diesem kaum durch etwas mehr, als den Leib und die Arme
unterschieden, weil die Bocksgestalt sogar bis auf die Gesichtszüge
sich erstreckt, die obgleich menschenähnlich, dennoch eine thierische
Natur ausdrücken. Sehr komisch ist die Stellung des Satyrs, der beim
Anlauf mit den Hörnern die Hände auf den Rücken hält, um gleichsam jedes Vortheils über den Bock sich zu begeben.

Diese komischen Gestalten machen in dem Gefolge des Bachus
unter den Nymphen, Genien, und Liebesgöttern den reitzendsten
Kontrast, – so daß es scheinet, als wenn sie in diesen Gruppen, und
überhaupt unter den Göttergestalten nicht fehlen dürften, weil in
diesen halb göttlichen und halb thierischen Wesen, in deren Miene
sich Lachen und Spott vereint, die Dichtung gleichsam erst ihre Vollständigkeit erhält, und mit ihnen den Zug beschließt.

Faunen.

Die Faunen sind von den Satyrn, wenigstens in den Werken der bildenden Kunst verschieden. – Sie werden völlig in menschlicher Gestalt nur mit Ziegenohren und einem Ziegenschwanze abgebildet. –
Aber auch ohne diese Merkmale ist die Bildung eines Faunen leicht
zu kennen, weil ihre | Gesichtszüge, weder zart noch edel, nur thieri-   318
sche oder sinnliche Begierden und sinnlichen Genuß ausdrücken. –
Demohngeachtet findet man unter den alten Denkmälern Faunen
von bewundernswürdiger Schönheit, wo dennoch die Gesichtszüge
immer noch jene halbthierische, sinnliche Natur bezeichnen.

Man siehet die Faunen auf den alten Denkmälern tanzend, sitzend,
Kränze flechtend, mit Ziegen spielend, junge Faunen auf dem Knie
wiegend, und in viel mehrern reitzenden Stellungen abgebildet, wo
die Phantasie mit dieser Idee auf die mannigfaltigste Weise spielt.

So läßt ein alter Faun ein junges Mädchen auf seinem Fuße tan-
zen; – ein andrer Faun dreht das Rad an einem Brunnen, um einer

Nymphe Wasser zu schöpfen, die während der Zeit seinen Thyrsus
hält. – Zwei Faunen sitzen einander gegenüber, und der eine ist im
Begriff dem andern einen Dorn aus dem Fuße zu ziehen. – Ein andrer
tränkt einen jungen Faun aus einem großen Weingefäß. – So wech-
seln die reitzenden Darstellungen ab.

Man sieht, daß d i e S o r g l o s i g k e i t bei diesen Wesen ein Hauptzug ist, wodurch sie den Göttern ähnlich sind, und von den Menschen
sich unterscheiden, nach den Worten des alten Dichters:

319   Den Menschen gaben die Götter vielen Kummer zu tragen;
       Sie selber aber sind s o r g l o s.

Pan.

Das ganze Geschlecht der Satyrn und Faunen wurde gleichsam auf
einmal unter der Göttergestalt des Pan begriffen, in welcher sich
diese Dichtung wieder v e r e i n z e l t e; denn die Bildung des Pan ist
übrigens von der Bildung der Satyrn nicht verschieden, ausgenommen, daß Pan einen Mantel oder eine Bockshaut um die Schultern,
und einen gekrümmten Schäferstab oder eine siebenröhrige Flöte in
den Händen trägt. – Die übrigen Waldgötter mit den Ziegenfüßen
hießen von ihm auch A e g i p a n e n.

Der siebenröhrigen Flöte schreibt die Dichtung folgenden Ursprung zu: als P a n die Nymphe S y r i n x, von Lieb' entbrannt, verfolgte, und diese bis an den Fluß L a d o n vor ihm flohe, wo ihr Lauf
gehemmt war, ward sie plötzlich in ein S c h i l f r o h r verwandelt,
welches Pan umarmte. –

Der Wind, der in das Rohr blies, brachte klagende Töne hervor;
und Pan suchte diese Töne wieder zu erwecken, indem er sieben
Rohre, das folgende immer um ein bestimmtes Maaß kürzer als das
320 vorhergehende, zusammenfügte, und so | die Hirtenflöte erfand, wel-
che nach dem Nahmen der verwandelten Nymphe S y r i n x hieß.

Nach einigen Dichtungen ist Pan ein Sohn M e r k u r s, und so wie
dieser, auch in A r k a d i e n gebohren, wo sein vorzüglichster Aufent-

halt auf dem Berge L y c ä u s war. – Andre Sagen lassen ihn unter den ältesten Gottheiten schon mit auftreten, wo er auf eine geheimnißvolle Weise, das G a n z e, und die N a t u r d e r D i n g e bezeichnet. – Auch den gekrümmten Hirtenstab ließ man nicht ohne Bedeutung seyn, sondern auf die Wiederkehr der Jahreszeiten, und den Kreislauf der Dinge durch seine Gestalt hinweisen. –

Man dachte sich unter dem Pan ein Wesen, halb wohlthätig und halb furchtbar; – und eben weil dieser Begriff so schwankend war, schuf sich die Einbildungskraft unter demselben allerlei Schreckbilder. – Irgend ein Getöse oder furchtbare Stimmen, die man in nächtlicher Stille, oder vom einsamen Ufer her zu vernehmen glaubte, schrieb man dem Pan zu; – weswegen man nachher auch ein jedes Entsetzen, wovon man selbst die Ursache nicht wußte, oder wovon der Grund bloß in der Einbildung lag, ein p a n i s c h e s Schrecken nannte.

Die Hirten, welche vorzüglich den Pan verehrten, fürchteten dennoch seinen Anblick; sie flehten ihn aber um den Schutz ihrer Heerden an, und brachten ihm häufig Opfer dar. – Denn an diese Gottheit, 〈Abb. 24〉 321 welche selber w i e s i e die Hirtenflöte blies, und den krummen Schäferstab in der Hand trug, durften die Hirten und die Bewohner der Fluren sich am nächsten anschließen, und theilnehmende Vorsorge und Beistand von ihr erwarten.

Sylvan.

Der eigentliche Gott der Wälder, den einige Dichtungen den übrigen noch hinzufügen, wird vom Pan nur wenig verschieden abgebildet, außer daß er, um gleichsam die Nacht des Waldes zu bezeichnen, einen Cypressenzweig in der Hand trägt, der zugleich das Freudenlose und Melancholische seines einsamen Aufenthalts mit bedeuten sollte, weswegen er auch den Landleuten furchtbar war.

Auf der hier beigefügten Kupfertafel befindet sich unten, nach einem antiken geschnittenen Steine, ein t a n z e n d e r F a u n; und oben eine sehr getreue Darstellung im Umriß von einem der schönsten Werke des Alterthums, das unter dem Nahmen, d e r S i e g e l - r i n g d e s M i c h e l A n g e l o, allgemein berühmt ist.

Man sieht hier Nymphen, Satyrn, Faunen, Liebesgötter, in eine
einzige schöne Gruppe vereinigt, in deren Mitte eine edle Mannsge-
stalt, mit einem Roß an der Hand, emporragt.

322   Die Weinranken, welche an zwei Ulmbäumen sich hinaufwinden,
bilden eine Laube, worüber zwei kleine Liebesgötter eine Decke ausbreiten. – Einige von den weiblichen Figuren tragen Körbe mit Wein-
trauben angefüllt auf den Köpfen; andre am Boden sitzend, sind vorzüglich mit einem K i n d e beschäftigt, das sich der einen an den
Busen schmiegt, und auf die Erziehung des j u n g e n B a c h u s von
den Nymphen, dieß Kunstwerk deuten läßt.

Zu der Gruppe der sitzenden Figuren gesellt sich ein Faun, der
kniend neuen Wein in eine Schale gießt. – Hinter ihm steht ein Satyr
und bläst auf einem Horn. – Am Ende trägt ein Knabe noch ein Gefäß
mit Wein herzu. – Vorzüglich schön ist die Stellung der beiden weiblichen Figuren auf der andern Seite, wovon sich die eine mit dem
Korbe auf dem Haupte, zu ihrer Gefährtin niederbückt. – Neben
diesen beiden Figuren hält eine dritte ihren Arm in die Höhe, um
dem einen Liebesgott eine Schale zu reichen. – Und nichts kann
reitzender seyn, als, wie die beiden Liebesgötter, um auch am Genuß
mit Theil zu nehmen, von oben ihre Hände ausstrecken, der eine nach
der emporgehaltnen Schale, der andre nach dem Korbe voll Trauben,
den eine von den Nymphen auf dem Haupte trägt.

323   Penaten.

Eine Art von Genien oder Schutzgöttern bei den Alten, waren die
Penaten, welche auch L a r e n hießen. Jede Stadt hatte ihre besondre
Schutzgötter, und jede Familie, und jedes Haus die seinigen. In diesen
Wesen, d i e d e n M e n s c h e n s o n a h e w a r e n, vervielfältigten die
hohen Gottheiten, aus denen man sich seine Schutzgötter wählte,
gleichsam ihre Gegenwart.

Der Hausgötter oder L a r e n waren gemeiniglich zwei, die auf dem
h e i l i g e n H e e r d e ihren Wohnplatz hatten, und wie Jünglinge mit
einem Hut und Reisestabe, und einem Hunde neben sich abgebildet

waren. Man bekränzte sie mit Blumen, und von den Speisen, die auf dem Heerde zubereitet wurden, brachte man ihnen Opfer dar. – Sie waren Zeugen vom Genuß des häuslichen Glücks. – Das Alltägliche und Gewöhnliche wurde durch ihre Gegenwart geheiligt, und jedes Haus gewissermaßen zu einem Tempel geweiht. –

Priapus.

Da bei den Alten noch nichts unheilig war, was die Natur gebeut, und das Geheimniß der Erzeugung und Fortpflanzung von ihnen als etwas Göttliches betrachtet wurde, wodurch die Gattung bei dem immer-währenden Abfall durch Alter | und Krankheit, sich in ewiger Jugend 324 erhält; so hatte auch die sonderbare Götterbildung des Priapus, mit einem ausgestreckten großen männlichen Zeugungsgliede, für sie nichts Anstößiges.

Zuweilen aus Stein, zuweilen nur aus Holz gearbeitet, und von den Hüften bis zum Fuß wie ein spitzzulaufender Pfeiler gestaltet, mit einem krummen Gartenmesser in der Hand, war Priapus der Hüter der Gärten und Weinberge. – Man brachte ihm Milch, Honig und Wein zum Opfer dar, damit er den Früchten Gedeihen gebe, und die Diebe verjage. – Unbeschadet seiner Verehrung aber verknüpfte man dennoch den Begriff von H ä ß l i c h k e i t mit seiner Gestalt, welche zugleich dazu dienen mußte, – d i e V ö g e l z u v e r s c h e u c h e n.

Komus.

Mit einer gesenkten Fackel in der Hand, und mit herabgesunknem Haupte, schlaftrunken an eine Thür sich lehnend, wurde Komus, der Vorsteher nächtlicher Schmäuse, frohen Lebensgenusses, muntrer Laune, heitrer Scherze, und geselliger Freuden, von den Alten gebil-det, und sie hielten den Genius des frohen Lebensgenusses nicht für unwürdig in der Reihe der Göttergestalten mit aufzutreten.

Hymen.

Ein schöner Jüngling mit der hochzeitlichen Fackel in der Hand, war der Genius oder der Gott der Ehen. — Ihm zu Ehren wurden Loblieder bei jeder Vermählungsfeier gesungen; die Gegenwart dieser Gottheit krönte den heiligen Bund, und weihte die Freuden des Hochzeitmals.

Orpheus.

Wie ein vom Himmel gesandtes Wesen lehrte Orpheus zuerst die Sterblichen auf die harmonischen Töne lauschen, indem er das Lob der Gottheit sang. — Er ist auf der hier beigefügten Kupfertafel nach einer antiken Gemme abgebildet, mit der Leyer in der Hand, die Thiere des Waldes um ihn her versammlet; ein bedeutendes Sinnbild, wie er durch die Macht der Tonkunst die wilden Naturen zähmte, und aus dem dumpfen thierischen Schlummer das Geschlecht der Menschen weckte. — Auf eben dieser Tafel ist, nach einem antiken geschnittnen Steine, der weise Chiron, den jungen Achilles in der Tonkunst unterrichtend, dargestellt.

Chiron.

Obgleich des Chiron, wegen seiner unmittelbaren Abstammung vom Saturnus, in der Reihe | der alten Göttergestalten schon gedacht ist; so tritt er doch auch vorzüglich unter den Wesen mit auf, welche das Band zwischen Göttern und Menschen knüpfen. — Denn seiner Führung und seinem göttlichen Unterricht dankten die Helden, welche selbst nachher die Zahl der Götter vermehrten, in ihrer frühesten Jugend ihre Bildung.

Nichts ist rührender, als die Worte, womit er, nach einem Dichter des Alterthums, den jungen Achill entließ:

O Sohn der Thetis, dich erwartet das Land des Assarakus, das der kalte Skamander, und der schlammigte Simois durchschneidet. – Von da haben dir die Parzen die Rückkehr abgeschnitten, und auf dem blauen Rücken des Meeres führt deine Mutter dich nicht zurück! – darum vergiß der Sorgen beim Wein und Saitenspiel, und verscheuche den Kummer durch süße Gespräche!

Aeskulap.

Auch der erste Anfang der Heilkunde wurde von den Alten als etwas Göttliches betrachtet. – Man dachte sich denjenigen, welcher zuerst diese Kunst im Leben übte, und selbst ihr Opfer wurde, auch noch nach seinem Tode als ein wohlthätiges, menschenfreundliches Wesen, zu dem die Kranken nicht unerhört um Hülfe flehen durften.

Apollo erzeugte nehmlich den Aeskulap mit der K o r o n i s, der Tochter eines Thessalischen Königs. Als Koronis mit dem I s c h y s einer heimlichen Liebe pflog, bestrafte Apollo ihre Untreue mit dem Tode; den Aeskulap aber, mit dem sie schwanger war, rettete er noch, da sie schon auf dem Scheiterhaufen lag.

Nun wurde der Göttersohn in der Höhle des weisen Chiron erzogen, der ihn in jeglicher Wissenschaft, und vorzüglich in der K r ä u t e r - k u n d e unterwieß, welche Wissenschaft Aeskulap zu einer Wohl-thäterin der Menschheit machte, indem er die Kräfte der Pflanzen erforschend, die mannichfaltigsten Heilmittel für die mannichfalti-gen Krankheiten des Körpers daraus erfand.

Er trieb diese Kunst so weit, daß die Dichtung von ihm sagt, es sey ihm mehrere Male gelungen, den Todten selbst wieder Leben ein-zuhauchen. – Darüber zürnte die immerzerstörende Macht, das im-merverschlingende Grab, und die Gewalt des schrecklichen Pluto, die den Erwecker der Todten, als einen kühnen und vermeßnen Frevler beim Donnerer verklagte. Dieser ließ den Aeskulap, s o   w i e   d e n P r o m e t h e u s, für seine Wohlthat an den Menschen büßen – und schleuderte seine Blitze auf das schuldlose Haupt. – Der die Schmer-zen der Menschen linderte und ihre | Krankheiten heilte, ward auf die Weise selbst ein Opfer seiner wohlthätigen Kunst. –

327

328

Nach seinem Tode wurden ihm Haine, Tempel und Altäre geweiht; − vorzüglich wurde er zu E p i d a u r u s in Griechenland verehrt. − Seine Söhne M a c h a o n und P o d a l i r i u s, waren im Trojanischen Kriege als Anführer und Helden, und zugleich wegen ihrer großen Wissenschaft in der Heilkunde, berühmt.

Dem Aeskulap war die Schlange, als ein Bild der Genesung und Gesundheit, heilig; vermuthlich in so fern man sich unter ihr ein sich selbst v e r j ü n g e n d e s, und durch die Abstreifung der Haut sich gleichsam wieder e r n e u e r n d e s Wesen dachte.

Neben dem Aeskulap findet man zuweilen einen kleinen Knaben abgebildet, mit einer Mütze auf dem Kopfe, und in einen Mantel ganz eingehüllt. Sein Nahme ist T e l e s p h o r u s, und seine Kindergestalt, und sonderbare Umhüllung, scheinet auf irgend eine Weise auf den Zustand der W i e d e r g e n e s e n d e n anzuspielen. − Auf der hier beigefügten Kupfertafel sind Aeskulap und H y g e a, beide nach antiken geschnittnen Steinen, im Umriß abgebildet.

Hygea.

⟨Abb. 26⟩
329

Hygea, eine Tochter des Aeskulap, wurde sogar als die G ö t t i n d e r G e s u n d h e i t selbst ver-|ehrt. − Auch zu ihr gesellt sich die wohlthätige heilbringende Schlange, und wird aus einer flachen Schale von ihr gespeist. − Die Erhaltung der Gesundheit ist ihr Geschäft; und sie bringt als eine milde Gabe diese Wohlthat von den Göttern zu den Sterblichen hernieder. −

330

Die Lieblinge der Götter.

Die Dichtungen von den Lieblingen der Götter erhalten einen vorzüglichen Reitz durch eine Art von schwermüthigen trüben Dämmerschein, der sie umhüllt. − Wenn Jugend und Schönheit ein Raub des Todes wurden, so hieß es, irgend eine Gottheit habe ihren Liebling von der Erd' entführt. – Auf die Weise ward die Trauer mit Freude vermischt; und die Klage um den Todten gemildert. – Man findet daher auch diese Dichtungen auf den Marmorsärgen der Alten am häufigsten dargestellt.

Ganymed.

Vom Ganymedes, einem Sohn des T r o s und Urenkel des D a r d a - n u s, des ersten Stifters von Troja, sagt der Dichter: Er war der schön- ste unter den sterblichen Menschen. – Die Götter selbst e n t f ü h r t e n i h n, s e i n e r S c h ö n h e i t w e g e n – damit er dem Jupiter den Be- cher reichte, und in der Gesellschaft der Unsterblichen wäre.

In der Gestalt des Adlers, welcher den Donner trug, entführte Ju- piter seinen Liebling, von dem Gipfel des Ida, und trug ihn sanft in den gekrümmten Klauen, schwebend, von der Erd' empor.   331

In diese schöne Dichtung hüllte die tröstende Phantasie den frühen Verlust des Jünglings ein, dessen Jugend und Schönheit man sich unmöglich als sterblich denken konnte, und daher sein V e r s c h w i n - d e n, als eine Hinwegrückung von der Erde zum Sitz der unsterbli- chen Götter sich erklärte.

In diese Sehnsucht nach dem Genuß eines höhern Daseyns, lößt, nach der erhabnen Darstellung eines neuern Dichters, die schöne Fabel vom Ganymed sich auf:

Ganymed.

Wie im Morgenglanze
Du rings mich anglühst,
Frühling, Geliebter!
Mit tausendfacher Liebeswonne
Sich an mein Herz drängt
Deiner ewigen Wärme
Heilig Gefühl,

Unendliche Schöne!

Daß ich dich fassen möcht'
In diesen Arm!

332 Ach, an deinem Busen
Lieg' ich, schmachte,
Und deine Blumen, dein Gras
Drängen sich an mein Herz.
Du kühlst den brennenden
Durst meines Busens,
Lieblicher Morgenwind,
Ruft drein die Nachtigal
Liebend nach mir aus dem Nebelthal.
Ich komm'! Ich komm!
Wohin? Ach, wohin?

Hinauf! Hinauf strebt's!
Es schweben die Wolken
Abwärts, die Wolken
Neigen sich der sehnenden Liebe.
Mir! Mir!
In euerm Schooße
Aufwärts!
Umfangend umfangen!
Aufwärts an deinem Busen,
Allliebender Vater!

Göthe.

An der Göttertafel den Nektar einzuschenken, war nun das Geschäft
des Ganymedes. – Vor ihm verwaltete H e b e, die Tochter der Juno,
dieses Amt, bis sie durch einen Fehltritt desselben verlustig wurde,
indem sie einst im Fallen, durch eine unanständige Stellung, die
333 Grazie entweihte, | welche bei diesem hohen Götteramte jede Bewe-
gung begleiten mußte.

Atys.

Auch C y b e l e , die ernsthafte Mutter der Götter, wählte sich den schönen Knaben Atys zu ihrem Lieblinge. — Er verließ seine väterlichen Fluren, und eilte in die phrygischen Wälder, um dem Dienste der strengen und keuschen Göttin sich ganz zu widmen.

Als er aber einst ihres Verbots vergaß, der Liebe nie zu pflegen, und von den Reitzen der schönen Nymphe S a n g a r i s hingerissen, mit dieser der Liebe pflog; brach über ihn und den Gegenstand seiner Liebe der Zorn der Göttin aus. — Er selber bestrafte sich durch E n t - m a n n u n g für sein Vergehen, und mußte durch immerwiederkehrende Anfälle von Raserei für seinen zu nahen Umgang mit der zu hoch erhabnen, geheimnißvollen Gottheit büßen.

Eine schöne Dichtung aus dem Alterthum stellt ihn dar, am Ufer des Meeres stehend, und eine kleine Weile seines Bewußtseyns mächtig, sehnsuchtsvoll nach dem entfernten Ufer hinüberblickend, wo er im Schooße seiner Eltern, und mit seinen Gespielen, der Kindheit süßen Traum verlebte.

Aber ihm nähert sich die Göttin auf ihrem mit Löwen bespannten 334 Wagen, — und plötzlich ergreift den Atys wieder rasende Wuth; er eilt des Berges waldigten Gipfel hinauf, um alle Tage seines Lebens in weibischer Weichlichkeit der mächtigen Göttin zu dienen.

Tithonus.

Dieser schöne Jüngling war ein Sohn des trojanischen Königs Laomedon und Bruder des Priamus. — Die Dichtung hüllte seinen Verlust in die Fabel ein, daß A u r o r a ihn einst bei seinen Heerden erblickt, und wegen seiner Schönheit ihn entführt habe.

Sie erbat vom Jupiter für ihn die Unsterblichkeit, und ihre Bitte ward ihr gewährt. — Nun hieß es in der Dichtersprache, daß Aurora jeden Morgen aus dem Bette des Tithonus emporstiege, um am Himmel zu glänzen. Aurora erzeugte mit ihm den M e m n o n , dessen schon gedacht ist, wie die metallne Seule, die nach seinem Tode ihm

errichtet wurde, einen hellen Klang von sich gab, so oft die ersten
Strahlen der aufgehenden Sonne sie beschienen.

   Das Glück des Tithonus aber, in Aurorens Arm zu ruhen, blieb
dennoch unvollkommen. Aurora hatte aus der Acht gelassen, mit der
335 Un-|sterblichkeit zugleich die B e f r e i u n g v o m A l t e r für ihn vom
Jupiter zu erbitten. Und nun welkte ihr Liebling von Alter und
Schwachheit aufgezehrt dahin, daß kaum noch die Stimme von ihm
übrig blieb, und er zuletzt selber die Göttin bat, sein Wesen aufzu-
lösen. –

   Kein Glück, sagt daher ein Dichter des Alterthums, kein Glück ist
durchaus vollkommen! – Den jungen Achilles rafte ein schneller Tod
dahin; – den Tithonus zehrte ein langsames Alter auf; – seine Unsterblichkeit selbst ward ihm zur Bürde.

Anchises.

Merkwürdig ist die Anrede der V e n u s an ihren Liebling Anchises,
dessen schon gedacht ist, daß er den Held Aeneas mit ihr erzeugte. –
Sie spricht zu ihm, da sie als Göttin sich ihm zu erkennen giebt: sey
ohne Furcht! d u w i r s t n i c h t s S c h l i m m e s w e g e n m e i n e r
L i e b e erdulden. – Ich werde nicht, wie Aurora für ihren Tithonus,
die Unsterblichkeit für dich erbitten; sondern dich wird das schnelle
Alter, so wie die andern Sterblichen überschleichen. – Die Nymphen
des Waldes aber sollen den Sohn, den ich gebähre, erziehen. – Wenn er
mannbar ist, sollst du an seiner göttergleichen Gestalt dich weiden.
336 Und|wenn dich jemand frägt, wer diesen Sohn gebohren, so sollst du
sagen: eine der Nymphen, die diese Berge bewohnen; – rühmst du
dich aber thöricht, daß du in Cytherens Arm geruht, so wird dich
Jupiters Blitz zerschmettern! Dieß präge tief dir ein, und fürchte den
Zorn der Götter!

Adonis.

Die Liebe der Venus zu dem schönen Jüngling Adonis ging bald in die Klage um seinen Tod hinüber. — Adonis war ein Sohn der Myrrha, der Tochter des Cinyras, mit dem sie im nächtlichen Dunkel, ihm selber unbewußt, eine Zeitlang blutschändrischer Liebe pflog, bis einst zufällig die gräßliche Scene erleuchtet wurde, und der Vater unter tausend Verwünschungen und Flüchen, mit dem tödtenden Eisen seine Tochter verfolgte, die bis nach Arabien flohe, wo sie ihr Vergehen bereuend, so lange Thränen weinte, bis sie zuletzt in eine Myrrhe verwandelt, das Bewußtseyn von ihrer That verlohr.

Noch während ihrer Verwandlung ward Adonis von ihr gebohren, den die Nymphen des Waldes erzogen, und welchen Venus, da er ein Jüngling war, vor allen zu ihrem Lieblinge wählte, und weil sie keinen Augenblick ihn verlassen wollte, sogar einen Theil ihrer Sanftheit ablegte, und auf der Jagd der Hirsche und Rehe ihn begleitete.

So oft er aber allein die Spur der reißenden und gefährlichen Thie- 337 re verfolgte, warnete sie ihn jedesmal, wenn er von ihr ging, sein ihr so theures Leben nicht in Gefahr zu setzen. — Allein bei dem jungen Adonis überwand sein kühner Muth die Zärtlichkeit, — er folgte der Warnung der Göttin nicht.

Schon schwebte sein schwarzes Verhängniß über ihm; — er stieß auf einen ergrimmten Eber; — schoß vergebens seinen Jagdspieß ab; — schon senkte des Ebers weißer Zahn sich in des Jünglings Hüfte. — Häufiges Blut entströmte der Wunde, und Venus, welche schon mit Angst und Zagen ahndungsvoll ihren Liebling suchte, fand ihn erblaßt in seinem Blute liegend.

Vergebens suchte sie ihn ins Leben zurückzurufen, und klagte zürnend das Schicksal an. — Allmälig verwandelte ihre Verzweiflung sich in sanftre Traurigkeit; — sie ließ aus ihres Lieblings Asche die Anemone entsprießen, und gab ihm dadurch eine Art von Unsterblichkeit. —

Dem Adonis wurde ein Fest gefeiert, wo die Weiber seinen Tod beklagten, und indem sie Körbe mit Blumen ins Wasser stürzten, des

Lebens kurze Blüthe beweinten. – Es scheint, als ob die Klage um den
Adonis, welche im Orient allgemein war, sich auf noch eine weit
ältere Dichtung gründe, die in diese Einkleidung der neuern griechischen Fabel sich gehüllt hat.

Hyacinthus.

³³⁸

Ein Liebling des Apollo war der schöne Hyacinthus, ein Sohn des
Oebalus, eines Lacedemonischen Fürsten. – Apollo und sein Liebling
wetteiferten einst im Scheibenwerfen; – aus der Hand des Gottes flog
die Wurfscheibe, – und B o r e a s auf den Apollo eifersüchtig, lenkte
sie in der Luft, und trieb sie an des Jünglings Haupt, welcher todt
darniedersank. – Apollo ließ aus seines Lieblings Asche die Hyacinthe
hervorgehen; und die Lacedämonier feierten jährlich ein Fest bei
dem Grabe des schönen Jünglings, der in des Lebens Blüthe ein Raub
des Todes ward.

Cyparissus.

Auch diesem Liebling des Apollo war nur ein kurzes Alter bestimmt.
– Der schöne Knabe besaß einen zahmen Hirsch, der ihm vorzüglich
lieb war, und von seiner Kindheit an ihm Freude machte. – Diesen
erschoß er unversehens im Dunkel des Waldes; und sein zu weiches
Herz ließ ihn diese That so sehr bereuen, daß er unaufhörlich traurend die einsamsten Schatten suchte, und sich in Kurzem zu Tode
härmte. – Als er gestorben war, so ließ Apollo aus seinem Grabe die
dunkle Cypresse emporsteigen, die den Nahmen | des Entschlummer-
ten verewigte, und immer ein Sinnbild der Trauer blieb. – Man siehet
aus dieser, so wie aus den vorhergehenden Dichtungen, was Jugend
und Schönheit, vom Tode dahingeraft, auf jene sanften Gemüther für
einen unauslöschlichen Eindruck machten.

Leukothoe.

Ohngeachtet Apollo selber der Gott der Jugend und Schönheit war, so war er doch selten in der Liebe glücklich. – Leukothoe, des O r c h a - m u s Tochter, pflog mit dem Apollo einer verstohlnen Liebe. – K l y - t i e , eine andre Geliebte des Apollo hierüber eifersüchtig, verrieth dem strengen Orchamus das Liebesverständniß seiner Tochter. Dieser vergrub sie lebendig in die Erde, und Apollo, der sie nicht retten konnte, ließ zum bleibenden Andenken ihrer Zärtlichkeit und ihres Schicksals, die W e i h r a u c h s t a u d e aus ihrem Grabe emporwachsen.

K l y t i e hatte nun durch ihren Verrath des Gottes Liebe auf immer verscherzt; – untröstlich darüber kehrte sie neun Tage lang, ohne Speise und Trank zu nehmen, ihr Antlitz nach der S o n n e , dem glänzenden Urbilde des Gottes mit dem silbernen Bogen. – Zuletzt ward sie, von Gram und Kummer aufgezehrt, in eine Blume | ver- 340 wandelt, in welcher Gestalt sie immer noch wie ehmals, sich n a c h d e r S o n n e w e n d e t .

Auch D a p h n e entschlüpfte der Umarmung des Apollo. – Als sie von ihm verfolgt nicht weiter fliehen konnte, flehte sie ihren Vater, den Flußgott P e n e u s um Rettung an, und dieser verwandelte sie in einen Lorbeerbaum, der nachher dem Apollo beständig heilig war, und mit dessen Zweigen er seine Schläfe umkränzte. – So täuschen den G o t t d e r D i c h t e r in diesen Fabeln seine Wünsche. – L o r - b e e r , der sein Haar umkränzt, W e i h r a u c h , der ihm duftet, sind sein Ersatz für den Genuß versagter Liebe.

Endymion.

Unter allen Lieblingen der Götter hat die Dichtung den schönen Jäger Endymion des größten Vorzugs gewürdigt, weil D i a n a , die strenge Göttin der Keuschheit selber, von seinen Reitzen gefesselt, die Macht der Liebe empfindet. –

Auf dem einsamen Gebirge L a t m u s in K a r i e n war Endymions
Aufenthalt. − Er jagte beim nächtlichen Schein des Mondes in den
Wäldern, bis er ermüdet entschlummerte. − Schlummernd erblickte
ihn einst Diana, als sie mit ihrer Fackel die Nacht erleuchtend am
341 Himmel aufstieg, − alles war einsam und still; − sie hielt|die Rosse vor
ihrem Wagen an, und senkte sich langsam aus der Höhe bis zu der
Lippe des Schlummrers nieder, die sie zum erstenmal mit heißer
Liebe küßte.

Oft senkte sie nun nachher den Schlummer auf Endymions Augen-
lieder, der schlafend des Glücks genoß, das Göttern und Menschen
noch nie zu Theil ward. −

Unter dem schönen Sinnbilde vom schlummernden Endymion ließ
ein zartes Gefühl die Alten den Tod darstellen; und man sieht auf
ihren Marmorsärgen, welche die Asche früh verblühter Jünglinge
umschlossen, den glücklichen Schläfer abgebildet, wie Diana auf ihrem Wagen zu seinen Kuß sich herniedersenkt.

Acis.

Den schönen Schäfer A c i s in Sicilien liebte G a l a t e a, eine der N e -
r e i d e n. − Vergebens warb der ungeheure Polyphem um ihre Gunst.
− Als er aber einst am Fuß des Aetna die Nymphe den schönen Acis
umarmend erblickte, riß er voll wüthender Eifersucht einen Felsen
los, und schleuderte ihn, die Liebenden zu zerschmettern. − Die Nymphe entfloh ins Meer, den Acis traf der Stein, und plötzlich lößte sein
Wesen in einen Bach sich auf, der nachher seinen Nahmen führte.

342   ## Peleus.

Einer der glücklichsten Sterblichen war Peleus, der Sohn des gerechtesten Fürsten, der Vater des tapfersten Helden, und der Gemahl einer
Göttin, die vom Jupiter selbst geliebt war. −

Eben die T h e t i s, des N e r e u s Tochter, vor deren Umarmung
Prometheus den Jupiter warnte, war es, welche mit dem Peleus, des

Aeakus Sohn, obgleich sich eine Zeitlang sträubend, auf aller Götter
Zureden sich vermählte, und von dem Peleus den Achill gebahr, der
mächtiger als sein Vater, den glänzendsten Heldenruhm erwarb.

Bei der Hochzeit des Peleus waren alle Götter versammlet, nur war
Eris, die Göttin der Zwietracht ausgeschlossen. – Und diese warf in
das glänzende Gemach den goldnen Apfel mit der unglückbringen-
den Inschrift, die ihn der Schönsten unter den Göttinnen weihte. –

Diese glänzende Hochzeitfeier enthielt den ersten Keim zu dem
verderblichen Kriege, der Troja verwüstete, und Griechenland seiner
tapfern Söhne beraubte. – Auch des Peleus Glück war nicht von Dauer; – ihn überschlich das drückende Alter; – er überlebte seinen tapfern Sohn. – Vom Gram gebeugt, und kummervoll beschloß er seine
Tage.

Von den Lieblingen der Götter ist auf der hier beigefügten Kupfertafel, nach einem antiken geschnittnen Steine Ganymedes dargestellt, wie Jupiter in der Gestalt des Adlers ihn entführt. – Auch ist
auf eben dieser Tafel, nach einer andern antiken Gemme, der Sturz
des Phaeton abgebildet.

⟨Abb. 27⟩
343

Die tragischen Dichtungen.

344

Daß die Alten überhaupt in ihren Dichtungen das Tragische liebten, siehet man aus der ganzen Folge ihrer Götter- und Heldenge-
schichte. – Das ungleiche Verhältniß der Menschen zu
den Göttern, welches schon von ihrer Entstehung an sich offenbarte, ist fast in jeder Dichtung auf irgend eine Weise in ein auffal-
lendes Licht gestellt. –

Die Götter erhöhen und stürzen nach Gefallen. – Jeder Versuch
eines Sterblichen mit ihrer Macht und Hoheit sich zu messen, wird
auf das schrecklichste geahndet. – Ihr zu naher Umgang bringt oft
ihren Lieblingen selbst den Tod. – Ihre wohlthätige Macht wird von
der furchtbaren überwogen. –

Allein es gab ein F a t u m , das über Götter und Menschen herrschte. – Durch dieß Fatum fühlten die Sterblichen sich den Göttern
gleich gesetzt, wenn in den hohen tragischen Dichtungen gegen den
Druck der Obermacht die langverhaltne Erbittrung endlich ausbrach.
345   Folgender Gesang eines neuern Dichters hallt jene furchtbaren
Töne wieder, und reißt den Horcher an die tragische Schaubühne der
Alten hin:

> Es fürchte die Götter
> Das Menschengeschlecht!
> Sie halten die Herrschaft
> In ewigen Händen,
> Und können sie brauchen,
> Wie's ihnen gefällt.
>
> Der fürchte sie doppelt,
> Den je sie erheben!
> Auf Klippen und Wolken
> Sind Stühle bereitet
> Um goldene Tische.
>
> Erhebet ein Zwist sich:
> So stürzen die Gäste,
> Geschmäht und geschändet,
> In nächtliche Tiefen,
> Und harren vergebens,
> Im Finstern gebunden,
> Gerechten Gerichtes.
>
> Sie aber, sie bleiben
> In ewigen Festen
> An goldenen Tischen.
> Sie schreiten von Bergen
> Zu Bergen hinüber;

Aus Schlünden der Tiefe 346
Dampft ihnen der Athem
Erstickter Titanen,
Gleich Opfergerüchen,
Ein leichtes Gewölke.

Es wenden die Herrscher
Ihr segnendes Auge
Von ganzen Geschlechtern,
Und meiden, im Enkel
Die eh'mals geliebten,
Still redenden Züge
Des Ahnherrn zu sehn.

Göthens Iphigenie.

Theben.

Vorzüglich war T h e b e n in Griechenland der Schauplatz der tragischen Begebenheiten, welche auf der Bühne dargestellt, die schmerz-
lichsüße Theilnehmung an dem Jammer der Vorwelt in jedem Busen
weckten, und ein ganzes mitempfindendes Volk zur höhern Bildung
veredelten.

Kadmus.

A g e n o r, dessen Tochter E u r o p a vom Jupiter entführt ward, war
auch der Vater des Kadmus, dem er befahl, die entführte Tochter in
allen Ländern aufzusuchen, und ohne sie vor ihm nicht wieder zu
erscheinen. –

So rächte die z ü r n e n d e E i f e r s u c h t d e r J u n o sich an Agenors 347
Hause. Wie ein Flüchtling mußte Kadmus umherirren, und durfte, da
er seine Schwester nirgends fand, in seine väterliche Heimath nicht
wiederkehren, sondern mußte im fremden Lande sich einen Wohnsitz
suchen.

Er kam nach Böotien in Griechenland, und wählte es, einem Orakelspruch zu Folge, zu seinem Aufenthalt. Als er nun seine Gefährten,
um Wasser zu einem Opfer zu schöpfen, in ein dem Mars geweihtes
Gehölze schickte, wurden sie von einem ungeheuren Drachen, dem
Hüter dieses heiligen Hains, getödtet.

Kadmus erlegte dieß Ungeheuer, und mußte, auf den Befehl der
Minerva, die Zähne des Drachen in die Erde säen. – Aus dieser Saat
keimten geharnischte Männer auf, die sogleich ihre Schwerdter gegeneinander zückten, und sich einander erschlugen, bis auf fünf, die
dem Kadmus Theben erbauen halfen.

Diese Dichtung von den Kriegern, die aus der Saat der Drachenzähne entsprossen, sich selbst einander aufreiben, ist schon ein dunk-
les Vorbild von alle dem Jammer und der Zwietracht, welche die
Nachkommen des Kadmus einst ihre Schwerdter gegen sich selber
kehren, und sie in ihr Eingeweide wüthen läßt.

348   Kadmus, der Stifter von Theben, vermählte sich nun mit der Harmonia, einer Tochter des Mars und der Venus, und bildete das
Volk, das er um sich her versammelte, und dem er zuerst die Schrift-
zeichen mittheilte, die er aus Phönizien mit sich hieher gebracht.
Er lebte mit der Harmonia bis in sein spätestes Alter. – Um diesem
Paar eine Art von Unsterblichkeit zu geben, sagt die Dichtung, daß
beide zuletzt in Schlangen verwandelt wurden.

Die Kinder des Kadmus, welche er mit der Harmonia oder Hermione erzeugte, waren Ino, Agave, Autonoe, Semele, und
ein Sohn Nahmens Polydorus. – Semele, die Mutter des Bachus,
deren schon öfter gedacht ist, kam in Flammen um, weil sie auf
Anstiften der Juno, den thörichten unwiderruflichen Wunsch gethan
hatte, ihren Liebhaber, den Donnergott, in seiner ganzen Majestät zu
sehen.

Agave vermählte sich mit dem Echion, einem der übrigge-
bliebnen von denen, die aus der Saat der Drachenzähne entsprossen
waren, welcher den Pentheus mit ihr erzeugte. – Dieser Pentheus, welcher sich spottend der Verehrung des Bachus widersetzte,
und dessen Priesterinnen verfolgte, wurde, wie schon gedacht ist, von

seiner eignen Mutter und den übrigen Bachantinnen, die ihn für ein
reißendes Thier ansahen, zerfleischt.

Die Ino verfolgte der Zorn der Juno, weil sie den jungen Bachus 349
säugte. – Sie war mit dem Athamas vermählt. – Diesen ergriff eine
rasende Wuth, in welcher er ihren ersten Sohn Learchus an einem
Felsen zerschmetterte; und da sie mit ihrem jüngsten Sohn Meli-
certes vor ihm flohe, bis an eine Felsenspitze am Meere sie verfolgte.
Hier stürzte Ino sich mit ihrem Sohn herab, und ward sammt ihm von
den Wellen emporgetragen. – Beide wurden unter die Meergötter
aufgenommen, – und Ino ward unter dem Nahmen Leukothea
verehrt.

Autonoe, die vierte Tochter des Kadmus, vermählte sich mit dem
Aristäus, der den Aktäon mit ihr erzeugte, dessen schon gedacht
ist, wie ihn seine eignen Hunde zerrissen, als Diana, die er im Bade
erblickte, um seinen Frevel zu strafen, ihn in einen Hirsch verwandelt
hatte.

Dieß sind die Schicksale der Töchter des Kadmus, welche ein feindseliges Verhängniß und den Haß der Juno, der auf ihres Vaters Hause
ruhte, mehr oder weniger tragen mußten.

Kadmus selber begab sich in seinem Alter nach Illyrien, wo,
nach der Fabel, seine Verwandlung vorging. – Die Herrschaft über
Theben überließ er seinem Sohn, dem Polydor, welcher den Labdakus erzeugte, der ihm wieder in der Regierung folgte. Labdakus
vermählte sich mit | der Nykteis, einer Tochter des Nykteus, und 450 recte 350
erzeugte mit ihr den Lajus, der noch minderjährig war, als sein
Vater starb, und an dessen Stelle Lykus, ein Bruder des Nykteus,
über Theben herrschte.

Antiope, eine Tochter des Nykteus, ward vom Jupiter geliebt,
von ihrem Vater aber verstoßen; sie rettete sich zum Epopeus, dem
Könige von Sicyon, der sich mit ihr vermählte. Lykus aber, der dem
sterbenden Nykteus versprochen hatte, ihn an seiner Tochter zu rächen, erschlug den Epopeus, und führte die Antiope gefangen nach
Theben, wo er sie seiner Gemahlin Dirce übergab, von der sie auf
das grausamste mißhandelt wurde.

Antiope hatte vom Jupiter den A m p h i o n und Z e t h u s gebohren,
die heimlich erzogen wurden. − Sobald sie ein Mittel fand, zu entrinnen, eilte sie zu ihren Söhnen, und forderte sie auf, die Schmach ihrer
Mutter zu rächen. − Amphion und Zethus drangen in Theben ein,
erschlugen den Lykus, verjagten den Lajus, und banden die D i r c e,
welche ihre Mutter so grausam mißhandelt hatte, an die Hörner eines
wilden Stiers, von dem sie zerrissen ward.

Amphion erbaute nun die Mauern von Theben, und schloß die
Stadt mit sieben Thoren ein. − Die Ueberredungskunst, womit Am-
phion | zu diesem Werke die rohen Einwohner zu ermuntern wußte,
hüllt die Dichtung in die schöne Fabel ein, daß er durch die Töne
seiner Leyer d i e S t e i n e selbst bewegt habe, sich zusammenzufügen,
und zu Mauern und Thürmen sich zu bilden.

Nach dem Tode des Amphion und Zethus riefen die Thebaner den
verjagten Lajus, des Labdakus Sohn zurück, und gaben ihm die Herrschaft wieder, worauf er mit der J o k a s t e, der Schwester des K r e -
o n, eines Thebanischen Fürsten, sich vermählte.

Oedipus.

Dem Lajus war geweißagt worden, daß sein Sohn ihn erschlagen
würde. − Als ihm daher Jokaste den O e d i p u s gebahr, so ließ er ihn
in einer wüsten Gegend aussetzen. Der vertraute Bediente, der dieß
Geschäft verrichtete, band das Kind mit den Füßen an einen Baum.

In diesem Zustande fand es P h o r b a s, der Aufseher der Heerden
des Königs P o l y b i u s, der Korinth beherrschte. Dieser nahm das
Kind, als es ihm Phorbas brachte, selbst an Kindes statt an, und man
gab ihm von seinen g e s c h w o l l n e n F ü ß e n, den Nahmen O e d i -
p u s.

Die Pflegeältern des Oedipus verhehlten sorgfältig vor ihm die
Ungewißheit seiner Abkunft, so daß er von Kindheit an, sie für seine
wahren El-|tern hielt, bis in seinen Jünglingsjahren einige beunru-
higende Zweifel ihn bewogen, das Orakel des Apollo um Rath zu
fragen.

Das Orakel berührte den eigentlichen Punkt seiner Abkunft nicht, sondern warnte ihn nur, v o r d e r R ü c k k e h r i n s e i n V a t e r l a n d, w e i l e r d a s e l b s t s e i n e n V a t e r t ö d t e n, u n d s e i n e e i g n e M u t t e r z u m W e i b e n e h m e n w ü r d e. −

Oedipus suchte seinem Schicksal zu entgehen, indem er sich freiwillig von Korinth verbannte, das er noch immer für sein Vaterland hielt. − In dieser Rücksicht begab er sich auf den Weg nach Theben, und ging unwissend seinem Schicksal entgegen.

Denn schon auf der Reise stieß er in einem engen Wege auf den Lajus, dem er nicht ausweichen wollte, und darüber mit ihm und seinem Gefolge in einen Streit gerieth, wovon das Ende war, daß Oedipus unwissend seinen eignen Vater erschlug, und auf die Weise ein Theil des Orakels in Erfüllung ging.

Als Oedipus nach Theben kam, fand er die S p h i n x, ein von der Echidna gebohrnes, und von der Juno gesandtes geflügeltes Ungeheuer in Löwengestalt und mit jungfräulichem Antlitz, die Einwohner ängstigend.

Auf einem Felsen nicht weit von Theben saß die Sphinx, und gab den Vorbeigehenden ein | Räthsel auf: was für ein Thier am Morgen auf vier, am Tage auf zwei, am Abend auf drei Füßen gehe? Wer dieß Räthsel nicht errieth, den stürzte sie von dem Felsen herab. ³⁵³

Oedipus kam und deutete das Räthsel: der Mensch als Kind am frühesten Morgen seines Lebens, wälze sich auf H ä n d e n u n d F ü - ß e n fort; am langen Tage des Lebens, wo noch die Kraft in seinen Gliedern wohnt, wandle er aufrecht auf z w e i F ü ß e n; am Abend, wenn das Alter ihn überschleicht, gehe er gebückt am Stabe, und setze auf die Weise den d r i t t e n F u ß 3 sich an.

Nun tödtete Oedipus die Sphinx, oder, nach einer andern bedeutendern Sage, stürzte sie sich vom Felsen herab, sobald er das Räthsel errathen hatte. −

Da nun Lajus todt war, ohne daß man seinen Mörder wußte; so hatte man demjenigen, der das Räthsel der Sphinx auflösen, und von diesem Ungeheuer das Land befreien würde, verheißen, daß die Königin sich mit ihm vermählen, und ihm die Herrschaft über Theben zum Brautschatz bringen solle.

Dem Oedipus ward nun dieß von vielen Tausenden beneidete an-
scheinende Glück zu Theil, womit der schreckliche Orakelspruch
ganz und ohne Schonung in Erfüllung ging; indem er sich mit J o -
354 k a s t e n , der Königin, vermählte, n a h m e r | u n w i s s e n d s e i n e
e i g n e M u t t e r z u m W e i b e , n a c h d e m e r s e i n e n V a t e r e r -
s c h l a g e n h a t t e .

Eine Weile Lebensgenuß verstattete ihm noch sein feindseliges
Geschick, indem es vor alle diese Gräuel einen Vorhang zog. Oedipus
erzeugte mit der Jokaste zwei Söhne, E t e o k l e s und P o l y n i c e s ;
und zwei Töchter A n t i g o n e und I s m e n e − eben so unwissend
über sein eignes Schicksal, als über das künftige Schicksal seiner Kinder.

Die Tage dieser glücklichen Unwissenheit sollten nicht lange mehr
dauern. Ueber Theben kam eine verwüstende Pest. Oedipus selber
that den Vorschlag, das Orakel zu befragen, ob etwa irgend ein ein-
zelner Mann den Zorn der Götter auf sich geladen? und ob das ganze
Land vielleicht die Schuld eines Einzelnen büßen müsse? −

Man folgte seinem Rath, und der furchtbare Ausspruch traf ihn
selber. − Er ruhte nicht nachzuforschen, bis er die Wahrheit ans Licht
bringen, oder die Verläumdung zu Schanden machen würde; und mit
jeder Nachforschung entwickelte sich immer klärer die gräßliche Geschichte.

Als endlich nun kein Zweifel mehr übrig war, und Oedipus mit
schrecklicher Gewißheit, der Blutschande und des Vatermords sich
schuldig fand, so vermochte er nicht länger des Tages Glanz zu tragen,
355 und blendete sich selber. − Die un-|glückliche Jokaste gab sich mit
dem Strange den Tod. − Und Oedipus irrte, des Augenlichts beraubt,
von seiner Tochter A n t i g o n e geführt, beladen mit dem Haß der
Götter, bis an seinen Tod im fremden Land' umher.

Dem Oedipus folgten in der Regierung seine beiden Söhne, E t e -
o k l e s und P o l y n i c e s , dergestalt, daß beide abwechselnd, ein Jahr
um das andre, die Herrschaft führen sollten. − Aber auch diese traf das
feindselige Verhängniß, das auf Theben und den Nachkommen des
Kadmus ruhte.

Eteokles und Polynices.

Diese beiden wurden ein Opfer ihres Zwistes, der aus Neid und Herrschsucht sich entspann. – Eteokles trat die Regierung an. – Das erste Jahr verfloß, – und Eteokles, der einmal im Besitz war, weigerte sich, dem Polynices auf das andre Jahr die Herrschaft abzutreten. – Polynices ging aus Theben und begab sich zum A d r a s t u s, der über A r g o s herrschte. Dieser nahm ihn gütig auf, versprach ihm seinen Beistand, und vermählte ihm seine Tochter. – Auch T y d e u s, des O e n e u s Sohn, und Bruder des M e l e a g e r, begab sich um eben diese Zeit zum Könige Adrastus, weil er aus Kalydon flüchten mußte, und diesem vermählte Adrastus seine andre Tochter.

Um nun dem Polynices seinen Antheil an der Herrschaft über Theben wieder zu verschaffen, schickte Adrastus erst den Tydeus zum Eteokles, um Unterhandlung mit ihm zu pflegen. Da aber dieser, noch ehe er nach Theben kam, von einem Hinterhalt, den Eteokles ihm gelegt, verräthrisch überfallen wurde, und nachdem er mit Mühe sich gerettet hatte, mit der Nachricht von dieser Verrätherei nach Argos zurückkehrte; so rüstete Adrastus sich schleunig zum Kriege gegen den Eteokles.

Der Thebanische Krieg.

Zu der Unternehmung gegen Theben vereinigte sich A d r a s t u s mit seinen beiden Tochtermännern, dem T y d e u s, und dem P o l y n i c e s, um dessentwillen er den Krieg anhub. – Zu ihnen gesellte sich der tapfre K a p a n e u s aus Messene; H i p p o m e d o n, ein Sohn der Schwester des Adrastus; und P a r t h e n o p ä u s, ein schöner und tapfrer Jüngling aus Arkadien, dessen Mutter A t a l a n t a war.

Mit der E r i p h y l e, einer Schwester des Adrastus, war A m p h i - a r a u s vermählt, den man an diesem Zuge Theil zu nehmen lange vergebens zu überreden sich bemühte, weil sein Geist in die Zukunft blickte, und nicht nur das Unglück, das die Belagrer von Theben treffen würde, voraussahe, | sondern auch sicher wußte, daß in diesem Kriege ihm sein Tod bevorstand.

Er verbarg daher den Ort seines Aufenthalts vor dem Adrast und Polynices, bis seine eigne Gemahlin Eriphyle, durch ein kostbares Halsgeschmeide, das ihr Polynices schenkte, gewonnen, den Ort seines Aufenthalts entdeckte, und Amphiaraus nun wider Willen an diesem Kriege Theil zu nehmen, genöthigt wurde. Nun waren also der Anführer s i e b e n :

A d r a s t u s ;

P o l y n i c e s ;

T y d e u s ;

A m p h i a r a u s ;

K a p a n e u s ;

P a r t h e n o p ä u s ;

H i p p o m e d o n .

Allein schon unterwegs auf ihrem Zuge, ereignete sich ein tragischer Zufall. − H y p s i p y l e , deren in der Geschichte der Argonauten schon gedacht ist, hatte nach der Abreise des Jason, von dem sie einen Sohn gebahr, vor den übrigen Weibern aus Lemnos flüchten müssen, weil sie ihrem Vater T h o a s das Leben gerettet. − Sie ward am Ufer des Meers, wohin sie sich zu retten suchte, von Seeräubern gefangen, die sie dem L y k u r g u s | verkauften, welcher sie zur Säugamme seines Sohnes A r c h e m o r u s machte.

Da nun das vereinte Heer durch das Gebiet des Lykurgus zog; so fanden sie des Thoas königliche Tochter allein in einem Gehölze, dem Knaben Archemorus die Brust darreichend. − Sie eilte, den vor Durst verschmachtenden Griechen, die sie um Beistand flehten, eine Quelle zu zeigen, und ließ den Knaben Archemorus allein im Grase liegen.

Als nun Hypsipyle an den Ort, wo sie ihren Säugling ließ, zurückkehrte, hatte diesen während der Zeit eine Schlange getödtet. Die Griechen, über diese Begebenheit bestürzt und niedergeschlagen, hielten dem Kinde ein prächtiges Leichenbegängniß, und stifteten ihm zu Ehren Spiele, welche nachher zu bestimmten Zeiten wiederhohlt wurden.

Nach dieser vollbrachten T o d t e n f e i e r , setzte das Kriegsheer seinen Zug fort, und kam vor Theben an. Die sieben Heerführer theilten sich, um die sieben Thore von Theben mit ihren Haufen zu besetzen, und durch eine Belagrung die Stadt zu zwingen.

Eteokles stellte einem jeden der Anführer in dem Heere des Adrastus seinen Mann entgegen. Dem Tydeus den Menalippus; dem Kapaneus den Polyphontes; dem Hippomedon den Hy- | perbius; dem Parthenopäus den Aktor; dem Amphiaraus den Lasthenes; er selber stellte sich gegen den Polynices, seinen Bruder. 359

Und nun begann, indem die Belagerten einen Ausfall thaten, das für Sieger und Besiegte gleich unglückseelige Treffen.

Hippomedon und Parthenopäus fielen; Kapaneus, der die Mauer erstieg, wurde vom Blitz getödtet; Tydeus vom Menalippus erschlagen; und Eteokles und Polynices kamen beide im Zweikampf um; den Amphiaraus verschlang die Erde; nur Adrastus entfloh auf seinem schnellen Roß Arion, dessen schon bei den Erzeugungen des Neptun gedacht ist.

Die Regentschaft in Theben fiel dem Kreon, dem Bruder der Jokaste zu. — Dieser befahl, den Leichnam des Eteokles mit allen Ehrenbezeugungen zu begraben. — Den Körper des Polynices aber verbot er, bei Todesstrafe, mit Erde zu bedecken, und ließ ihn, so wie die übrigen Leichname der Gebliebnen von Adrastus Heer, unter freiem Himmel, den Vögeln zum Raube liegen.

Antigone, des Oedipus Tochter, und Schwester des Polynices achtete Kreons Verbot, und die Gefahr des Todes nicht, sondern stahl sich bei einer mondhellen Nacht vor die Stadt hinaus, wo ihre Hände ihres Bruders Leichnam mit Sand bedeckten. — Als sie für diese That lebendig ein | Raub des Grabes werden sollte, kam sie dem Urtheil 360 schnell zuvor, und gab mit dem Strange sich selbst den Tod.

Hämon, Kreons Sohn, welcher sie zärtlich liebte, stieß verzweiflungsvoll sein Schwerdt sich in die Brust, da er Antigonen, als ein Opfer von seines Vaters Grausamkeit, in ihrem Kerker todt fand.

Hämons Mutter überlebte den Verlust ihres Sohnes nicht; und verwaißt stand nun Kreon da, und klagte verzweiflungsvoll sich selber und sein Verhängniß an.

Adrastus hatte indeß den Theseus um Beistand angefleht, und dieser kam vor Theben, schlug die Thebaner, und zwang sie, die Leichname der Gebliebnen von des Adrastus Heere zum Begräbniß auszuliefern.

Alle die Unglücksfälle, womit dieser Krieg begleitet war, hatten dennoch nicht die Erbittrung ausgelöscht, welche zehn Jahre nachher bei den Söhnen der Erschlagnen zu einem zweiten Kriege ausbrach, der, weil ihn die Nachkommen der vorigen Feldherren führten, der Krieg der Epigonen hieß.

Ein Sohn des Eteokles war Laodamas, der nach dem Kreon über Theben herrschte. – Thersander, des Polynices Sohn, unterstützt von den Söhnen der erschlagnen Feldherren, und dem |Aegialeus, des Adrastus Sohn, rückte aufs neue vor Theben, besiegte den Laodamas und bemächtigte sich nun der Herrschaft wieder, die seinem Vater Polynices unrechtmäßig entrissen war. – Laodamas aber entflohe nach Illyrien, dem alten Zufluchtsorte des Kadmus, als er Theben verließ. In diesem Kriege blieb von den Anführern nur Aegialeus, dessen Vater Adrastus in dem ersten Thebanischen Kriege nur allein sich rettete, da alle übrigen Feldherren fielen.

Nach einem antiken geschnittnen Stein aus der Stoschischen Sammlung, einem der seltensten und schätzbarsten Denkmäler aus dem ganzen Alterthum, befindet sich auf der hier beigefügten Kupfertafel eine Abbildung der Helden, welche in dem ersten Thebanischen Kriege, vom Adrastus angeführt, Theben belagerten.

Von den sieben Helden sind nur fünfe dargestellt, deren Namen auf dem alten Denkmale selbst mit eingegraben sind, wo sowohl die Schrift als die Zeichnung der Figuren das hohe Alterthum des Werks beweißt. – Die Helden sind:

Adrastus;
Tydeus;
Polynices;
Amphiaraus;
Parthenopäus.

Sie scheinen nach einem erlittnen Verlust aufs neue sich zu berath- 362
schlagen. In der Mitte sitzt A m p h i a r a u s , seinen Tod, und den Tod
der übrigen voraussehend, mit niedergeschlagnem Blick. – Ihm gegenüber P o l y n i c e s in Nachdenken und Traurigkeit versenkt, den
Kopf auf die Hand gestützt. – Neben dem Amphiaraus sitzt P a r -
t h e n o p ä u s , und schlägt in ruhiger überlegender Stellung die Hände um das Knie zusammen. –

A d r a s t u s ist aufgestanden und scheint, mit Schild und Lanze
bewafnet, entschlossen wieder ins Treffen zu eilen. – T y d e u s folgt
ihm, ebenfalls bewafnet, allein mit weniger Muth und niedergeschlagnem Blick. Vom Polynices mit dem Kopf auf die Hand gestützt,
bis zum Adrastus, der entschlossen ins Treffen eilt, ist gleichsam eine
Stuffenfolge der innern Gemüthsbewegungen auf diesem alten
Kunstwerke ausgedrückt. – Auf eben dieser Tafel ist nach einer antiken Gemme O e d i p u s d a r g e s t e l l t , wie er im Begriff ist, die
S p h i n x zu tödten.

Die Pelopiden.

P e l o p s , ein Sohn des Tantalus, der von den Göttern erhöhet und
gestürzt ward, kam nach Griechenland zum Könige von P i s a , O e -
n o -|m a u s , der ihn gastfreundlich aufnahm. – Pelops warb um die   〈Abb. 28〉
schöne H i p p o d a m i a , des Königs Tochter. Allein dem Oenomaus   363
war geweißagt worden, daß sein Eidam ihn tödten würde. – Ein jeder,
der um Hippodamien warb, mußte daher mit ihm zu Wagen einen
Wettlauf halten, und wen er, ehe sie ans Ziel kamen erreichen konnte,
der ward von ihm mit dem Schwerdt getödtet.

Pelops wußte den M y r t i l u s , des Oenomaus edlen Wagenlenker
durch lockende Versprechungen zu bewegen, den Wagen des Oenomaus dergestalt einzurichten, daß er mitten im Lauf nothwendig
zertrümmern mußte. Der König stürzte, und verlohr sein Leben. –
Pelops vermählte sich mit Hippodamien, und weil er dem Myrtilus
sein Versprechen nicht halten wollte, so stürzte er auch diesen, ehe er
es sich versahe, von einem Fels ins Meer, welches nachher von ihm
das M y r t o i s c h e hieß.

Allein nach dieser That, traf schnell ein Unglück nach dem andern des Pelops Haus; obgleich seine Macht sich stets vergrößerte, und man die ganze Halbinsel von Griechenland, worin er so viel beherrschte, nach seinem Nahmen P e l o p o n e s u s nannte.

Mit der Hippodamia erzeugte Pelops den A t r e u s und T h y e s t. 364 Diese brachten ihren Bru-|der C h r y s i p p u s, welchen Pelops mit der A s t y o c h e erzeugte, ums Leben, weil sie des Vaters Liebe zu ihm nicht dulden konnten. Hippodamia, welche Pelops für die Stifterin dieses Mordes hielt, gab sich selber den Tod. Thyest und Atreus flüchteten.   1

Atreus begab sich nach Mycene zum E u r y s t h e u s, der seine Tochter A e r o p e mit ihm vermählte, und nach dessen Tode er über Mycene herrschte. − Thyest war ihm dahin gefolgt, und nahm am Glück des Atreus Theil; − allein er entehrte bald seines Bruders Bette, indem er mit der A e r o p e, des Atreus Gattin, zwei Söhne erzeugte.   1

Als Atreus die Frevelthat erfuhr, verjagte er den Thyest mit den von ihm erzeugten Söhnen aus dem Reiche. Thyest auf Rache sinnend, hatte seinem Bruder einen Sohn entwandt, welchen er als den seinigen auferzog, und nachdem er mit Haß und Wuth gegen den Atreus seine Seele erfüllt hatte, ihn abschickte, um den schrecklich- 2 sten Mord unwissend zu begehen.

Unter den grausamsten Martern ließ Atreus den Jüngling hinrichten, dessen Versuch man entdeckt hatte, und erfuhr zu spät, daß er statt seines Bruders Sohn den eignen getödtet habe. Verstellt, und auf noch höhere Rache sinnend, versöhnte sich Atreus zum Schein mit 2 seinem Bruder; schlachtete dessen beide Söhne, und tischte das 365 Fleisch dem|Thyestes auf, welchem er nach genoßnem Mahle Haupt und Hände entgegen warf. Die Sonne, sagt die Dichtung, wandte schnell ihren Lauf zurück, um diese Scene nicht zu beleuchten.

Ein neuer Dichter läßt I p h i g e n i e n, die auch aus des Pelops 3 Hause und Dianens Priesterin war, dem Könige T h o a s in T a u r i s, diese Gräuel erzählen:

Schon Pelops, der gewaltig wollende,
Des Tantalus geliebter Sohn, erwarb
Sich durch Verrath und Mord das schönste Weib,
Des Oenomaus Tochter, Hippodamien.
Sie bringt den Wünschen des Gemahls zwei Söhne,
Thyest und Atreus. – Neidisch sehen sie
Des Vaters Liebe zu dem ersten Sohn
Aus einem andern Bette, wachsend an.
Der Haß verbindet sie, und heimlich wagt
Das Paar im Brudermord die erste That.
Der Vater wähnet Hippodamien,
Die Mörderin, und grimmig fordert er
Von ihr den Sohn zurück, und sie entleibt
Sich selbst –

– – – – – – –

– – Nach ihres Vaters Tode,
Gebieten Atreus und Thyest der Stadt
Gemeinsam herrschend. Lange konnte nicht
Die Eintracht dauern. Bald entehrt Thyest
Des Bruders Bette. Rächend treibet Atreus
Ihn aus dem Reiche. Mördrisch hatte schon   366
Thyest auf schwere Thaten sinnend, lange
Dem Bruder einen Sohn entwandt, und heimlich
Ihn als den seinen schmeichelnd auferzogen.
Dem füllet er die Brust mit Wuth und Rache,
Und sendet ihn zur Königsstadt, daß er
Im Oheim seinen eignen Vater morde.
Des Jünglings Vorsatz wird entdeckt; der König
Straft grausam den gesandten Mörder, wähnend,
Er tödte seines Bruders Sohn. Zu spät
Erfährt er, wer vor seinen trunknen Augen
Gemartert stirbt; und die Begier der Rache

Aus seiner Brust zu tilgen, sinnt er still
Auf unerhörte That. Er scheint gelassen,
Gleichgültig und versöhnt, und lockt den Bruder
Mit seinen beiden Söhnen in das Reich
Zurück, ergreift die Knaben, schlachtet sie,
Und setzt die eckle schaudervolle Speise
Dem Vater bei dem ersten Mahle vor.
Und da Thyest von seinem Fleische sich
Gesättigt, eine Wehmut ihn ergreift,
Er nach den Kindern fragt, den Tritt, die Stimme
Der Knaben an des Saales Thüre schon
Zu hören glaubt, wirft Atreus grinsend,
Ihm Haupt und Füße der Erschlagnen hin.
— — — — — — — —

Es wendete die Sonn' ihr Antlitz weg,
Und ihren Wagen aus dem ewgen Gleise — —

Göthens Iphigenie.

367 Thyestes erzeugte in Blutschande mit seiner eignen Tochter P e l o -
p i a den A e g i s t h u s, der, als er erwachsen war, den Atreus tödtete,
und dessen Söhne A g a m e m n o n und M e n e l a u s verjagte, worauf
Thyestes den Thron bestieg.

Die vertriebnen Söhne des Atreus vermählten sich mit den Töchtern des T y n d a r u s; Agamemnon mit der K l y t e m n e s t r a, und
mit der H e l e n a Menelaus. Sie rächten des Atreus Tod; verjagten den
Thyestes; und Agamemnon erhielt seines Vaters Reich, und herrschte
zu M y c e n e, wo er mit der Klytemnestra die I p h i g e n i e, E l e k -
t r a, und den O r e s t erzeugte; Menelaus folgte dem T y n d a r u s in
der Herrschaft über S p a r t a.

Als Agamemnon nun das Heer der Griechen gegen die Trojaner
anführte, versöhnte er sich mit dem Aegisthus; verzieh ihm seines
Vaters Tod, und vertraute sogar die Sorge für Klytemnestra, und für
sein Haus ihm an. — Aegisthus aber mißbrauchte dieß Vertrauen;
verleitete die Klytemnestra zur Untreue gegen den Agamemnon; und

als dieser nach der Eroberung von Troja wieder in seine Heimath
kehrte, ward er vom Aegisthus und seinem eignen Weibe mitten
unter dem Gastmahl ermordet, das man bei seiner Ankunft, dem
Scheine nach, ihm zu Ehren mit erdichteter Freude anstellte.

Von den Kindern des Agamemnon war I p h i g e n i e schon bei der   368
Fahrt nach Troja, wo sie für Griechenlands Wohl geopfert werden
sollte, von Dianen nach T a u r i s entrückt. – O r e s t e s wurde von
seiner Schwester Elektra erhalten, die ihn heimlich zu dem mit der
Schwester des Agamemnon vermählten Könige S t r o p h i u s schickte,
welcher zu Phocis herrschte, und mit dessen Sohn P y l a d e s Orestes
ein unzertrennliches Freundschaftsbündniß knüpfte. – Nur E l e k t r a
blieb zu Hause den Mißhandlungen ihrer entarteten Mutter ausge-
setzt.

Klytemnestra vermählte sich nun ohne Scheu mit dem A e g i s -
t h u s, und setzte ihm selber die Krone auf, die er behauptete, bis
Orestes in Begleitung des Pylades kam, um seines Vaters Tod zu rächen. Sie streuten ein falsches Gerücht vom Tode des Orestes aus,
worüber Aegisthus und Klytemnestra vor Freude außer sich, ihr
schwarzes Verhängniß nicht ahndeten.

Orest erschlug mit eigner Hand s e i n e M u t t e r und den A e -
g i s t h, die Mörder seines Vaters. Weil er aber s e i n e M u t t e r getödtet hatte, ward er von den Furien verfolgt umhergetrieben, und
keine Aussöhnung vermochte, das Andenken dieser That bei ihm
auszulöschen, bis ein Orakelspruch des Apollo ihm Befreiung von
seiner Qual verhieß, wenn er nach Tauris gehen, und die Bild-|säule   369
der Diana von dort nach Griechenland entführen würde.

Orest begab sich mit seinem getreuen Pylades auf die Reise, und als
sie in Tauris anlangten, sollten sie beide oder einer von ihnen nach
dem alten barbarischen Gebrauch, der alle Fremden traf, der Göttin
geopfert werden. Hier war es, wo jeder der beiden Freunde großmüthig sein Leben für den andern darbot.

Orestes aber gab sich seiner Schwester Iphigenie, der Priesterin
Dianens zu erkennen, und diese fand ein Mittel, die Bildsäule der
Diana auf ihres Bruders Schiff zu bringen, und mit ihm und seinem

treuen Freunde nach Griechenland zu entfliehen. Der Orakelspruch des Apollo wurde erfüllt; Orestes ward von den quälenden Furien befreit, und herrschte ruhig zu Mycene; der Zorn der Götter über Pelops Haus schien endlich zu ermüden.

Der neue Dichter der Iphigenie auf Tauris gibt der alten Dichtung eine feine Wendung. Er läßt den Orakelspruch des Apollo, dem Orestes Ruhe verheißen, w e n n e r d i e S c h w e s t e r, d i e w i d e r W i l - l e n i m H e i l i g t h u m z u T a u r i s b l i e b e, n a c h G r i e c h e n - l a n d b r i n g e n w ü r d e. Dieß mußte Orest nothwendig auf Dianen, die Schwester des Apollo deuten, weil er von dem Aufenthalt seiner eignen Schwester in Tauris noch nichts | wußte. Nach diesem Ausspruch durfte Iphigenie die Bildsäule der Diana nicht entwenden, und keinen Verrath an ihrem Wohlthäter dem Könige T h o a s begehen, von dem sie großmüthig entlassen wird.

Troja.

Außerhalb Griechenland war Troja der vorzüglichste Schauplatz der tragischen Begebenheiten, welche in Gesängen der Nachwelt überliefert, und auf der Schaubühne dargestellt, in immerwährendem Andenken sich erhielten. – Vom unerbittlichen Fatum selber war die Zerstörung von Troja einmal beschlossen; zu ihrem Untergang mußte sich alles fügen; und Götter und Menschen vermochten nichts gegen den Schluß des Schicksals.

Als E r i s, bei der Vermählung des Peleus mit der Thetis, in das hochzeitliche Gemach, wo alle Götter und Göttinnen versamlet waren, den goldnen Apfel mit der Inschrift warf, die ihn d e r S c h ö n - s t e n zutheilte, so wurden J u n o, V e n u s, und M i n e r v a, unter allen Göttinnen, um den Preis der Schönheit zu wetteifern, einstimmig am würdigsten erkannt.

Ein unbefangner Hirt, der auf dem I d a weidete, sollte den Ausspruch thun. Dieser Hirt war P a r i s, ein Sohn des P r i a m u s, der über Troja herrschte. Als die Göttinnen vor ihm er-|schienen, und den entscheidenden Ausspruch von ihm verlangten, mußten sie sich ent-

kleiden; – eine jede von ihnen versprach ihm heimlich eine Belohnung, wenn er den Apfel ihr zutheilte; Juno versprach ihm Macht und
Reichthümer, Minerva Weisheit, Venus das schönste Weib auf Erden,
– und Paris theilte den goldnen Apfel der Venus zu.

Von dieser Zeit an hegten Juno und Minerva nicht nur gegen den
Paris, sondern gegen das ganze Haus des Priamus einen tiefen Groll
im Busen; während daß Venus darauf dachte, ihr Versprechen dem
Paris zu erfüllen.

Das schönste Weib auf Erden war H e l e n a, welche Jupiter in der
Gestalt des Schwans mit der L e d a erzeugte; die vom Theseus in ihrer
Kindheit schon einmal entführt, von ihren Brüdern K a s t o r und
P o l l u x aber wieder nach Sparta zurückgebracht ward, wo sie mit
dem Menelaus des Agamemnons Bruder sich vermählte.

P a r i s schifte nach Griechenland, und ward vom Menelaus gastfreundlich aufgenommen; während dessen Abwesenheit es durch die
Veranstaltung der Venus ihm gelang, die Helena zu entführen. Als er
nach Troja zurücksegelte, und die Winde schwiegen, prophezeihte der
wahrsagende Meergott N e r e u s ihm alles Unglück, was für Troja |
aus dieser Entführung erwachsen würde; und nicht lange blieb die 372
Erfüllung aus.

Ganz Griechenland nahm an dem Schicksal des Menelaus Theil.
Gegen den Paris waren alle Gemüther wegen der Verletzung des
heiligen Gastrechts aufgebracht; auch hielt man die S c h ö n h e i t
selber für wichtig genug, um ihren Raub als den Raub von etwas
Kostbarem zu betrachten, das man der Mühe wohl werth achtete, um
es den Händen der Barbaren mit Kriegesmacht wieder zu entreißen.

Als eine Gesandschaft an den Priamus, die Helena vergeblich zu-
rückgefordert hatte, verbanden sich die Fürsten Griechenlands mit
einem Schwur zum Kriege gegen Troja, und theilten dem Agamemnon, welcher der mächtigste unter ihnen war, den Oberbefehl im
Heere zu. Ein jeder rüstete Schiffe aus, und in dem Hafen von A u l i s
versammlete sich die griechische Flotte. Die vornehmsten Anführer
in diesem Kriege, deren fast aller schon gedacht ist, waren:

Agamemnon;
Menelaus;
Nestor;
Diomedes, des Tydeus Sohn;
Ajax, der Sohn des Telamon;
Ulysses;
373   Achilles, Peleus Sohn;
Patroklus, des Menötius Sohn;
Podalirius, } Söhne des Aeskulap;
Machaon,
Philoktet, der letzte Gefährte des Herkules.
Sthenelus, des Kapaneus Sohn;
Thersander, des Polynices Sohn;
Idomeneus, des Minos Enkel.

Als nun das ganze Heer in Aulis versammlet war, zürnte Diana auf den Agamemnon, weil er einen ihr geweihten Hirsch getödtet hatte. – Man harrte lange vergebens, und es erhub sich kein günstiger Wind, mit dem die Flotte auslaufen konnte. Diana forderte durch den Mund des Priesters die Tochter des Agamemnon selbst zum Versöhnungsopfer. Iphigenie wurde, begleitet von ihrer Mutter, zum Altar geführt; und schon war der Opferstahl gezückt, als Diana in einer Wolke Iphigenien nach Tauris in ihr Heiligthum entrückte; statt der verschwundnen Iphigenie aber stand ein Reh zum Opfer am Altar.

Diana war nun versöhnt; die Flotte segelte nach Troja ab; und Ilium die eigentliche Stadt oder Burg des Königreichs Troja ward belagert. – Neun Jahr lang hatte, nach der Voraussagung des wahr-
374 sagenden Priesters Kalchas, die Belag-|rung schon gewährt, als erst im zehnten das Verhängniß von Troja näher rückte.

Die hohen himmlischen Götter alle nahmen an diesem Kriege Theil: Jupiter hielt des Schicksals Wage. Auf der Seite der Griechen standen Juno, Minerva, Neptun, Vulkan, Merkur; auf der Trojaner Seite, Venus, Apoll, Diana, und Latona. Mars, als der Gott des Krieges selber, ging von einem Heere zum andern, von den Griechen zu den Trojanern über.

Wie nun die Götter an diesem Kriege Theil nehmen; von Sterblichen verwundet werden; sich selber in dem Treffen der Griechen und Trojaner einander zum Streit auffordern; und wie die Göttergestalten in ihren Zügen sich unterscheiden; dieß alles ist in dem Abschnitt: die menschenähnliche Bildung der Götter, schon erwähnt, und auf die Weise ein großer Theil der Geschichte des Trojanischen Krieges in jene Schilderung schon vorläufig eingewebt.

Was nun im zehnten Jahr der Belagrung die Erobrung von Troja verzögerte, war der Zorn des Achilles, der mit dem Agamemnon sich entzweite, und eine Zeitlang am Kriege keinen Theil nahm. – Als nehmlich Agamemnon sich weigerte, die gefangne zur Beute ihm zugefallne Chryseis, ihrem Vater, einem Priester des Apollo, gegen ein Lösegeld, auf sein Bitten, zurückzugeben; so hörte|Apollo das Flehen des verwaißten Vaters, und sandte zürnend seine Pfeile in das Lager der Griechen, daß eine Pest entstand, welche verheerend um sich greifend, zahlloses Volk hinrafte.

Durch den Mund des Priesters Kalchas ward es offenbar, durch wessen Schuld die Griechen leiden mußten. Als Agamemnon nun die Chryseis zurückzusenden sich länger nicht weigern konnte, verlangte er, daß die Griechen ihn für den Verlust seiner Beute schadlos hielten. Da schalt Achill ihn seines Stolzes, und seines Eigennutzes wegen; und als ihm Agamemnon drohte, war er schon im Begriff gegen ihn das Schwerdt zu zücken, hätte nicht an den gelben Locken Minerva selbst ihn zurückgehalten.

Agamemnon aber, der auf die Schadloßhaltung um desto mehr bestand, ließ, um sich zu rächen, die schöne Briseis aus dem Zelte des Achilles in das seinige hohlen. – Da flehte Achill am einsamen Ufer des Meeres seine Mutter Thetis an, sie möchte den Jupiter bewegen, von nun an den Trojanern beizustehn, damit die Griechen ihn vermissen, und seinen Zorn empfinden möchten.

Jupiter gewährte der Thetis Bitte, und gab den Trojanern Sieg, an deren Spitze Hektor, der Sohn des Priamus fochte, und sich unsterblichen Ruhm erwarb. Vergebens suchten nun die Griechen den Achill wieder zu versöhnen. Sein|Sinn blieb unbeweglich. Bis endlich

375

376

die Trojaner soweit vordrangen, daß sie Feuer in die griechischen Schiffe warfen; da gab Achilles seinem Busenfreunde, dem P a t r o k - l u s , seine Rüstung, und schickte ihn statt seiner mit einem Haufen, den Griechen beizustehn.

Des Patroklus Fall war schon beschlossen; allein vorher erwarb er sich noch glänzenden Ruhm; S a r p e d o n , Jupiters Erzeugter, und viel andre tapfre Helden fielen vor seinem Schwerdte. – Als aber sein Verhängniß nahte, so stand in Nacht gehüllt, Apollo dicht hinter ihm. – Auf Nacken und Schultern schlug er ihn mit der flachen Hand, daß sich sein Auge verdunkelte; er warf seinen Helm ihm vom Haupte, daß er unter den Füßen der Pferde rollte; in seiner Hand zerbrach er den schweren ehernen Spieß, und lößte ihm selber den Panzer auf. – Patroklus stand betäubt mit wankendem Knie; Hektor gab ihm den tödtlichen Stoß. Die Seele des Patroklus stieg zum Orkus, u n d t r a u - e r t e ü b e r i h r S c h i c k s a l , w e i l s i e d i e j u g e n d l i c h e K r a f t z u r ü c k l i e ß .

Als nun Achilles des Patroklus Tod vernahm, so schwand auf ein-mal sein Zorn dahin. – Jammernd und wehklagend um den Todten, fand ihn seine Mutter, die aus der Tiefe des Meeres emporstieg. Ob diese ihm gleich verkündigte, daß nach des Hektors Tode sein Fall beschlossen sey, | so schwur er dennoch des Freundes Tod zu rächen, gleichviel, was ihn für ein Schicksal treffen möge! Als Thetis ihn fest entschlossen sahe, suchte sie ihn die übrigen kurzen Tage zu trösten und aufzuheitern; versprach und brachte ihm eine kostbare Waffen-rüstung vom Vulkan geschmiedet, womit Achill ins Treffen ging, nachdem sich Agamemnon wieder mit ihm versöhnt, und ihm die B r i s e i s unberührt zurückgegeben hatte.

Nun eilte auch der Zeitpunkt heran, wo Hektor fallen, sein alter Vater P r i a m u s und seine Mutter H e k u b a um ihn jammern, und seine Gattin A n d r o m a c h e mit lauter Wehklage ihn betrauern soll-te. – Das Heer der Trojaner flüchtete in die Stadt; Hektor blieb allein zurück, um mit dem Achill den Kampf im Felde zu bestehen; als dieser ihm aber nahe kam, und die göttliche Waffenrüstung dem Hektor in die Augen blitzte, ergriff ihn plötzliches Schrecken; – er nahm die Flucht, und dreimal jagte Achill ihn um die Mauern von Troja; so lange hatte Apoll dem Hektor sein Knie gestärkt; als zum viertenmale der Lauf begann, nahm Jupiter die Wagschale in die Hand, und legte zwei todbringende Loose darauf, das eine des Hektors, das andre des Achilles, und Hektors Schale sank bis zum Orkus nieder. – Da verließ ihn Apollo.

Die beiden Helden fochten; Hektor fiel; und Achilles band ihn mit den Füßen an seinen Wagen, | und schleifte ihn im Staube um die Mauern von Troja, daß H e k u b a heulend ihr Haar zerraufte, und der alte Priamus flehend seine Hände ausstreckte. 378

Das Leichenbegängniß des Patroklus wurde nun mit öffentlichen Kampfspielen im Lager der Griechen gefeiert, während daß Hektors Leichnam unbegraben lag. Allein in nächtlicher Stille vom Merkur geleitet, kam der Greis Priamus selber in des Achilles Zelt, umfaßte dessen Knie, und flehte ihn um den Leichnam seines Sohnes. Die Götter hatten schon des Achilles Herz erweicht; er dachte an seinen alten Vater Peleus, der auch nun bald den Tod seines Sohnes betrauern würde, und gewährte dem Priamus seiner Bitte, der mit dem Leichnam Hektors schnell nach Troja eilte, und ihm mit allem Volke die Todtenfeier hielt.

Auch war das Verhängniß des Achilles nun nicht mehr weit entfernt; nachdem er noch einige ruhmvolle Thaten vollbracht, traf vom Apollo gelenkt, des Paris tödtlicher Pfeil ihm in die F e r s e, wo er allein verwundbar war. Um seine Waffen entstand ein trauriger Streit; die Griechen sprachen sie dem Ulysses zu; worüber A j a x, welcher nach dem Achill der tapferste unter den Griechen war, aus Mißmuth sich selbst entleibte.

P a r i s ward bald nachher vom P h i l o k t e t mit einem der Pfeile getödtet, die in das Blut der Lernäischen Schlange getaucht, vom Herkules ihm hinterlassen waren. Auch war der Fall von Troja nun beschlossen, das nach so viel Blutvergießen, dennoch am Ende nicht mit Macht, sondern mit L i s t erobert werden mußte. 379

Auf den Rath des U l y s s e s wurde nehmlich ein ungeheuer großes h ö l z e r n e s P f e r d gebaut, in dessen Bauch die Helden sich versteck-

ten, während daß das Heer der Griechen sich auf die Schiffe begab,
und die Küste von Troja zum Schein verließ. – Nur S i n o n blieb
zurück, und stellte sich als ein Flüchtling, der von den Griechen verfolgt, bei den Trojanern um Schutz und Hülfe flehte, und gleichsam
wie ein Geheimniß ihnen entdeckte, daß das hölzerne Pferd erbaut
sey, um die Minerva zu versöhnen, weil die Griechen das P a l l a d i -
u m , eine Bildsäule dieser Göttin, welche das Unterpfand des Reichs
war, aus Troja entwendet hatten. – Hierzu kam noch, daß der Priester
L a o k o o n , der vor dem Pferde warnte, und mit dem Spieß in dessen
Seite fuhr, von zwei großen Schlangen, die übers Meer kamen, mit
seinen Söhnen umwunden, und getödtet ward.

Nach dieser schrecklichen Begebenheit blieb an S i n o n s Aussage
380 kein Zweifel übrig; man eilte│in vollem Jubel dieß neue Unterpfand
der Wohlfahrt des Reichs in die Stadt zu bringen; Knaben und junge
Mädchen freuten sich, mit an das Seil zu fassen; man riß einen Theil
der Mauern nieder; das Pferd stand mitten in I l i u m . –

Man frohlockte bis tief in die Nacht, und alles war zuletzt vom
Taumel der Freude berauscht, entschlummert; als Sinon an des höl-
zernen Pferdes Bauch die Leiter setzte, die Thür sich öfnete, und die
Helden leise hinunterstiegen.

In der Nähe stand schon das griechische Heer; das Zeichen mit der
angezündeten Fackel ward gegeben; durch die niedergerißne Mauer
drang man in die Stadt; und während noch der Schlummer die Au-
genlieder seiner Einwohner deckte, war Troja schon ein Raub der
Flammen. An seinem Hausaltare ward der Greis Priamus vom P y r -
r h u s getödtet; Hekuba und Andromache, und die Töchter des Priamus wurden gefangen hinweggeführt. – Die Herrlichkeit von Troja
war in Schutt und Asche versunken.

Doch mußten die Griechen auch bei ihrer Rückkehr noch für ihren
theuer erkauften Sieg mit mancherlei Unglücksfällen büßen. Am
meisten unter allen U l y s s e s , der zehn Jahre umherirrte, ehe er
seine geliebte Heimath wieder erblickte. Mit Gefahr und List entkam
381 er dem Cyklopen P o l y p h e m , der, nach seinen Gefährten, auch│ihn
zu verschlingen drohte. Aus dem stillen trügerischen Hafen der men-

schenfressenden L ä s t r y g o n e n , eines Riesenvolkes, entrann er nur
mit einem einzigen Schiffe, womit er auf der Insel der mächtigen
C i r c e landete, und ohne von ihrem Zaubertranke besiegt zu werden,
ein Jahr bei ihr verweilte. Dann stieg er ins Reich der Schatten; schiffte, an den Mastbaum gebunden, nachdem er die Ohren seiner Gefährten mit Wachs verklebt, vor den S i r e n e n vorüber, und hörte ohne
Gefahr ihren verführerischen Gesang; zwischen dem Strudel C h a -
r y b d i s , und der felsigten S c y l l a , schifte er die schmale gefährliche
Straße hindurch, und landete an einer Insel, wo seine Gefährten,
wider sein Verbot, der Sonne geweihte Rinder schlachteten und ver-
zehrten. Sobald das Schiff aufs Meer kam, ward es von Jupiters Blitz
zerschmettert; des Ulysses Gefährten kamen um; er rettete sich allein,
und schwamm an die Insel der K a l y p s o , die ihm Unsterblichkeit
versprach, wenn er mit ihr sich vermählen wolle, und ihn, so sehr er
sich auch nach seiner Heimath sehnte, geraume Zeit zurückhielt, bis
sie, auf den Befehl der Götter, auf einem von ihm selbst gebauten
Floß mit günstigem Winde, ihn entließ. Als er nah an I t h a k a war,
erblickte ihn Neptun, der wegen seines Sohns, des Polyphem noch auf
ihn zürnte, dem Ulysses, um ihm zu entfliehen, sein einziges | Auge 382
ausbrannte. – Plötzlich wurde das Meer vom Sturmwind aufgeregt.
Von seinem Floß herabgeworfen, ein Raub der ungestümen Wellen,
verzagte Ulyß, am Felsen angeklammert, im wilden Sturme nicht;
schwimmend rettete er sich mit Gefahr und Noth auf die Insel der
P h ä a c i e r , die ihn gastfreundlich aufnahmen, und mit Geschenken
überhäuft in seine Heimath sandten, wo er seine treue Gattinn P e -
n e l o p e , seinen Vater L a e r t e s , und seinen Sohn Te l e m a c h wieder fand. Er tödtete zuerst die ungerechten und übermüthigen Freier
P e n e l o p e n s , die schon seit Langem seine Habe aufzehrten, und
des jungen Telemachs Tod einmüthig beschlossen hatten. Nun
herrschte er wieder in seinem Reiche; die Seelen der getödteten Freier
führte Merkur in die Unterwelt.
  Auf der hier beigefügten Kupfertafel ist, nach antiken geschnittnen
Steinen, P a r i s , wie er den goldnen Apfel Aphroditen zutheilt, und
A c h i l l am Grabe des Patroklus opfernd, abgebildet.

Niobe.

Mit dem Könige A m p h i o n, der über Theben herrschte, war Niobe,
die Tochter des Tantalus vermählt; — sie gebahr dem Amphion sieben
Söhne und sieben Töchter, und spottete einst übermüthig der Verehrung der L a t o n a, welche nur einen Sohn, und eine Tochter gebohren.

⟨Abb. 29⟩
383
Kaum waren die frevelnden Worte über ihre Lippen, so flogen
schon die unsichtbaren Pfeile des Apollo und der Diana in der Luft. —
Mit dem nie verfehlenden Bogen tödtete Apollo ihre sieben Söhne;
und Diana mit furchtbarem Geschoß tödtete ihre sieben Töchter. —
Auf einmal aller ihrer Kinder beraubt, ward Niobe in Thränen aufgelößt, in einen Stein verwandelt, der auf dem Berge S i p y l o n noch
immer von Thränen träufelnd, ein Zeuge ihres ewigen Kummers
ward.

Cephalus und Prokris.

Cephalus, ein Sohn des D e j o n e u s, war mit der Prokris des
E r e c h t h e u s Tochter erst kurze Zeit vermählt, als er einst am frühen Morgen auf dem H y m e t t i s c h e n Gebürge jagte, wo Aurora
ihn entführte. — Da er zu seiner inniggeliebten Prokris wiederzukeh-
ren wünschte, entließ ihn Aurora mit dem Bedeuten, es werde mit
seiner Vermählten ihm nicht nach Wunsch ergehen. Diese Worte
fachten die Eifersucht in seinem Busen an; unter einer Verkleidung
suchte er die Liebe der Prokris zu gewinnen; und als sie ihm kaum
einen Schein der Hoffnung blicken ließ, so gab er sich zu erkennen,
und klagte sie der Untreue an, worauf sie unwillig ihn verließ.

384
Als Cephalus nun nach einiger Zeit sich wieder mit ihr versöhnte,
ward Prokris von Eifersucht gequält, weil sie vernahm, daß ihr Ge-
mahl die Nymphe A u r a liebte, mit der er auf der Jagd verstohlnen
Umgangs pflege. Einst versteckte Prokris sich im Gebüsch, um ihren
Gatten zu belauschen. Dieser seufzte, erhitzt vom Jagen, unter dem
Nahmen A u r a, nach nichts als nach der k ü h l e n L u f t. Prokris

aber, welche den Nahmen ihrer Nebenbuhlerin von seinen Lippen zu
hören glaubte, regte sich im Gebüsch. Cephalus meinte das Rauschen
von einem versteckten Wild zu hören, wornach er seinen Jagdspieß
warf, der seine unglückliche Gattin traf, welche sterbend ihren Irrthum erst erkannte. –

Phaeton.

In Aegypten, wo Jupiter mit der J o den E p a p h u s erzeugte, hatte
auch K l y m e n e dem H e l i o s oder dem Sonnengotte den P h a e t o n
gebohren. Diesem warf einst E p a p h u s vor, daß er kein Sohn der
Sonne sey, sondern daß seine Mutter sich dessen nur fälschlich rühme.
– Um auf die glänzendste Weise diesen bittern Vorwurf zu widerlegen,
begab sich Phaeton, auf Anstiften seiner Mutter, selber zum Pallast
des Sonnengottes, und ließ sich erst von ihm beim Styx zuschwören,
daß er | seine Bitte gewähren wolle; dann bat er ihn, daß er nur einen 385
Tag den Sonnenwagen lenken dürfe.

H e l i o s, der den Schwur nicht widerrufen konnte, mußte die unglückliche Bitte seinem Sohn gewähren, der voller Muth den Wagen
besteigend, die Sonnenpferde antrieb, welche bald ihren Führer ver-
missend, aus dem Gleise wichen, zuerst dem Himmel und dann der
Erde zu nahe kamen, daß Berg und Wald sich entzündete, und Quellen und Flüsse versiegten; da flehte die Erde den Jupiter um Hülfe an,
welcher seine Blitze auf den Phaeton schleuderte, der in den Fluß
E r i d a n u s stürzte, wo seine drei Schwestern, die Sonnentöchter oder
H e l i a d e n, L a m p e t i a, P h a e t u s a, und A e g l e ihn so lange beweinten, bis sie in Pappelbäume verwandelt wurden, und auch als
solche noch Zähren vergossen, die sich zu dem durchsichtigen B e r n -
s t e i n in der Fluth verhärteten. – C y g n u s, des Jünglings Freund,
betrauerte seinen Tod so lange, bis durch den Schmerz sein Wesen
aufgelößt, in die Gestalt des Schwans hinüberging, der immer auf der
Fluth verweilte, welche den Phaeton verschlang. Mit Freund und
Schwestern, die um ihn klagen, findet man auch auf den antiken
Marmorsärgen, den Sturz des Phaeton abgebildet.

Die Schattenwelt.

Der Tartarus oder Erebus war eigentlich die Wohnung der Nacht, da wo man sich die Sonne untersinkend dachte, am äußersten Ende der Erde, wo auch die Behausung des Pluto war, unter welcher die gestürzten Titanen, die Söhne des Himmels, im dunkeln Gefängniß trauern mußten. – Da waren aber auch in dem atlantischen Ocean, nahe an den Grenzen der Nacht, die Inseln der Seeligen, auf denen ein ewiger Frühling herrschte. – An eben diesem dämmernden Horizonte ruhte der Himmel auf des Atlas Schultern. – Auch hatte die Einbildungskraft die fabelhaften Gärten der Hesperiden hieher versetzt, und die Hesperiden selber waren Kinder der Nacht. – So wie aber irgend ein Land von Griechenland westwärts lag, es mochte nun näher oder entfernter seyn, trug die Phantasie jene schwankenden Begriffe darauf über. In Griechenland selber dachte man sich bei dem Vorgebirge Tänarum einen Eingang in das Reich des Pluto; und in Thesprotien, dem westlichsten Theile von | Griechenland strömten die Flüsse Acheron und Kocytus, welche diese Nahmen würklich führten; auch war es in dieser Gegend, wo Theseus und Pirithous zu den Schatten stiegen. – Weiter westwärts übers Meer an den Küsten Italiens dachte man sich bei dem Gift aushauchenden See Avernus, über den kein Vogel fliegen konnte, einen Eingang in die Unterwelt; zuletzt ließ man bis an die Wohnung der Nacht, am westlichsten Ufer des Oceans, das weite Reich des Pluto grenzen; – gleichsam, als ob man gern an die Vorstellung vom Sonnenuntergang, auch die Ideen des Aufhörens und Verschwindens knüpfte.

Pluto.

Der König der Unterwelt hieß bei den Griechen Ades oder Aides, der Unsichtbare, Unbekannte; – selbst sein Nahme bezeichnete das Dunkel, in welches noch kein sterbliches Auge blickte. – Er hieß auch

der unterirdische oder stygische Jupiter; weil ihn die bildende
Kunst dem Jupiter ähnlich, nur mit finstrerm Blick darstellte. Er hielt
einen zweizackigten Zepter von Ebenholz in der Hand, und trug auf
dem Haupte eine eiserne Krone; sein Helm machte unsichtbar,
wen er bedeckte. Zum öftern ward er auch mit einem Getreidemaaß
auf dem Haupte, als dem | Sinnbilde der Fruchtbarkeit der auf ihm   388
ruhenden Erdenfläche, abgebildet; dann hieß er Jupiter Serapis,
oder der Aegyptische Jupiter. – Wie Jugend und Schönheit unmittelbar oder durch Alter und Verwelken, der zerstörenden Macht, dem
Grabe und der Verwesung zum Raube werden, ist in die schöne Dichtung, von der Entführung Proserpinens durch den Pluto, eingehüllt.

Diese Dichtung ist ausführlich in die den Erzählungen von der
Unterwelt so nah verwandte Göttergeschichte der Ceres eingewebt.
– Proserpina, die Tochter der Ceres ward, nachdem sie lange vergebens sich gesträubt, vom Pluto zur Königin der Schatten auf seinen
Thron erhoben. – Diese Königin der Unterwelt hieß bei den Griechen
Persephone, welcher Nahme selbst schon auf Zerstörung und Verwesung deutet. – In dem unterirdischen Pallaste sitzen nun, in me-
lancholischer Eintracht, Pluto und Proserpina nebeneinander auf ihrem düstern Throne, und herrschen über das öde Reich der Todten. –
Der dreiköpfigte Cerberus wacht am Höllenthore, und auf seinem
morschen Kahne fährt Charon die Todten über den Fluß, den keiner
je zurückschifft. – Die unterirdischen Gewässer, welche den Erebus
umgeben, sind schon durch ihre Nahmen furchtbar: mit den Seufzern
der Sterbenden fließt der Acheron; der schwarze Kocytus mit
dem Ge-|heul der Klage um die Todten; Pyriphlegeton wälzt sich   389
mit Flammen fort; des über alles furchtbaren Styx ist in dem Abschnitt von den alten Göttern schon gedacht; nur aus dem wohlthätigen Lethe trinken die Seelen der Abgeschiednen Vergessenheit
der Sorgen und alles Kummers, der sie im Leben drückte. –

Auch deutete im Grunde die ganze Dichtung vom Ades oder Pluto
auf das Grab, dessen enge Grenzen die Phantasie zu einer Schattenwelt sich erweiterte. Man nannte daher auch in den Dichtungen das

Reich des Pluto ein ö d e s, l e e r e s R e i c h, und seine Behausung ein
e n g e s H a u s. − Auf Grab und Verwesung zielt der m o r s c h e Kahn
des Charon, der auf dem schwarzen sumpfigten Flusse, welcher kaum
nur fortkriecht, des Schlammes viel durch seine Ritzen schöpft, sobald
ihn eine ungewohnte Last beschwert.

Auch werden die Todten immer wie in einer Art von T r a u m w e l t
dargestellt; sie selbst sind leere Schattenbilder, die erscheinen und
verschwinden, und denen doch die Entbehrung von demjenigen fühl-
bar ist, was sie besaßen; die immer noch wie im Leben thätig zu seyn
sich fruchtlos anstrengen, wie einer, der im ängstlichen Traume vergebens sich abarbeitet, indem er zu schreien sich bemüht, und kaum
einen schwachen Laut hervorbringt.

590 Als Ulysses auf den Befehl der Circe zu den Schatten stieg, versammleten sich um die Grube, in welche er das schwarze Blut der
Opferthiere fließen ließ, die Seelen der abgeschiednen Jünglinge,
Jungfrauen, Männer im Kriege getödtet, und Greise, die vieles erlit-
ten hatten. − Seine Mutter erschien ihm, und als er sie umarmen
wollte, wich ihr Schatten zurück; sie lehrte ihn, daß die Seele, sobald
der Körper zerstört ist, w i e e i n T r a u m, davon flieht. Der Schatten
des Agamemnon streckte nach dem Ulyß seine Arme aus, aber i n
d e n G l i e d e r n w a r k e i n e K r a f t m e h r. − Ulysses redete den
Schatten des Achilles an, und prieß ihn glücklich, weil er im Leben
berühmt gewesen, und nun auch geehrt unter den Todten sey; da
antwortete Achill, e r w o l l e, w e n n e s i h m m ö g l i c h w ä r e, ins
L e b e n z u r ü c k z u k e h r e n, l i e b e r k ü m m e r l i c h e i n e m a r -
m e n T a g e l ö h n e r s e l b s t u m T a g e l o h n d i e n e n, a l s h i e r i n
d e r U n t e r w e l t ü b e r a l l e T o d t e n h e r r s c h e n. Auch des H e r -
k u l e s Schattenbild sah Ulysses hier, obgleich e r s e l b e r unter den
unsterblichen Göttern seinen Sitz hat.

A e n e a s, welcher, um seinen Vater A n c h i s e s zu sehen, zu den
Schatten stieg, hörte, sobald er vom Charon über den Fluß gesetzt, am
jenseitigen Ufer ausstieg, das Geschrei und Weinen der Kinder, die
⟨Abb. 30⟩ gleich nach ihrer Geburt gestorben | waren, ohne des süßen Lebens
591 genossen zu haben; − nächst diesem war der Aufenthalt der unschul-

dig zum Tode Verurtheilten, und derjenigen, welche selbst Hand an sich gelegt, weil ihnen der Tag und das Licht verhaßt war, und die nun gern die drückendste Armuth und die schwerste Arbeit erdulden würden, um zur Oberwelt wieder zurückzukehren, wenn es das unerbittliche Fatum verstattete. Dann kamen die Trauergefilde, worin diejenigen wandelten, denen unglückliche Liebe das Leben kürzte. – Zur Linken war der Tartarus, in welchem die Verächter der Götter ihren Frevel büßten; zur Rechten war E l y s i u m, der Aufenthalt der Seeligen, und vorzüglich der Seelen der Menschen aus den bessern goldnen Zeiten, die noch mit keinen Verbrechen sich befleckt hatten. Hier war es auch, wo Aeneas seinen Vater Anchises fand, welcher ihn über Geburt und Tod, über Werden und Vergehen geheimnißvolle Dinge lehrte, und die dunkle Zukunft vor seinem Blick enthüllte.

Auf der hier beigefügten Kupfertafel ist, nach antiken geschnittnen Steinen, Pluto, als J u p i t e r   S e r a p i s mit dem Cerberus ihm zur Seite, und C h a r o n abgebildet, in dessen Kahn ein Abgeschiedner steigt, dem, vom Merkur herbeigeführt, der mürrische Charon selbst mit Freundlichkeit die Hand reicht.

Furien. 392

T i s i p h o n e, die Rächerin des Mordes; M e g ä r a, die drohende; A l e k t o, die nimmer ruhende; – strenge und unerbittliche Göttinnen, das Unrecht und den Frevel zu strafen, mit Schlangenhaaren auf dem Haupte, und Dolchen und Fackeln in den Händen. – Sie quälten den Verbrecher mit schrecklichen Erscheinungen; – sie verfolgten O r e s t, den Muttermörder, und ließen ihm keine Rast. – Die Ehrfurcht gegen sie ging so weit, daß man sich kaum getraute, ihre Nahmen zu nennen; – doch suchte man durch Gebet und Opfer sie zu versöhnen.

Die Strafen der Verurtheilten im Tartarus.

Die Verdammten im Tartarus sind nicht sowohl zum eigentlichen
Leiden, als vielmehr zu einer z w e c k l o s e n T h ä t i g k e i t, in so fern
dieselbe ein Bild des mühevollen Lebens ist, verurtheilt. – Ihre Strafe
scheint zu seyn, daß selbst noch in die Behausung der Todten ihr
r a s t l o s e s L e b e n sie verfolgt, und ihre grenzenlosen Bestrebungen
nach einem zu hohen Ziele, wodurch sie den Göttern sich verhaßt
machten, die es nicht dulden können, wenn Sterbliche, auf irgend
eine Weise, ihnen zu sehr sich nähern wollen.

393   Tantalus.

Diesen weisen König, der in L y d i e n herrschte, stellt die Dichtung
als einen Liebling der Götter dar. Er saß mit Jupiter selbst zu Tische,
der an seinen Gesprächen, und an dem hohen Sinn seiner Rede sich
ergötzte; allein

> – zum Knecht zu groß, und zum Gesellen
> des großen Donnrers nur ein Mensch,
> > G ö t h e n s I p h i g e n i e.

verging er sich einstens mit zu dreisten Worten gegen den Jupiter, der
ihn so tief hinunterstürzte, als hoch er ihn erhoben hatte. – Des Tantalus Strafe war, vor Durst verschmachtend stets die klare Fluth zu
sehen, die bis ans Kinn vor ihm emporstieg, und schnell zurückwich,
sobald er die Lippe benetzen wollte; – und über sich stets mit Sehnsucht den niedergesenkten früchtebeladnen Zweig zu sehen, der
schnell in die Höhe wich, sobald er darnach seine Hand ausstreckte.

   Diese Strafe selber war gleichsam nur eine F o r t s e t z u n g s e i n e s
L e b e n s; ein Bild jener nie gestillten Begier, in das Wesen der Dinge,
und in die Geheimnisse der Götter einzudringen, welche Begier ihn
verleitete, selbst seinen Sohn zu schlachten, und ihn mit andern Speisen den Göttern vorzusetzen, um ihre Unterscheidungskraft zu prü-
394 fen. Wenn irgend etwas die furchtbare Neu-|gier der Sterblichen, das

Geheimnißvolle zu ergründen, bezeichnet, so ist es diese schreckliche Dichtung. – Es ist der Raub, den die Menschheit an sich selbst begeht, um die Grundursache ihres Daseyns zu erforschen. – Die Götter belebten des Tantalus Sohn, den P e l o p s, wieder; und die Dichtung rechtfertigt durch diese That des Tantalus seine Strafe. Alle seine übrigen Vergehungen waren Eingriffe in die Vorzüge der Götter. – Er entwandte ihnen die Götterspeise, damit sie von sterblichen Lippen sollte gekostet werden. – Auch stahl er den Hund des Jupiter, der dessen Heiligthum in Kreta bewachte, an welchem Raube auch P a n - d a r u s Theil nahm, den die Götter mit dem Tode straften, und dessen Töchter noch seinen Frevel büßten. – Es war das kühne Geschlecht des J a p e t, das sich empörend, und seine Grenzen überschreitend, den unversöhnlichen Haß der Götter auf sich lud.

Ixion.

Fast ein gleiches Schicksal mit dem Tantalus hatte I x i o n, der in Thessalien herrschte; er wurde auch an die Tafel der Götter aufgenommen, wo die Reitze der Juno ihn seiner Sterblichkeit vergessen ließen. – Er ruhte nicht eher, als bis er glaubte, das Ziel seiner Wünsche erreicht zu | haben; allein ihn täuschte auf dem Gipfel seines 395 eingebildeten Glücks ein Blendwerk: s t a t t d e r J u n o u m a r m t e e r e i n e W o l k e; aus dieser Umarmung entstand wiederum ein täuschendes Bild, ein bloßes Geschöpf der Phantasie, die fabelhaften Centauren, wo Mann und Roß ein Körper sind. Die vermeßnen Ansprüche dieses Sterblichen auf die Umfassung des Hohen und Himmlischen wurden nicht nur getäuscht, sondern auch bestraft. – Ixion ward plötzlich von dieser Höhe in den Tartarus hinabgeschleudert, wo er an ein Rad gefesselt, sich ewig im Kreise drehet, und so für seine frevelnden Wünsche büßet, die ihn die Grenzen der Menschheit übersteigen ließen. Die immerwährende U n r u h e bleibt, aber sie ist z w e c k l o ß, gleich dem mühevollen Rade menschlicher Bestrebungen, die sich nur um sich selber drehen.

Phlegyas.

Einer der tapfersten und kriegrischsten Fürsten Griechenlands war
Phlegyas, der eine Stadt erbaute, die er nach seinem Nahmen nannte,
und sie mit den ausgesuchtesten, tapfersten Kriegern bevölkerte. Man
nannte sie die Söhne des Mars, und Schrecken ging vor ihnen her,
wohin sie kamen. – Als nun Apollo dem Phlegyas seine Tochter K o -
396 r o n i s entführte, so setzte dieser seinem Zorn|und seiner Rache keine
Grenzen, sondern brach auf, eroberte D e l p h i, und verbrannte den
Tempel des Apollo. Dafür schwebt nun in der Unterwelt ein drohender Felsen ewig über seinem Haupte. Die immerwährende Gefahr,
die er im Treffen aufsuchte, begleitete den wilden Krieger auch in den
Tartarus hinab, und ist ein furchtbares Bild von dem Loose der Sterblichen, über deren Haupte beständig das in Dunkel gehüllte Schicksal
schwebt, welches Verderben und Zerstörung drohet, indeß das be-
klemmte Gemüth von Furcht und Zweifel geängstigt wird.

Die Danaiden.

Der funfzig Töchter des D a n a u s, Königs in A r g o s, ist schon gedacht, wie sie auf den Befehl ihres Vaters, die H y p e r m n e s t r a ausgenommen, alle in einer Nacht ihre Männer ermordeten. Auch diese
mußten in der Unterwelt durch z w e c k l o s e M ü h e für ihr Verbrechen büßen. Sie mußten in löchrichte Gefäße unaufhörlich Wasser
schöpfen, und so in j e d e m A u g e n b l i c k d i e F r u c h t i h r e r A r -
b e i t z e r r i n n e n s e h n.

Sisyphus.

S i s y p h u s, welcher Korinth beherrschte, war einer der t h ä t i g -
s t e n und weisesten Regenten seiner Zeit, und dennoch ist seine
Strafe in der Unter-|welt, auf die Spitze eines Berges einen großen
Stein zu wälzen, der immer durch seine Schwere wieder hinunter
rollt, so daß dem Unglücklichen, der unaufhörlich sich abarbeitet,

⟨Abb. 31⟩
397

kein Augenblick der Ruhe und Erholung gestattet ist. – Sisyphus erreichte ein h o h e s A l t e r , weswegen die Dichtung von ihm sagt, er habe die unterirdischen Götter betrogen, die ihn auf sein Versprechen, gleich wieder zurückzukehren, einst aus dem Orkus entlassen hätten, und denen er frevelnd sein Wort gebrochen. – Indem er, nach dieser Dichtung, seine Tage über das bestimmte Ziel zu verlängern suchte, so war es gleichsam der immer wieder herabrollende Stein, die m ü h - s e l i g e A r b e i t d e s L e b e n s , die er sich selbst aufs neue wählte, und welche nun, als Schattenbild, im Tode ihn noch verfolgte.

Auf der hier beigefügten Kupfertafel ist, nach einer antiken Gemme, S i s y p h u s den Stein in die Höhe wälzend, abgebildet; und nach einem antiken Basrelief sind Amor und Psyche sich umarmend dargestellt.

Amor und Psyche.

Eine der reitzendsten Dichtungen ist die vom Amor und der Psyche. – Unter der Psyche mit S c h m e t t e r l i n g s f l ü g e l n abgebildet, dachte man sich gleichsam ein zartes geistiges Wesen, das aus │ einer grö- 398 bern Hülle sich emporschwingend, und verfeinert zu einem höhern Daseyn, zu schön für diese Erde, durch Amors Liebe selbst beglückt, zuletzt mit ihm vermählt ward, und an der Seeligkeit der himmlischen Götter Theil nahm. – Der Nahme Psyche selbst bedeutet sowohl einen Schmetterling als die S e e l e . – Die zartesten Begriffe von Tod und Leben sind dieser Dichtung eingewebt, welche gleichsam über die Schauer der Schattenwelt einen sanften Schleier deckt.

Auf Erden war Psyche die jüngste von drei Königstöchtern; und sie blieb unvermählt, weil wegen ihrer himmlischen Schönheit kein Sterblicher es wagte, sich um sie zu bewerben. Auf den Befehl eines Orakelspruchs mußten ihre Eltern und Freunde sie w i e z u m T o d e , i m L e i c h e n s c h m u c k , auf einen hohen Berg begleiten, und an dem Rande eines jähen Abgrundes sie verlassen. – Sobald sich Psyche allein sahe, ward sie von einem Zephir sanft emporgetragen, und in ein anmuthiges Gefilde, wo ein glänzender Pallast stand, zu Amors

unsichtbaren Umarmungen hinweggerückt. – Oft warnte Amors
Stimme sie, bei dem Verlust seiner Liebe, niemals, wer ihr Liebhaber
sey? neugierig nachzuforschen.

Mitten aber im Genuß eines himmlischen Glücks, sehnte Psyche,
zu ihrem Schaden, den-|noch zu ihren Schwestern sich zurück, welche,
auf ihren Wunsch vom Zephir hergetragen, in ihrem Aufenthalt sie
besuchten, und ihr Glück beneidend, sie auf den Argwohn brachten,
ihr unsichtbarer Liebhaber sey ein furchtbares Ungeheuer, von dem
sie sich befreien, und es mit scharfem Eisen im Schlafe tödten müsse.
– Die Schwestern wurden vom Zephir wieder hinweggetragen, und
Psyche befolgte thöricht ihren Rath. – Kaum war es Nacht und Amor
eingeschlummert, so trat sie mit einer Lampe und mit dem gezückten
Dolche vor ihm hin, als sie statt eines Ungeheuers, den schönsten
unter den unsterblichen Göttern, den himmlischen Amor selbst erblickte. Zitternd hielt sie die Lampe in der Hand, aus der ein Tropfen
heißes Oehl auf Amors Schulter fiel, worüber er erwachte, und da er
Psychen und das tödtliche Werkzeug sahe, zürnend sie verließ.

Voll Verzweiflung, Amors Liebe verscherzt zu haben, suchte Psyche
ihr Daseyn zu vernichten, und stürzte sich in den nächsten Fluß;
allein die Wellen trugen sie an das jenseitige Ufer sanft hinüber, wo
Pan, der Gott der Heerden, ihr den Trost gab, daß sie hoffen dürfe,
für ihr Vergehen noch einst Verzeihung zu erhalten. – Die Schwestern
der Psyche aber, welche die Folgen ihres Raths wohl vermutheten, |
wünschten nun selbst die Stelle der Verstoßnen einzunehmen, und
stellten sich eine nach der andern auf die Felsenspitze, wo sie glaubten, daß der Zephir sie nach dem gewünschten Aufenthalt bringen
würde; allein sie stürzten in die Tiefe hinab, und büßten ihren Neid,
und den Verrath an ihrer Schwester, mit dem Tode.

Um den Amor aufzusuchen, schweifte Psyche vergebens auf der
ganzen Erd' umher; sie flehte zuletzt die Venus selber um Erbarmung
an, welche heftig auf sie zürnend, und auf ihre Schönheit eifersüchtig,
ihr die härtesten Prüfungen, und die schwersten Arbeiten auferlegte,
deren Ausführung oft unmöglich schien, – und die sie dennoch mit
Hülfe wohlthätiger Wesen vollbrachte, welche Amor, der sie stets

noch liebte, ihr zum Beistande schickte. Psyche aber mußte lange
für ihre Thorheit büßen, und des verscherzten Glücks erst wieder
würdig werden. − Zuletzt befahl ihr Venus, selbst in die Unterwelt
hinabzusteigen, und von der Proserpina eine Büchse zu fordern, welche hohe Schönheitsreitze in sich enthielte. Nun glaubte Psyche, sie
müsse sterben, um in die Unterwelt zu kommen. Allein eine Stimme
belehrte sie, von jeder Vorsicht, die sie nehmen, und warnte sie vor
jeder Gefahr, die sie vermeiden müsse.

Sie durfte Kuchen und Fährgeld nicht vergessen, jenen um den			401
Cerberus zu besänftigen, dieses um den Charon zu befriedigen, der ihr,
so wie den Todten, das Geld aus dem Munde nehmen mußte. Es
waren nur die Gebräuche des Sterbens, welche von der Psyche beobachtet wurden, sie selber kehrte ans Licht empor; auch durfte
sie sich dem Orkus durch nichts verbindlich machen, und an dem
Gastmahl Proserpinens keinen Antheil nehmen, sondern auf
der Erde sitzend nur schwarzes Brod verzehren. Vor allem aber mußte
sie die Büchse mit den Schönheitsreitzen uneröfnet der Venus über-
bringen; und Psyche, welche nun in so vielen Proben bestanden war,
erlag in dieser letztern. Kaum war sie der Unterwelt entstiegen, so
nahm sie den Deckel von der Büchse, aus welcher ein höllischer
Dampf ihr entgegenstieg, der sie in einen tiefen Todesschlummer
senkte, von welchem Amor, der schon lange unsichtbar über ihr
schwebte, sie wieder weckte, und über diesen zweiten Rückfall in
Eitelkeit und Neugier ihr nur sanfte Vorwürfe machte; denn schon
war sein Entschluß gefaßt, sich mit der Psyche zu vermählen; sie ward
auf seine Bitte beim Jupiter unter die Zahl der Götter aufgenommen;
auch Venus ward versöhnt; Gesang und Sai-|tenspiel ertönte, und das			402
ganze Chor der Götter nahm an der Hochzeitfeier des himmlischen Amors Theil, mit welchem Psyche, wie der Götterfunken
mit seinem Ursprunge, sich vermählte.

403   # Register.

408

416

Mythologischer

Almanach

für

Damen.

———————

Herausgegeben
von

Karl Philipp Moritz.

———————————————

Berlin.

Bei Johann Friedrich Unger.
1792.

*2⟨r⟩

Vorbericht.

Ich habe in diesem Almanach die Nebeneinanderstellung der griechischen Götter mit den Hymnen durchflochten, welche ihnen zu
Ehren von den Alten gesungen wurden. Diese Hymnen habe ich
theils ganz theils stellenweise den Schilderungen der Göttergestalten,
⟨*2v⟩ in | freier Uebersetzung, einverwebt, damit sie uns gleichsam ein Bild
von der Liturgie der Alten geben. Wenn dieser Almanach Beifall
findet, so wird er sich künftig ausführlich über die schönen Dichtungen der Alten, über ihre Feste, und in der Folge auch über die nor-
dische Mythologie ausbreiten.

⟨1⟩ ## Die zwölf himmlischen Götter.

Jupiter.

Der Vater der Götter und Menschen, wie ihn die Alten sich als den
Beherrscher des Himmels dachten, ist auf einer alten Gemme abgebildet auf seinem Throne sitzend, den Zepter in der Linken, und in
seiner Rechten den Donnerkeil.
Der Erdkreis ist der Schemel seiner Füße. –

2 Unter ihm wogt und wallt das Meer, und aus der Fluth ragt Neptun,
das über ihm aufgeschwellte Seegel in beide Hände fassend, und in
der Rechten den mächtigen Dreizack haltend, mit Haupt und Brust
empor.

Zur Rechten und zur Linken des Donnergottes gesellen sich zu ihm
die himmlischen Gefährten seiner Macht.

Der Friedenstiftende Merkur mit dem Schlangenumwundenen
Stabe, den Beutel in der Hand, und den Hahn zu seinen Füßen, auf
der einen, und der Kriegesgott mit Schild und Lanze auf der andern
Seite.

Die rauhe zerstörende, und die mit sanfter Ueberredung wieder
3 vereinigende | Macht, stehen auf des Allherrschenden Wink bereit,
entweder Kriegesheere ins Schlachtfeld zu führen, Reiche zu zerstören, und Städte zu zermalmen, oder friedliche Bündnisse zu schließen,

und gegeneinander erbitterte Könige und Völker wieder zu versöhnen.

In den zwölf Sternbildern die den Lauf des Jahres bezeichnen,
umschließt gleichsam der ganze Himmel diese glänzende Götterver-
sammlung, und umkleidet mit seinem strahlenden Schimmer die
obwaltenden Mächte, die, nach der Vorstellungsart der Alten, über
den Wechsel der Dinge herrschten.

Eine Abbildung dieser antiken Gemme schmückt den Titel dieses
kleinen | Werks. Diese Versammlung der Götter, vom Z o d i a k u s 4
umgeben, ist die b e d e u t e n d s t e Zierde eines mythologischen All-
manachs.

Jupiters Geburt.   5

Saturnus, das Bild der alles verschlingenden Zeit, vermählte sich mit
seiner Schwester der Rhea, und verschlang seine eignen Kinder, so
wie sie gebohren wurden.

Rhea seufzte über die Grausamkeit der alles zerstörenden, ihre
eignen Bildungen verschlingenden Macht, mit welcher sie vermählt
war.

Da sie nun den Jupiter, den künftigen Beherrscher der Götter und
Menschen gebähren sollte, so flehte sie die Erde und den gestirnten
Himmel um die Erhaltung ihres noch ungebohrnen Kindes an.

Himmel und Erde, die alten Götter, welche selber ihrer Herrschaft 6
schon entsetzt waren, riethen der Rhea ihrer Tochter, wie sie den
Jupiter, sobald sie ihn gebohren, in einer fruchtbaren Gegend in Kreta
verbergen solle.

Auf den Rath ihrer Mutter wickelte auch Rhea einen Stein in Windeln, und gab ihn dem Saturnus statt des neu gebohrnen Götterkindes
zu verschlingen.

Allein es war vor den Verfolgungen seines allverschlingenden Ursprungs noch nicht gesichert. Darum mußten die Erzieher des Götterkindes auf der Insel Kreta, die Kureten oder Korybanten, deren
Wesen selbst in geheimnißvolles Dunkel gehüllt ist, mit ihren Spie-

7 ßen | und Schilden ein immerwährendes Getöse machen, damit Sa-
turnus die Stimme des weinenden Kindes nicht vernehme. – Deswegen ertönte der alte Hymnus dem Jupiter zu Ehren:

Hymnus.

Dich umtanzten die Kureten
Und schlugen an ihre Waffen,
Damit Saturnus nur den Klang der Schilde
Und deine weinende Stimme nicht vernehme.

8   Die Erziehung des Jupiter auf der Insel Kreta.

Ihn säugte die Ziege Amalthea, welche in der Folge unter die Sterne
versetzt, und ihr Horn zum Horn des Ueberflusses erhöhet wurde. Die
Tauben brachten ihm Nahrung, goldgefärbte Bienen führten ihm
Honig zu, und Nymphen des Waldes waren seine Pflegerinnen.
Nichts ist reizender, als die Schilderung der Kindheit des Jupiter in
dem alten Hymnus:

Hymnus.

Dich Jupiter empfingen die Diktäischen Nymphen,
Der Korybanten Gefährtinnen, in ihre offnen Arme,
9   Dich wiegte Adrastea in der goldnen Wiege
In sanften Schlummer ein.
Du aber sogest an den Brüsten
Der Ziege Amalthea,
Und Bienen trugen dir süßen Honig zu.

Die Götter, ob sie gleich wie die Sterblichen gebohren werden, wach-
sen in den Dichtungen der Alten schnell empor, und ihre angebohrne
Götterkraft wird durch die Fesseln der Kindheit nur kurze Zeit gehemmt, deswegen ertönte vom Jupiter der heilige Gesang:

Hymnus.

Schön war dein Wuchs, schön dein Gedeihen
O himmlischer Jupiter!
Zum Jüngling schossest du schnell empor,
Dem Kinn entkeimte früh das wollichte Haar.

Die Kriege des Donnergottes. 10

Die uralten Gottheiten waren H i m m e l und E r d e. Die Erde vermählte sich mit dem U r a n o s oder umwölbenden Himmel, und gebahr ihm die h u n d e r t ä r m i g e n R i e s e n und C y k l o p e n, die
selbst ihrem Erzeuger furchtbar, von ihm in den Tartarus eingekerkert wurden, wo sie das Licht des Tages nicht erblickten.

Nun seufzte die Erde in ihren innersten Tiefen über das Schicksal
ihrer Kinder, und sann auf Rache; sie schmiedete die erste Sichel, und
gab sie, als ein rächendes Werkzeug ihrem jüngsten Sohne, | dem 11
S a t u r n u s, der seinen Erzeuger überlistete, und ihn, da er sich mit
der Erde begattete, mit der Sichel entmannte, die ihm seine Mutter
gab.

Die Kinder des Himmels und der Erde vermählten sich nun. Sie
erhielten von ihrer uneingeschränkten weit um sich greifenden
Macht, da noch kein eigentlicher Alleinherrscher unter den Göttern
war, ihre Benennung T i t a n e n, worunter man sich die u n m i t t e l -
b a r e n Kinder des Himmels und der Erde, als das Empörende dachte,
welches sich gegen jede Oberherrschaft auflehnt, und keine Einschränkung duldet.

Der jüngste unter den u n m i t t e l b a r e n Kindern des Himmels
und der | Erde war Saturnus, der sich mit seiner Schwester Rhea 12
vermählte. Dieser, welcher seinen Erzeuger entmannt hatte, verschlang auch seine eigenen Kinder, so wie sie gebohren wurden.

Den Jupiter rettete seine Mutter Rhea; auch Neptun und Pluto,
Juno, Vesta und Ceres entschlüpften wieder ihrem allesverschlingen-
den Erzeuger. Saturnus hielt indes die Cyklopen und die hundertär-

migen Riesen, aus Furcht vor ihrer Macht, eben so wie ehemals sein Vater Uranos, in der Gefangenschaft.

Sobald nun die hohe Götterkraft in dem Jupiter sich entwickelt hatte, rüstete er sich zum Kriege gegen seinen verfolgenden Erzeuger, 13 und gegen die Tita-|nen, welche dem Saturnus Beistand leisteten. Zu dem Ende befreite er die Cyklopen aus ihrem Kerker, die ihn dafür mit dem Donner und dem leuchtenden Blitze begabten.

Dem Jupiter leisteten seine Miterzeugten ihren Beistand, und versammelten sich, ihn an ihrer Spitze, auf dem Olymp; die Titanen ihnen gegenüber auf dem Othrys; und der Götterkrieg hub an. – Zehn Jahre dauerte schon der Kampf der neuern Götter mit den Titanen, als der Sieg noch unentschieden war, bis Jupiter sich den Beistand der hundertärmigen Riesen erbat, die ihm die Befreiung aus ihrem Kerker dankten.

14 Als diese nun an dem Treffen Theil nahmen, so faßten sie ungeheure Felsen in ihre hundert Hände, um sie auf die Titanen zu schleudern, welche in geschlossenen Phalangen in Schlachtordnung standen. Als nun die Götter aufeinander den ersten Angriff thaten, so wallte das Meer hoch auf, die Erde seufzte, der Himmel ächzte, und der hohe Olymp wurde vom Gipfel bis zur Wurzel erschüttert.

Die Blitze flogen schaarenweise aus Jupiters starker Hand, der Donner rollte, der Wald entzündete sich, das Meer siedete, und heißer Dampf und Nebel hüllte die Titanen ein.

15 Kottus, Gyges, und Briareus die Hundertärmigen, standen voran im Göttertreffen, und mit jedem Wurf schleuderten sie dreihundert Felsenstücke auf die Häupter der Titanen herab. Da lenkte sich der Sieg auf die Seite des Donnerers. Die Titanen stürzten nieder, und wurden so weit in den Tartarus hinabgeschleudert, als hoch der Himmel über der Erde ist.

Unter den Titanen trat auch der alte Oceanus auf die Seite des Jupiter; und die Styx eine Tochter des Oceanus gieng in dem Götterkriege, auf den Rath ihres Erzeugers, mit ihren beiden Söhnen 16 Gewalt und Stärke, ebenfalls zum Jupiter über; und seit der|Zeit haben diese beiden Söhne der Styx beständig beim Jupiter ihren Sitz.

– Mit ihrem Beistande herrschte der Donnergott über die Titanen, wie der Hymnus sagt:

Zum Könige der Götter machte dich nicht das Looß,
Sondern des Armes Kraft;
Und deine Diener, G e w a l t und S t ä r k e,
Die neben deinem Throne stehn.

Der Gigantenkrieg. 17

Die drei siegreichen Söhne des S a t u r n u s theilten nun das alte Reich der T i t a n e n unter sich; J u p i t e r beherrschte den Himmel, N e p t u n das Meer, und P l u t o die Unterwelt. Die hundertärmigen Riesen aber bewachten den Eingang zu dem furchtbaren Kerker, der die T i t a n e n gefangen hielt.

J u p i t e r s Blitz beherrschte nun zwar die Götter, allein sein Reich stand noch nicht fest. Die Erde seufzte aufs neue über die S c h m a c h ihrer Kinder, die im dunkeln Kerker saßen. Mit den Blutstropfen befruchtet, die sie bei der│Entmannung des U r a n o s in ihrem Schoo- 18 ße aufnahm, gebar sie in den phlegräischen Gefilden die himmelan- stürmenden G i g a n t e n mit drohender Stirne und Drachenfüßen, bereit die Schmach der T i t a n e n zu rächen.

Zu Boden geworfen, waren sie nicht besiegt, denn mit jeder Be- rührung ihrer Mutter Erde gewannen sie neue Kräfte. – P o r p h i - r i o n und A l c y o n e u s, O r o m e d o n und E n c e l a d u s, R h ö t u s und der tapfere M i m a s huben am stolzesten ihre Häupter empor; sie schleuderten Eichen und Felsenstücke mit jugendlicher Kraft gen Himmel, und achteten J u p i t e r s Blitze nicht.

Juno, Minerva und Vulkan halfen dem Jupiter die Giganten besie- 19 gen. – Diesen Sieg des Jupiter über die Giganten besingt der Hymnus eines römischen Dichters:

Hymnus.

Was vermochte der tapfere Mimas,
Was Porphyrions drohende Faust,
Des Rhötus Wüthen, und des verwegnen Enceladus
Gen Himmel geschleuderte Eichenstämme,
Gegen der Pallas tönenden Schild!
Hier stand Vulkan nach Kampf und Streit begierig,
Hier Juno des Donnergottes Vermählte,
Und Apollo, der nie den Köcher
Von seiner Schulter nimmt. – –
20   Die Macht, von Weißheit nicht gelenkt,
Stürzt unter ihrer eignen Last zu Boden;
Gemäßigte Gewalt wird von den Göttern
Noch höher emporgehoben;
Den frevelnden Mächtigen trift ihr Haß.

Auch Bacchus, in Löwengestalt, war in dem Gigantenkriege ein
mächtiger Beistand des Donnergottes, wie ein an den Bacchus gerich-
teter Hymnus des römischen Dichters sagt:

Als die Schaar der Giganten
Den Himmel zu stürmen drohte,
Da warfest du mit Löwenklauen
Und schrecklichem Löwenrachen
Den Rhökus vom Olymp zu Boden.

Der Sieg über die Giganten wurde nachher fast immer in Jupiters
21 Lob | mit eingeflochten, wie in folgendem Hymnus:

Ueber Völker herrschen Könige mit furchtbarer Macht,
Ueber die Könige herrscht Jupiter
Der mächtige Gigantenbesieger,
Der mit dem Wink seiner Augenbrauen
Den Wechsel der Dinge lenkt.

Jupiters Kampf mit dem Riesen Tiphöus.   22

Ob nun J u p i t e r gleich die T i t a n e n in den Tartarus verbannt, und
über die G i g a n t e n zuletzt die Inseln des Meeres mit rauchenden
Vulkanen gewälzt hatte, so war dennoch sein Reich noch nicht befestigt; denn die Erde zürnte aufs neue über die Gefangenschaft ihrer
Kinder, und gebahr, nachdem sie sich mit dem Tartarus begattet hatte, den T i p h ö u s, ihren jüngsten Sohn.

Das furchtbarste Ungeheuer, das je aus der dunkeln Nacht empor-
stieg; dessen hundert Drachenhäupter mit schwar-|zen Zungen leck-   23
ten, und mit feurigen Augen blitzten; das bald verständliche Laute
von sich gab, und bald mit hundert verschiedenen Stimmen der Thiere des Waldes heulte und brüllte, daß die Berge davon wiederhallten.

Nun wäre es um die Herrschaft der neuen Götter gethan gewesen,
wenn J u p i t e r nicht schleunig seinen Blitz ergriffen, und ihn unaufhörlich auf das Ungeheuer geschleudert hätte, so lange bis Erd' und
Himmel in Flammen stand, und der Weltbau erschüttert ward, so daß
P l u t o, der König der Schatten, und die T i t a n e n im Tartarus über
das unaufhörliche Getöse erbebten, das über ihren Häuptern rollte.

Der Sieg über dies Ungeheuer wurde dem Jupiter am schwersten   24
unter allen, und drohte ihm selber den Untergang. Er freute sich
daher dieses Sieges nicht, sondern schleuderte den T i p h ö u s, als er
zu Boden gesunken war, trauervoll in den Tartarus hinab.

Die Vermählungen des Jupiter.   25

Als Jupiter sich mit der weisheitbegabten M e t i s, einer Tochter des
O c e a n u s vermählt hatte, weißagte ihm ein Orakelspruch, daß sie
ihm einen Sohn gebären, und daß dieser zugleich mit der Weisheit
seiner Mutter, und der Macht seines Vaters ausgerüstet, die Götter alle
beherrschen würde.

Um dem vorzubeugen, zog J u p i t e r die weisheitbegabte M e t i s
mit schmeichelnden Lockungen in sich hinüber, und gebahr nun
selbst die M i n e r v a, welche bewafnet aus seinem Haupte hervorsprang. —

26   Mit der M n e m o s y n e , einer Tochter des Himmels, vermählte er
sich, und erzeugte mit ihr die Musen.

Mit der T h e m i s , einer Tochter des Himmels, erzeugte er die
Göttinnen der Eintracht und Gerechtigkeit.

Mit der E u r y n o m e , einer Tochter des Oceans, erzeugte er die
Grazien.

Mit der L a t o n a , einer Tochter des Titanen Cöus und der Phöbe,
erzeugte er den Apoll und die Diana.

Mit der M a j a , einer Tochter des Atlas, erzeugte er den Merkur.

Allein alle diese hohen Göttinnen und erhabenen Mütter himmlischer Wesen, treten dennoch in Schatten zurück, gegen die herr-
27   schende J u n o , die vor│allen das Recht behauptete, die Vermählte des
Donnergottes zu seyn, und deren E i f e r s u c h t dem J u p i t e r , nachdem er schon lange die Titanen besiegt, und die Giganten überwunden hatte, noch oft den Glanz seiner Göttermacht verleidete.

28   Die Verwandlungen des Jupiter.

Mit der Macht und Hoheit vereint sich in dem Jupiter, die ganze Fülle
der J u g e n d k r a f t , welche durch nichts gehemmt ist. − Der Himmel faßt die Fülle seines Wesens nicht. − Um seine Götterkraft in
manchem H e l d e n s t a m m e auf Erden fortzupflanzen, richtete er
auf die Töchter der Sterblichen seine Blicke; und damit sie Semelens
Schicksal nicht erführen, hüllte der Allesumwebende in täuschende
Gestalten seine Gottheit ein.

Von seinem hohen Sitze senkte er sich, in dem g o l d e n e n R e g e n ,
29   in Danaens Schooß hernieder, und erzeugte │ mit ihr den tapfern
P e r s e u s , der die Ungeheuer mit mächtigem Arm besiegte.

Mit dem majestätischen S c h w a n e n h a l s e schmiegte er sich an
L e d a s Busen, und sie gebahr den edelmüthigen P o l l u x , und die
göttliche H e l e n a , das schönste Weib auf Erden, aus Jupiters Umarmung.

In der Kraft des m u t h i g e n Stiers, lud er mit sanftem Blick die
jungfräuliche Europa auf seinen Rücken ein, und trug sie durch die

Meeresfluthen an Kretas Ufer, wo er den Minos mit ihr erzeugte, der den Völkern Gesetze gab, und über sie mit Macht und Weisheit herrschte.

Auch die Thiergestalten sind in diesen Dichtungen heilig, wo man 30 unter dem Bilde der Gottheit die ganze Natur verehrte, und nichts unedles in der Vorstellung lag, den Höchsten unter den Göttern in irgend einer der Gestalten der allumfassenden Natur sich verhüllt zu denken.

Die Majestät des Donnergottes. 31

Er hat auf dem Olymp den höchsten Sitz; er winket mit den Augenbrauen, und der Olymp erbebt; er ist das umgebende Ganze selber; vor ihm beugt sich der Erdkreis; er lächelt und der ganze Himmel heitert mit einemmal sich auf. –

Die Bildung, welcher die schaffende Phantasie den Donner in die Hand gab, mußte über jede Menschenbildung erhaben, und doch mit ihr harmonisch seyn; weil eine denkende Macht bezeichnet werden sollte, die nur durch Züge des redenden Antlitzes ausgedrückt werden | kann; und bis zu dem Gipfel hub die bildende Kunst der Griechen, 32 durch ihren Gegenstand selbst geheiligt, sich empor, daß sie menschenähnliche, und doch über die Menschenbildung erhabene Göttergestalten schuf, in welchen alles Zufällige ausgeschlossen, und alle wesentlichen Züge von Macht und Hoheit vereinigt sind.

So wie nun aber der Begriff der Macht in der Vorstellungsart der Alten von ihren Göttern und Helden fast immer der herrschende ist; so ist auch in ihren erhabensten Götterbildungen der Ausdruck der Macht das Ueberwiegende.

Jupiters schweres Haupt, aus dem die Weisheit gebohren ward, senkt sich | vorwärts über; – es waltet über den Wechsel der Dinge; – es 33 wägt die Umwälzungen. – Doch zieht die ewig heitre Stirn sich nie in sinnende Falten.

Auch stellt die bildende Kunst der Alten den Jupiter am häufigsten dar, wie er gleichsam in seiner ganzen Macht sich fühlt, und dieser Macht sich freut. –

Bart und Haupthaar sind beim Jupiter bezeichnend in Ansehung der inwohnenden Kraft und jugendlichen Stärke, welche in den dicht gekräuselten Locken sich zusammendrängt.

Bei dem ältesten Dichter spricht Jupiter selber, indem er den übrigen Göttern drohet, auf folgende Weise, die Macht seines Wesens aus:

34   »Eine goldene Kette will ich aus meiner Hand vom Himmel zur Erde senken; versucht es, all' ihr Götter und Göttinnen, und hängt das Gewicht eurer ganzen vereinten Macht an diese Kette, es wird euch nicht gelingen, den höchsten Jupiter vom Himmel zur Erde herabzuziehen; dieser aber wird die Kette, mit leichter Hand, u n d m i t i h r E r d' u n d M e e r g e n H i m m e l h e b e n, u n d s i e a n s e i n e m h o h e n S i t z e b e f e s t i g e n, d a ß d i e W e l t a n i h r s c h w e b e n d h ä n g t.«

Hieraus erhellet deutlich, daß man sich zu dem erhabensten Begriff vom Jupiter das u m g e b e n d e G a n z e selber als Urbild dachte.

35   − Da sich nun in | dem Begriff dieser Umgebung alles veredelt; was Wunder denn, daß man die Helden, deren Erzeuger man nicht wußte, Söhne des Jupiter nannte, der in täuschenden Verwandlungen sie mit ihren Müttern erzeugte. −

Denn mit dieser Gottheit, die das Spielende und Zarte, so wie das Majestätische und Hohe in sich vereinte, und selber sich in tausend Gestalten hüllte, konnte die Phantasie noch frei in kühnen Bildern scherzen; sie durfte sich mit an die goldene Kette hängen, den Jupiter vom Himmel herab zu ziehen; so wurde sie selber zum Himmel emporgezogen.

36   Eine der höchsten Gottheit würdige Beschreibung enthält der folgende Hymnus des römischen Odensängers:

Hymnus.

Vor allen sing' ich ihn,
Der Erd' und Meer beherrschend,
Die Schicksale der Götter und Menschen,

Den Wechsel des Jahres,
Und den Lauf der Zeiten, lenkt.
Von dem nichts Größres, als er selbst, erzeugt ward,
Ihn, dem nichts g l e i c h, und n i c h t s am n ä c h s t e n
                                        kömmt.
Die Herrschaft des Jupiter über die Könige der Erden macht ihn zum
höchsten Herrscher, dem nicht etwa so wie den andern Göttern nur
ein besondrer Zweig | der Regierungsgeschäfte zugefallen ist, sondern   37
der alles lenkt, und über alles waltet:

Hymnus.

Die Könige der Erden sind dir unterthan;
Die über den Ackersmann, den Krieger, und den Rudrer
                                        herrschen;
Denn alles steht in ihrer Macht.

Die Schmiede huldigen dem Vulkan,
Dem Mars die Krieger,
Die Jäger der Diana,
Dem Phöbus, wer der Harfe melodische Töne kennt;
Dem Jupiter aber die Könige, die der Gottheit selbst sich
                                        nähern;
Ihnen giebst du Städte zu beschützen,
Du selber aber thronest
Auf deinem hohen Sitze   38
Und schauest, wer mit Gerechtigkeit
Oder mit Ungerechtigkeit das Volk beherrscht.

Der folgende Hymnus bezeichnet den Jupiter in seiner höchsten
Macht, als den Beherrscher der übrigen Götter:

Indem wir dem Jupiter Wein ausgießen,
Wen singen wir würdiger, als ihn selber,
Den immer großen, immer herrschenden
Gigantenbesieger,
D e r d e n G ö t t e r n B e f e h l e e r t h e i l t.

Themis, welche mit dem Jupiter vermählt war, und den Blick in die
Zukunft besaß, war deswegen eine Vertraute des Donnergottes, und
vermehrte seine Majestät, indem ihre Weißheit sich zu seiner Macht
39 gesellte; der Gesang läßt daher | auch ihren Nahmen zum Preise des
Jupiter ertönen:

Hymnus.

> Den Jupiter, den höchsten unter den Göttern,
> Den Großen, will ich singen,
> Den unbegrenzten mächtigen Donnerer,
> Der im vertraulichen Gespräche,
> Oft bei der heiligen Themis sitzt.
> Sey uns, du mächtiger Donnerer,
> Erhabenster König, sey uns gnädig!

Ueber die religiöse Vorstellungsart der Alten giebt das folgende Gebet
an den Jupiter einen schönen Aufschluß, woraus zugleich die Offen-
herzigkeit und Naivität in ihren Bitten hervorleuchtet, als man noch
keinen geheimen Wunsch der Seele vor sich selber zu verbergen
suchte.

40
> Sey uns gegrüßt, erhabner Sohn Saturns,
> Geber alles Guten,
> Geber alles Glücks!
> Wer kann würdig deinen Ruhm erhöhen?
> Niemand wird es, niemand kann es;
> Wer könnte Jovis Ruhm erhöhen?
> Sey, Vater, dreimal uns gegrüßt!
> Gieb Tugend uns und Güter dieser Erde
> Denn ohne Güter dieser Erde
> Beglückt uns Tugend nicht,
> Und Reichthum macht nicht ohne Tugend froh,
> Gewähre also Tugend und Reichthum unserm Flehn!

Juno.

(Die zweite Kupfertafel.)

Auf einer antiken Gemme ist Juno abgebildet, in herrschender Stellung auf einem Throne sitzend; mit sieben Sternen ihr Haupt umgeben; die Rechte majestätisch emporgehoben, und mit dem linken Arm sich stützend; über der Lehne ihres erhabenen Stuhls die Köpfe des Phöbus und der Luna schwebend.

In dem erhabenen Luftkreise, den sie beherrscht, erscheinen auf ihren Wink die leuchtenden Sterne am Firmament; die Nacht entflieht, der Tag bricht an, und Phöbus und Luna begrüßen sich in dem Gebiete der hohen Himmelsgöttinn.

Das Urbild der Juno.   42

Der Juno hohes Urbild ist der L u f t k r e i s, welcher die Erde umgiebt; dieser vermählt sich mit dem ewigen Aether, der auf ihm ruht. –

In der vom Glanz durchschimmerten Atmosphäre bildet sich der vielfarbige Regenbogen. Dieser ist wiederum das Urbild der schnellen Götterbotin, welche die Befehle der Juno vollzieht. Es ist die glänzende I r i s, welche, wenn sie in den Wolken steht, die Gegenwart der hohen Himmelsköniginn verkündigt.

Der Regenbogen spiegelt den majestätischen Schweif d e r P f a u e n, die den | Wagen der Juno in den W o l k e n ziehn. – Alles ist   43 übereinstimmend in dieser schönen Dichtung; die Harmonie des Ganzen wird durch kein einziges Bild gestört.

Die Eifersucht der Juno.   44

Als die s a n f t e Latona den Apollo und die Diana, dem Jupiter gebähren sollte, so ließ Juno sie durch einen Drachen verfolgen, u n d beschwur die Erde, ihr keinen Platz zur Entbindung zu gönnen. – Die Insel Delos war, als ein schwimmendes Eiland das keine bleibende Stätte hatte, nicht mit unter dem Schwure begriffen;

hier fand Latona erst, wo ihr Fuß ruhen konnte. Dieses Eiland war es, wo sie zwischen einem Oehlbaum und Palmbaum zuerst die Diana und dann den Apollo gebahr.

45   Da S e m e l e, die Tochter des Cadmus in Theben, vom Jupiter den Bachus gebähren sollte, so wußte Juno, unter der Gestalt ihrer Amme, sie mit schwarzem Trug zu überreden, sie solle den Jupiter schwören lassen, daß er ihr eben so erscheine, als wenn er der Juno Bett bestiege; Jupiter erschien ihr in der Gestalt des Donnergottes, und Semele ward ein Raub der Flammen; den jungen Bachus rettete Jupiter und verbarg ihn in seine Hüfte.

Als nachher Alkmene vom H e r k u l e s, dem Sohne des Jupiter, entbunden werden sollte, so setzte sich Juno vor der Thür des Hauses
46   auf einem Steine nieder, mit beiden Händen ihre|Knie umschlungen, und machte auf die Weise der Mutter des Herkules die Entbindung schwer. Den Herkules selbst verfolgte sie von seiner Kindheit an, wodurch sein Heldenmuth geprüft, seine Brust gestählt, und ihm der Weg zur Unsterblichkeit und zum Sitz der Götter gebahnt wurde.

Von der Eifersucht der Juno ist, nach einer wohlerfundenen Dichtung, selbst ein Gestirn am Himmel ein unauslöschliches Zeichen. Sie verwandelte nehmlich die vom Jupiter geliebte Nymphe Kallisto in eine Bärin, die nachher von ihm unter die Sterne versetzt ward. Da bat die Juno den Ocean, er möchte diese neue glänzende Gestalt nicht
47   in seinen|Schooß aufnehmen − und dies Gestirn geht niemals unter.

Die Eifersucht der Juno haucht den Dichtungen der Alten Leben ein, so wie die Winde das stille Meer aufregen. Auch ist diese Eifersucht an sich selbst erhaben, weil sie nicht ohnmächtig, sondern mit Götterkraft und Hoheit verknüpft, den Gott des Donners selber auf dem höchsten Gipfel seiner Macht b e s c h r ä n k t.

48   ## Die Majestät der Juno.

Die erhabene Juno heißt die h e r r s c h e n d e, g r o ß ä u g i g t e, w e i ß a r m i g t e; − Jupiter, der Schwan in Ledas Schooße umwölbt im blauen Aether Erde, Meer, und Luft. − Juno, die Königin, umströmt

den Erdkreis in dem zarten durchsichtigen Nebeldunste, worin der
Regenbogen mit glänzenden Farben spielt. Juno bezeichnet in einer höhern Sprache die hohe Gebietende,
über den sanften Liebreitz selbst erhabene Schönheit. – Als Juno den
Jupiter mit Liebreitz fesseln wollte, so mußte sie erst den│Gürtel der   49
Venus leihen, deren sanftere Schönheit schon vorher den Preis davon
trug, als der Hirt auf Idas Gipfel den kühnen entscheidenden Ausspruch that.

Da nun Juno sich schmückt, dem Jupiter zu gefallen, so ordnet sie,
in ihrem Schlafgemach, ihr glänzendes Haar in Locken; sie salbet sich
mit dem Oehle der Götter, wovon der Wohlgeruch, sobald es nur
geregt wird, vom Himmel bis zur Erde sich verbreitet. Sie zieht ihr göttliches Kleid an, das von der Minerva selber gewebt
ist, und hakt es auf der Brust mit goldenen Haken zu. – Sie umgürtet
sich mit ihrem Gürtel, und bindet an ihre Füße die glänzenden Schuhe; den Gürtel der│Venus aber verbirgt sie in ihrem Busen. –   50
So vollendet sich diese schöne Dichtung, indem sie von ihrem hohen Urbilde allmälig niedersteigt, und bei der Darstellung der Königin des Himmels, auch nicht den k l e i n s t e n   w e i b l i c h e n
S c h m u c k vergißt. –

Homerischer Hymnus an die Juno.   51

Der Juno töne mein Lied, die auf dem goldnen Throne sitzt!
Der von der Rhea gebohrnen, unsterblichen Königin, mit dem
                                             Herrscherblick;
Der Schwester und Vermählten des donnernden Jupiters;
Der Glänzenden, die zugleich mit dem Jupiter, der sich der
                                             Blitze freut,
Von allen Göttern im weiten Olymp bewundernd verehrt wird.

52   Minerva.

                    (Die dritte Kupfertafel.)

Minerva, die Beschützerin der Städte, so wie sie auf der Burg Athens
in ihrem Tempel verehrt wurde, ist, auf einer antiken Gemme, sitzend
abgebildet; ihr Haupt bedeckt ein Helm; in ihrem linken Arme ruht
die Lanze, und in der Rechten hält sie eine geflügelte Viktoria; neben
ihr steht ihr Schild, auf welchem das Haupt der Medusa drohet.

⟨Abb. 35⟩
53   Die Geburt der Minerva.

Als die blauäugigte Göttin aus Jupiters unsterblichem Haupte mit
glänzenden Waffen hervorsprang, so bebte der Olymp; die Erde und
das Meer erzitterte; und der Lenker des Sonnenwagens hielt seine
schnaubenden Rosse an, bis sie die göttlichen Waffen von ihrer Schulter nahm.

    Aus keiner Mutter Schooß gebohren, war ihre B r u s t s o k a l t, wie
der S t a h l, der sie bedeckte. – Sie näherte sich dem m ä n n l i c h G r o -
ß e n, und weiblicher Zärtlichkeit war ihr Busen ganz verschlossen.

54   Minerva die kriegerische.

Der kalten jungfräulichen Minerva ist jedes Gefühl von Zärtlichkeit
und schmachtender Sehnsucht fremd; – sie findet daher auch, gleich
dem Kriegesgotte, am Schlachtgetümmel und an zerstörten Städten
ihr Ergötzen, nur daß sie nicht von jenem die rauhe Wildheit hat, weil
sie zugleich die friedlichen Künste schützt.

    Z u r ü c k s c h r e c k e n d e K ä l t e macht den Hauptzug in dem We-
sen dieser erhabenen Götterbildung aus, wodurch sie zur grausamen
Zerstörung, und zur m ü h s a m e n A r b e i t d e s W e b e n s, zur Erfin-
55 dung nützlicher Künste, und zur | Lenkung der aufgebrachten Ge-
müther der Helden, gleich fähig ist.

    Im Treffen vor Troja, wo zuletzt die Götter selber sich zum Streit
auffordern, und Venus den Trojanern, Minerva den Griechen beisteht,

giebt Minerva der Venus, die dem Mars zu Hülfe eilt, mit starker
Hand einen Schlag auf die Brust, daß ihre Knie sinken; und Minerva
sagt triumphirend: mögen doch alle, die den Trojanern beistehen, der
Venus an Tapferkeit und Kühnheit gleichen!

Als Venus vom Diomed in die Hand verwundet gen Himmel stieg,
und bei ihrer Mutter Dione über die verwegene Kühnheit der Sterb-
lichen sich beklagte; so spottete Minerva ihrer mit den Wor-|ten: 56
gewiß hat Venus irgend eine schöne geschmückte Griechin überreden
wollen, daß sie ihren geliebten Trojanern folgen möchte, und beim
Liebkosen hat sie sich in die goldene Schnalle die zarte Hand geritzt.

Da lächelte der Vater der Götter und Menschen, rief die Venus zu
sich, und sprach zu ihr mit sanften Worten: Die kriegerischen Geschäfte, mein Kind, sind nicht dein Werk; die Freuden der Hochzeit zu
bereiten, ist dein süß Geschäft, laß du nur für das wilde Kriegsgetümmel Mars und Minerva sorgen.

In dem Kriege vor Troja tritt der wilde Kriegsgott Mars gegen die |
sanftre und erhabnere Pallas auf, und rennt mit seiner Lanze wü- 57
thend gegen ihren Schild an, wogegen selbst Jupiters Blitze nichts
vermögen.

Sie aber tritt ein wenig zurück, und hebt mit starker Hand vom
Felde einen ungeheuren Grenzstein auf, den schleudert sie gegen die
Stirne des Kriegesgottes, daß er darnieder fällt, und sieben Joch Lan-
des deckt. − Der kriegerischen Minerva zu Ehren sang der Hymnus:

> Tritt hervor, o Minerva,
> Du Städteverwüsterin!
> Du mit dem goldnen Helme,
> Die am Gerassel der Schilde
> Und an dem Stampfen der Rosse sich ergötzt!

Bei der Feier ihres Festes war alles Weichliche und Weibische ver- 58
bannt, wie der Hymnus lehrt:

Hymnus.

Bringt der Pallas keine duftende Salben
Und keinen Spiegel dar, ihr Mädchen,
Sondern ihrem heiligen Baume entquollnes
Männerstärkendes Oehl,
Mit welchem Herkules und Kastor
Zum Kampf die Glieder salben.

Alles deutet bei der Minerva auf kalte überlegende Weißheit, welche
nie die Stimme der Leidenschaft hört, und zugleich in das Zurückschreckende der gänzlichen Unzärtlichkeit sich einhüllt.

59 Das versteinernde Haupt der Medusa drohet auf dem Schilde, wel-
cher Miner-|vens Brust bedeckt; — es ist der düstre freudenlose Nacht-
vogel, der über ihrem Haupte schwebt. — Sie selber ist es, die den
duldenden, standhaften, kalten, und verschlagenen Ulysses, in
Schutz nimmt, und die aufgebrachten Helden zur Kaltblütigkeit zurückruft. Diese Eigenschaften der Minerva drückt der Hymnus aus:

Hymnus.

Pallas Minerva, die erhabene Göttin,
Die blauäugigte, verschlagene,
Die jungfräuliche, hartherzige,
Die mächtige Beschützerin der Städte, will ich singen!

60 Minerva die friedliche.

Als Achill im Begriff war gegen den Agamemnon sein Schwerdt zu
ziehen, so stand plötzlich, ihm allein nur sichtbar, die blauäugigte
Göttin hinter ihm, mit schrecklichem Blick — bei seinem gelben Haar
ihn fassend — und hielt mit weisem Rath den jungen Held zurück, daß
er am silbernen Griff sein Schwerdt wieder in die Scheide drückte. —
So ist die himmlische Pallas mitten im Kriege selbst noch Friedensstifterin.

Minerva ist die verwundende und die heilende; die zerstörende und
die bildende; eben die Göttin, welche am Waffen-|getümmel und an   61
der tobenden Feldschlacht sich ergötzt, lehrt auch die Menschen die
Kunst zu weben, und aus den Oliven das Oehl zu pressen.

Die furchtbare Zerstörerin der Städte, wetteifert mit dem Neptun
nach wessen Nahmen die gebildetste Stadt, die je den Erdkreis zierte,
genannt werden sollte; und als der König der Gewässer mit seinem
Dreizack das kriegerische Roß hervorrief, so ließ sie den friedlichen
Oehlbaum aus der Erde sprossen, und gab der Stadt, worin die Künste
blühen sollten, ihren sanften Nahmen.

Die Wildheit des Kriegerischen war bei dieser Göttergestalt durch
ihre Weiblichkeit gemildert, und die Weichheit und | Sanftheit des   62
Friedens und der bildenden Künste, lag unter der kriegerischen Gestalt verdeckt. –

Zu Argos wurde das Fest der Minerva gefeiert, indem ihre Bildsäule in dem Inachus gewaschen, und dann von neuem geschmückt
wurde:

Hymnus.

Hinaus, ihr Priesterinnen der Pallas, an den Strom!
Ich habe schon das Wiehern der heiligen Rosse vernommen;
Die Göttin fährt geschmückt einher;
Drum eilt, ihr mit den gelben Locken,
Ihr Töchter von Argos, eilt!

Dann wurde die segnende Göttin, die Beschützerin der Städte mit   63
freudigem Zuruf empfangen:

Hymnus.

Empfangt die Göttin, ihr Mädchen von Argos,
Empfangt sie mit freudigem Zuruf,
Mit Gelübden, und mit Gesängen:
Sey uns gegrüßt, o Göttin,
Bewahre und schütze unsre Stadt,
Und seegne unsre Fluren!

64   Neptun.

                    (Die vierte Kupfertafel.)

In jugendlicher Majestät ist der König der Wasserwelt auf einer antiken Gemme abgebildet; auf einem Meerpferde reitend, um dessen
Hals sich seine Linke schmiegt, während daß in der Rechten sein
Dreizack ruht. Stolz bäumt das Roß sich auf der Wasserfläche, weil es
den Beherrscher der Meeresfluthen auf seinem Rücken trägt.

⟨Abb. 36⟩
65   Das Urbild des Neptunus.

Die Unterlage dieser Götterbildung ist das tobende Element, die ungeheure Wasserfläche, die gleichsam auf das Erhabene
zürnt, und es sich gleich zu machen strebt. – Als die Griechen in der Belagerung von Troja nahe am Ufer des Meeres um ihre
Schiffe eine Mauer, zu einem Bollwerk gegen die Feinde errichtet
hatten; so zürnte Neptun darüber und beklagte sich beim Jupiter:
»Der Ruhm dieser Mauer, sagte er, wird sich verbreiten, so weit sich
das Licht erstreckt; der meinigen aber, die ich einst dem Laomedon |
66 um Troja erbaute, wird man vergessen!«
Da antwortete ihm Jupiter: »o du großer Erderschütterer, mich
sollte es nicht wundern, wenn ein andrer, nicht so mächtiger Gott, ein
solches Werk sich anfechten ließe; aber dein Ruhm verbreitet sich ja
schon so weit sich das Licht erstreckt. – Und du wirst ja, so bald die
Griechen hinweg sind, die Mauer ins Meer versenken, und die Ufer
mit Sand bedecken, daß keine Spur von ihr übrig bleibt.« – Mit diesen
Worten verwieß Jupiter dem Neptun diese Art von kindischer Mis-
gunst gegen ein Werk der sterblichen Menschen.
67   Als einst die Musen auf dem Helikon Gesang und Saitenspiel so
mächtig ertönen ließen, daß alles rund umher belebt ward, und selbst
der Berg zu ihren Füßen hüpfte. – Da zürnte Neptun und sandte den
Pegasus hinauf, daß er dem zu kühn gen Himmel sich Erhebenden
Gränzen setzen sollte; als dieser nun auf dem Gipfel des Helikon mit
dem Fuße stampfte, war alles wieder in dem ruhigern, sanftern Glei-

se, und unter seinem stampfenden Fuße brach der Dichterquell hervor, der von des Rosses Tritt die Hippokrene heißt.

Die untergeordnete Macht Neptuns.   68

Obgleich mit dem Donnergott von einem Vater erzeugt, ist dennoch Neptun, gleich dem Elemente, das er beherrscht, die untergeordnete Macht. – Da Iris in dem Kriege vor Troja dem Neptun die Drohung des Jupiter überbringt; er möchte sich ja mit des Donnrers Macht nicht messen, und ablassen den Griechen beizustehen; so antwortet ihr der Erderschüttrer:»Jupiter sey so mächtig er wolle, so hat er doch sehr stolz geredet! sind wir nicht alle drei vom Saturnus erzeugt, und von der Rhea gebohren? | ist nicht unter uns das Reich getheilt? Er 69 mag seine Söhne und Töchter, aber nicht mich mit solchen Worten schrecken!« – Iris stellte ihm vor:»den ältern Bruder schützt die Macht der Erynnen!« Und Neptun giebt dem Donnerer nach, und sagt die sanften Worte:»Du hast sehr wohl gesprochen, o Göttin, und es ist gut, wenn auch ein Bote das Nützliche weiß.«

Die Majestät des Neptunus.   70

Im Kriege vor Troja saß Neptun auf der Spitze des waldigten Samos, und sahe dem Treffen zu. – Er zürnte heftig auf den Jupiter, daß er den Trojanern Sieg gab. – Er stieg vom Berge hinunter; der Berg erbebte unter seinem Fußtritt. – Drey Schritte that er vorwärts, und mit dem vierten war er in A e g e, wo tief im Meere sein Pallast ist. – Er bestieg seinen Wagen, und fuhr auf den Wellen daher. – Die Heere der Wasserwelt stiegen empor, und erkannten ihren König. – Das Meer wich ehr-|furchtsvoll zu beiden Seiten, – und schnell flog 71 der Wagen des Gottes, daß die eherne Achse unbenetzt blieb. –

Die Dichtkunst sowohl als die bildende Kunst stellt zwar den König der Gewässer in ähnlicher Majestät wie den Jupiter dar; nur bleibt der Ausdruck von Macht und Hoheit immer untergeordnet. –

Was schnell sich fortbewegt ergötzt den Herrscher der Wasserwogen; zu Lande lenkt er Roß und Wagen; und auf dem Meere
sind die Schiffe seine Lust; der Hymnus singt von ihm:

Hymnus.

Neptun, den Mächtigen, den Erhabenen will ich singen,
72   Der Erd' und Meer erschüttert! —
Ihm ward ein doppelt Looß zu Theil;
Er zähmt das Roß, und lenkt die Schiffe.
Heil ihm, dem Erdumgürter, den im Sturme
Der zagende Schiffer um Rettung fleht!

Am Feste Neptuns fordert das Lied des römischen Odensängers zur
Freude und zum Genuß des Lebens auf:

Was beginn ich am Feste Neptuns?
Hervor mit dem alten Cäkuber!
Denn siehe, schon neigt sich der Mittag;
Drum laß zum Genuß uns eilen!
Wir wollen wechselsweise
Neptun, den mächtigen König, und das Haar
Der Nereiden singen!

⟨Abb. 37⟩
73

Apollo.

(Die fünfte Kupfertafel.)

Der Gott der Harmonien, ist auf einer antiken Gemme abgebildet,
mit der Rechten auf den Stamm eines Baums sich stützend, und in der
Linken die Leyer haltend, um welche Cupido ihn bittet, der flehend
vor ihm steht.

Die Liebe vereint sich mit der unwiderstehlichen Macht der Tonkunst, um Herzen zu besiegen.

Durch die Zusammenstellung dieser beiden Göttergestalten ist ein
74 schöner Ge-|danke in schönen Formen ausgedrückt, so daß dieser
Ausdruck selber, den Gedanken spiegelt und ihn zur Vollendung
bringt.

Die Geburt des Apollo.

Auf Delos entwindet er sich dem Schooß der Mutter. – Die hohen
Göttinnen, Themis, Rhea, Dione und Amphitrite, sind bei seiner Geburt zugegen; – sie wickelten ihn in zarte Windeln; – allein er sog die
Brust der Mutter nicht; – ihm reichte Themis Nektar und Ambrosia
dar. –
Und als ihn nun zum erstenmal die Götterkost genährt, da hielten
seine Bande ihn nicht mehr; auf seinen Füßen stand der blühende
Götterknabe, und auch das Band der Zunge war gelößt: Die goldne
Zitter, sprach er, soll meine Freu-|de seyn, der gekrümmte Bogen   76
meine Lust, und in Orakelsprüchen will ich die dunkle Zukunft prophezeihen. –
Das kleine Eiland selber, auf welchem Apollo gebohren wurde, war
ein Gegenstand der Verehrung bei den Alten, und wurde, gleich dem
Apollo selbst, besungen:

Hymnus.

Die heilige Delos will ich singen,
Die Wiege des Apollo! –
Vor allen heiligen Inseln,
Die dem Meer entsteigen,
Ist sie des Liedes werth,
Weil sie den Gott der Lieder
In ihrem Schooße trug. –
Dem Dichter zürnt Apollo,   77
Der Delos nicht gedenkt;
Drum will ich Delos singen,
Damit Apoll mich liebe!
Dich, geliebtes Eiland,
Umflogen siebenmal die Schwäne
Und sangen, während daß Latona
Den göttlichen Sohn gebahr.

Sie hatten noch nicht zum achtenmal gesungen,
Als der Mutter Schooße
Sich der Gott entwand.
Da jauchzten die Nymphen des Flusses,
Daß des Aethers Wölbung
Vom Jubel wiedertönte.
Du, Delos, sprachst: zwar bin ich unfruchtbar,
Doch trägt Apoll von mir den Nahmen,
Und liebt vor allen Ländern
Und allen Inseln mich!
Vom Aufgange und vom Niedergange,
Und vom unbekannten Norden,
78   Bringt man die Erstlinge der Früchte,
O glückliche Insel, in deinen Schooß.
Welcher Kaufmann, welcher Schiffer
Im Aegeischen Meere,
Seegelt vor dich vorüber, und hemmt nicht seinen Lauf,
Bis er den festlichen Gang um deinen Altar vollendet?
Sey uns gegrüßt, o heilige Mutter,
Die in ihrem Schooße die Inseln trägt!
Auch Apollo sey uns gegrüßt,
Und Diana, Latonens Erzeugte!

79   Apollo der Gott der Jugend und der Gott des Todes.

Apollo und Diana sind die verschwisterten Todesgötter, – sie theilen
sich in die Gattung: – Jener nimmt sich den Mann, und diese das
Weib zum Ziele; und wen das Alter beschleicht, den tödten sie mit
sanftem Pfeil; damit die Gattung sich in ewiger Jugend erhalte,
während daß Bildung und Zerstörung immer gleichen Schritt hält.
    Gleich den vom Vater der Götter gesandten Tauben, die vor der
gefahrvollen Scylla vorbeifliegend, beständig eine aus ihrer Mitte
80   verlieren, die vom Jupiter | sogleich ersetzt wird, damit die Zahl
voll bleibe; macht auch ein Menschengeschlecht unmerklich

dem andern Platz, und wer von Alter und Schwachheit übermannt,
entschlummert, den hat in der Dichtersprache Diana oder Apollo mit
sanftem Pfeil getödtet.
Daß dies die Vorstellungsart der Alten war, erhellet aus ihrer Sprache. — Das kleine glückliche Eiland, wo ich gebohren bin, erzählt der
Hirt Eumäus dem Ulysses, liegt unter einem gesunden wohlthätigen
Himmelsstrich; keine verhaßte Krankheit raft da die Menschen hin; sondern wenn nun das Alter da ist, so kommen Diana und
Apoll mit ihrem silbernen Bogen, und töd-|ten die Menschen mit 81
ihrem sanften Pfeil. —

Wenn Ulysses in der Unterwelt den Schatten seiner Mutter frägt,
wie sie gestorben sey; so giebt sie ihm zur Antwort: mich hat nicht
Dianens sanfter Pfeil getödtet, auch hat mich keine Krankheit
dahin geraft; sondern mein Verlangen nach dir, und mein Kummer
um dich, mein Sohn, haben mich des süßen Lebens beraubt.

Wenn aber der Gott mit dem silbernen Bogen auf das Heer der
Griechen zürnend, eine Pest in ihr Lager schickt, die plötzlich Mann
auf Mann dahin raft, daß unaufhörlich die Scheiterhaufen der Ver-
storbenen lodern; so schreitet er wie | die Nacht einher, spannt den 82
silbernen Bogen, und sendet die verderblichen Pfeile in das
Lager der Griechen.

Allein der jugendliche Gott des Todes zürnt nicht immer; der, dessen Pfeil verwundet, heilt auch wieder; — er selbst wird unter dem
Nahmen der Heilende mit einer Hand voll Kräuter abgebildet; —
auch zeugte er den sanften Aeskulap, der Mittel für jeden Schmerz
und jede Krankheit wußte; und selbst durch seine Kunst vom Tod'
erretten konnte.

Gleichwie nun in den wohlthätigen und verderblichen Sonnen-
strahlen, und in der befruchtenden und Verwesung brütenden Son-
nenwärme, das Bildende mit dem Zerstörenden sich vereint, so | war 83
auch hier das Furchtbare mit dem Sanften in der Göttergestalt verknüpft, die jene Strahlen und jene Wärme, als ihr erhabnes Urbild in
sich faßt.

84　　　　　　　　　Das Urbild des Apollo.

Unter den Dichtungen der Alten ist die vom Apollo eine der erhabensten und liebenswürdigsten, weil sie selbst den Begriff der Zerstörung, ohne davor zurückzubeben, in den Begriff der Jugend und
Schönheit wieder auflößt, und auf die Weise dem g a n z E n t g e g e n -
g e s e t z t e n dennoch einen harmonischen Einklang giebt.
　　Das erste Urbild des Apollo ist der S o n n e n s t r a h l i n e w i g e m
J u g e n d g l a n z e. – Den hüllt die Menschenbildung in sich ein, und
85 hebt mit ihm zum Ideal der Schönheit sich empor, wo der │ Ausdruck
der z e r s t ö r e n d e n M a c h t selbst in die Harmonie der jugendlichen 1
Züge sich verliert. –
　　Die hohe Bildung des Apollo stellt die ewig junge Menschheit in
sich dar, die gleich den Blättern auf den immergrünenden Bäumen,
durch den a l l m ä l i g e n A b f a l l u n d Z e r s t ö r u n g d e s V e r -
w e l k t e n, sich in ihrer immerwährenden Blüthe, und frischen Farbe 1
erhält.

86　　　　　　　H e l i o s oder der Sonnengott.

H e l i o s heißt unter den a l t e n G ö t t e r n der Lenker des Sonnenwagens. Sein Haupt ist mit Strahlen umgeben, er leuchtet den sterblichen Menschen und den unsterblichen Göttern; er sieht und hört 2
alles und entdeckt das Verborgne. Es ist die leuchtende Sonne selbst,
welche in den Bildern vom Helios durchschimmert.
　　Eben dieser Lenker des Sonnenwagens heißt Apollo unter den
n e u e n G ö t t e r n, und ist ein Sohn des Jupiter, der ihn und die Diana
87 mit der Latona │ erzeugte. Es ist der fernhin treffende Gott, den sil- 2
bernen Bogen spannend, und der Vater der Dichter, die goldne Zitter
schlagend.
　　Da nun Apollo nicht zu gleicher Zeit auf Erden der Gott der Dichtkunst und der Tonkunst seyn, die Götter im Olymp mit Saitenspiel
und Gesang ergötzen, und auch den Sonnenwagen lenken kann; so 3
scheint es, als habe die Phantasie der Dichter, den Apollo und Helios

sich zu e i n e m Wesen gebildet, daß sich gleichsam in sich selbst
verjüngt, indem es im Himmel als leuchtende Sonne v o n A l t e r s
her auf und untergeht, und auf Erden in jugendlicher Schönheit, n e u
g e b o h r e n, wandelnd, mit goldenen | Locken, ein unsterblicher 88
Jüngling, die Herzen der Götter und Menschen mit Saitenspiel und
Gesang erfreut.

Hymnus.

Auf zum Tanz, ihr Jünglinge,
Auf zum Saitenspiel,
Denn der Gott ist nahe!
Die Leier des Jünglings muß nicht schweigen,
Es muß sein Fuß nicht ruhen,
Wenn der Gott sich nahet –
Ewig jung und ewig schön,
Des Bogens und des Liedes mächtig;
In die Zukunft schauend,
Wandelt er einher, –
Wo von seinen Locken
Balsam nieder träufelt
Da gedeiht die Flur.
So viel Blumen der Frühling färbt,
Wenn der Zephir wehet, 89
Sollen deinen Altar schmücken!
Immer soll die Flamme lodern,
Nie der gestrige Funken
In der Asche glimmen!
Aus reiner Quelle fließt
Das Lied, das dir ertönet! –
Erhabner König, sey gegrüßt!

90   Der wahrsagende Apollo.

Als Apollo in Delphi sein Heiligthum gründen wollte, erblickte er von
fern ein segelndes Handelsschiff aus Kreta, — plötzlich sprang er ins
Meer und warf sich in der Gestalt eines ungeheuren Delphins in das
Schiff der Kretensischen Männer, — und zwang es, vor allen Küsten
und vor Pylos, wohin es segeln sollte, vorbei, in den Hafen von Krissa
einzulaufen, wo er den Männern plötzlich in seiner majestätischen
Gestalt erschien, und ihnen verkündigte, daß sie nie in ihr Vaterland
91 wiederkehren, son-|dern in seinem Tempel als Priester ihm dienen
würden.

Und die Kretenser folgten mit Lobgesängen dem anführenden
Gotte zu seinem Heiligthum, an dem felsigen Abhange des Parnasses. — Als sie aber die unfruchtbare Gegend erblickten, flehten sie zum
Apoll um Hülfe gegen Armuth und Mangel. — Dieser blickte sie
lächelnd an, und sagte: o ihr thörichten Menschen, die ihr euch selber
Sorgen macht, und mühsame Arbeit aussinnt, vernehmt ein
leichtes Wort: hier halte ein jeder das Opfermesser in seiner rechten
Hand, und schlachte unaufhörlich Opfer, die hier von allen Seiten aus
allen Ländern zuströmen werden. —

92   Nun wurde Delphi nahe am Tempel des Apollo erbauet, und
seine Einwohner wurden reich und glücklich, wie der untrügliche
Gott geweißagt hatte. —

93   Apollo der Gott der Dichtkunst.

Als Apollo von der felsigten Pytho, schnell wie ein Gedanke, zum
Olymp hinauf stieg, und in die Versammlung der Götter trat; da
herrschte auf einmal Gesang und Saitenspiel; die Grazien und die
Horen tanzten, und die Musen sangen mit wechselnden Stimmen, die
Freuden der seeligen Götter, und den Kummer der Menschen, die
kein Mittel finden, dem Tode und dem Alter zu entgehen.

Schön ist die Bitte des römischen Odensängers, womit er vom Apol-
94 lo nicht | Reichthümer und Schätze, sondern die wahren Güter des
Lebens sich erfleht:

Was fleht der Dichter vom Apollo,
Indem er aus der Opferschale
Den ersten Wein ausgießt? –
Mit Weißheit und mit frohem Muthe
Des Lebens zu genießen,
Und eines ehrenvollen Alters sich zu freun,
Dem noch nicht ganz das Saitenspiel verstummt!

Diana. ⟨Abb. 38⟩
95

(Die sechste Kupfertafel.)

Die Göttin der Wälder und der Jagd ist auf einer antiken Gemme
stehend abgebildet, mit einem zarten leichten Gewande bekleidet.
Ein Hirsch steht neben ihr; sie faßt ihn mit der Linken beim Geweih, und hält in der rechten Hand den Bogen.
Die Göttin scherzet mit dem Wilde, das sie verfolgt, und das auf
ihren Wink der Flucht vergißt, und willig sich greifen läßt.

Das Urbild der Diana. 96

Das Urbild der Diana ist der leuchtende Mond, der kalt und
keusch in nächtlicher Stille über die Wälder seinen Glanz ausstreu-
et. – Diese Keuschheit der Diana selber aber ist ein furchtbarer Zug in
ihrem Wesen. – Den Jäger Aktäon, der sie im Bade erblickte, ließ sie,
in einen Hirsch verwandelt, von seinen eignen Hunden zerrissen,
ihrer jungfräulichen Schamhaftigkeit ein schreckliches Opfer werden.
Und als eine Priesterin der Diana ihren Tempel durch die Annah-
me der Besuche ihres geliebten Jünglings in | demselben entweihte, 97
bestrafte die Göttin das ganze Land mit Pest und Seuchen, bis man
das schuldige Paar ihr selber zum Opfer brachte. – Ihr widmeten sich
die Jungfrauen, die das Gelübde der Keuschheit thaten, dessen Ver-
letzung sie mit grausamen Strafen rächte.

Wenn Jungfrauen, die dies Gelübde thaten, sich dennoch, ihren
Entschluß bereuend, vermählen wollten, so zitterten sie vor Dianens
Rache, und suchten die zürnende Göttin mit Opfern zu versöhnen.

98   Diana die Göttin des Todes.

Als die Schwester des Apolls schimmert Diana am hellsten hervor,
weil dieser seinen Glanz mit auf sie wirft – so wie sie mit ihm vereint,
die Kinder der Niobe mit schrecklichen Pfeilen tödtet; so richtet sie
auch mit ihm vereint ihr sanftes Geschoß auf die Geschlechter
der Menschen, die gleich den welkenden Blättern, der blühenden
Nachkommenschaft allmälig weichen.

Nach einer schönen Dichtung übte sich Diana zu diesem Geschäfte
zuerst an Bäumen, dann an Thieren, und zuletzt an einer ungerech -
99 ten Stadt, wo sie | die Menschen mit verderblichen, Krankheit und
Seuchen bringenden Pfeilen erlegte.

Hymnus.

Dem Apollo.

Apollo sanft und gütig
Verbirg den Pfeil im Köcher,
Höre der Knaben Bitte!

Der Diana.

Zweigehörnte Luna,
Königin des Himmels,
Höre der Mädchen Flehn!

Hymnus.

Dem Apollo und der Diana.

Ihr edlen Jungfrauen und ihr, berühmter Väter Söhne,
Die ihr im Schutz der Delischen Göttin steht,
100 Welche die schnellen Füchse und Rehe

Mit ihrem Bogen ereilt,
Merkt auf der Töne Maaß,
Und meinen Fingerschlag!
Singt melodisch den Sohn Latonens,
Singt melodisch die wachsende Luna,
Die den Wechsel des Jahres bringt
Und den Früchten Gedeihen giebt.
Wenn du, Mädchen, einst vermählt bist
Wirst du noch erzählen:
Ich sang am sekularischen Feste
Ein Lied, das den Göttern wohlgefiel,
Und das der Sänger H o r a z mich lehrte.

Die Majestät der Diana.   101

Als Jupiter, den sie schmeichelnd bat, ihr den jungfräulichen Stand
vergönnte, so nahm sie Pfeil und Bogen, zündete ihre Fackel bei
Jupiters Blitzen an, und gieng von ihren Nymphen begleitet, hoch in
den Wäldern einher, und auf den stürmischen Gipfeln.

Sie spannt den goldnen Bogen, und sendet die tödtlichen Pfeile ab:
die Spitzen der Berge zittern. − Vom Aechzen des Wildes ertönt der
Wald − hoch über alle Nymphen ragt die Göttin mit Stirn und Haupt
empor, und wendet ihr Geschoß nach allen Seiten.

Doch vergißt die hohe Göttin auch im Getümmel der Jagd des   102
himmlischen Bruders nicht. − Und wenn sie genug mit Jagen sich
ergötzt hat, so spannt sie den goldnen Bogen ab, und eilet nach Delphi,
zu dem Sitze des leuchtenden Apollo, − da hängt sie ihren Bogen auf,
und führt die Chöre der Musen und Grazien an, welche das Lob der
himmlischen Latona singen, die solche Kinder gebahr. −

Hymnus.

Dem Apollo.

Ihr Jünglinge singt das blühende Tempe,
Und Delos, das den Gott gebar,
Den der Köcher schmückt,
Und die goldne Leyer!

103

Der Diana.

Ihr Jungfrauen singt der Göttin,
Die sich der Flüsse und der Wälder freut,
Und auf dem beschneiten Algidus,
In der Nacht des Erymanthus,
Oder auf des grünen Kragus Gipfel,
Im strahlenden Götterglanz erscheint!

104

Venus.

(Die siebente Kupfertafel.)

Kupido flehet die Venus schmeichelnd um den Pfeil, welchen sie mit
der Rechten in die Höhe haltend, seinem Verlangen noch entzieht,
indem sie schalkhaft auf ihn herunterblickt, gleichsam als ob sie sagen wollte: daß dieser Pfeil ein zu gefährliches Werkzeug in der Hand
des leichtfertigen unbesonnenen Knaben sey!

⟨Abb. 39⟩
105

Das Urbild der Venus.

Man verehrte in dieser reitzenden Göttergestalt, den heiligen Trieb
der alle Wesen fortpflanzt. – Die Fülle der Lebenskraft, die in die
nachkommenden Geschlechter sich ergießt. – Den Reitz der Schönheit, der zur Vermählung anlockt. – Sie war es, welche den Blick der
Götter selbst auf Jugend und Schönheit in sterblichen Hüllen lenkte,
und triumphirend ihrer Macht sich freute, bis auch sie erlag, dem
blühenden Anchises sich in die Arme werfend, von welchem sie A e -
n e a s , den göttergleichen Held gebahr. –

So wie nun aber jener sanfte, wohlthätige Trieb, auch oft verderb-   106
lich wird, und über ganze Nationen Krieg und Unheil bringt, so stellt
die sanfteste unter den Göttinnen, sich in den Dichtungen der Alten,
auch als ein furchtbares Wesen dar.

Die heiligen Wohnplätze der Venus.   107

Cypern.

Hier trugen die Wellen die Göttin der Liebe, als sie aus dem Schaume
des Meeres emporstieg, sanft ans Ufer. – Auf dieser anmuthigen Insel
waren ihr ganze Städte, Haine, Tempel, und Altäre geweiht.

Ihr Lieblingssitz war P a p h o s, wo man in ihrem Tempel von allen
Seiten Geschenke darbrachte, und Gelübde that. – Von der Verehrung,
womit hier alle Völker der Göttin der Schönheit huldigten, hieß sie
die K ö n i g i n | von P a p h o s. – Von Amathunt und I d a l i u m in   108
Cypern führte sie die dichterischen Nahmen I d a l i a und A m a -
t h u s i a.

Gnidus.

Nach Gnidus wallfahrtete man aus den entferntesten Ländern, um in
der Venus des Praxiteles die in alle Wesen Liebe einhauchende Gottheit zu verehren, welche durch die bildende Kunst, in menschlicher
Gestalt dem Auge sichtbar gemacht, in einem offenen Tempel, dem
Blicke der Sterblichen enthüllet, da stand, und die Verwunderung
aller Völker auf sich zog.

Cythere.   109

Auf diesem Eilande war der älteste Tempel der Venus in Griechenland. – Der Begriff von der Göttin selber war mit ihrem Aufenthalt
auf Cythere so oft zusammengedacht, daß beide Nahmen zu einem
wurden, und in der Dichtersprache die Göttin der Liebe Cythere
heißt.

Hymnus.

O Venus, Königin von Gnidus und von Paphos,
Wende den Blick von deinem geliebten Cypern,
Und eile in Glycerens Wohnung,
Die mit heißem Gebet dich ruft,
110   Indem sie duftenden Weihrauch
Auf deinen Altar streut!
Mit dir sey der muthwillige Knabe,
Und die Grazien mit gelößtem Gürtel,
Die Jugend, deine frohe Gefährtin,
Und der behende Merkurius!

111   ## Die furchtbare Macht der Venus.

Sie hatte dem Paris, der ihr vor allen Göttinnen den Preis der Schönheit zuerkannte, das schönste Weib versprochen; nun stiftete sie selbst
ihn an, dem griechischen Menelaus seine Gattin die Helena, zu entführen, und flößte dieser selbst zuerst den Wankelmuth und die Treulosigkeit in den Busen ein.

So hielt sie dem Paris ihr Wort, ganz unbekümmert, was für Zerstörung und Jammer daraus entstehen würde. – Im Kriege vor Troja
hüllte sie den Paris, als Menelaus im Zweikampf ihn tödten wollte, in
112 nächtliches Dunkel ein, | und führte ihn in sein duftendes Schlafge-
mach, wo sie selber die Helena zu ihm rief. –

Und als diese, ihre Schuld bereuend, sich weigerte, der Liebesgöttin
Ruf zu folgen, so sprach Venus mit zürnenden Worten: Elende! reitze
mich nicht, damit ich nicht eben so sehr dich hasse, als ich bis jetzt
dich liebte. – Unter den Trojanern und Griechen stifte ich dennoch
verderblichen Hader an, dich aber soll ein unseeliges Schicksal treffen! –

Und nun läßt die gebietende Venus, dem rechtmäßig erzürnten
Gatten gleichsam zum Trotz, den wollüstigen Paris die Freuden der
Liebe genießen. – Wenn nun diese Göttergestalt zugleich die kalte |

Weisheit der Minerva, oder den Ernst der Themis, in sich vereinte, so   113
würde sie freilich nicht so u n g e r e c h t, um die verderbliche Wollust
eines einzigen Lieblings zu begünstigen, der alles verwüstenden Zerstörung, die sie dadurch veranlaßt, ruhig zusehn.

Dann wäre sie aber auch nicht mehr a u s s c h l i e ß e n d die Göttin
der Liebe; sie bliebe kein Gegenstand der Phantasie, und wäre nicht
mehr die hohe dichterische Darstellung desjenigen, was in der ganzen
Natur mit unwiderstehlichem Reitze unaufhörlich fortwirkt, unbekümmert, ob es Spuren blutiger Kriege oder glücklich durchlebter
Menschenalter hinter sich zurück läßt. –

Merkwürdig ist die Anrede der V e n u s an ihren Liebling Anchises,   114
der mit ihr den Held Aeneas erzeugte. – Sie spricht zu ihm, da sie als
Göttin sich ihm zu erkennen giebt: sey ohne Furcht! d u   w i r s t
n i c h t s S c h l i m m e s w e g e n m e i n e r L i e b e erdulden. – Ich werde nicht, wie Aurora für ihren Tithonus, die Unsterblichkeit für dich
erbitten; sondern dich wird das schnelle Alter, so wie die andern
Sterblichen überschleichen. – Die Nymphen des Waldes aber sollen
den Sohn, den ich gebähre, erziehen. – Wenn er mannbar ist, sollst du
an seiner göttergleichen Gestalt dich weiden. Und wenn dich jemand
frägt, wer diesen Sohn gebohren, so sollst du sagen: eine | der Nym-   115
phen, die diese Berge bewohnen; – rühmst du dich aber thöricht, daß
du in Cytherens Arm geruht, so wird dich Jupiters Blitz zerschmettern! Dieß präge tief dir ein, und fürchte den Zorn der Götter!

Der römische Odendichter flehet die grausame Venus um Schonung an:

> Aufs neue soll der Kampf anheben?
> Ich bitte dich Venus, schone! schone!
> Das zehnte Lustrum ist entflohn,
> Höre auf, du grausame Mutter der süßen Triebe,
> Den widerstrebenden Nacken,
> Der schon den Druck der Jahre fühlt,
> Noch unter dein sanftes Joch zu beugen!

116 Eben dieser Dichter flehet die mächtige Venus an, die Sprödigkeit zu
bestrafen:

> Die du, o Göttliche, das glückliche Cypern beherrschest,
> Mächtige Königin!
> Nur einmal rühre Chloen mit deiner Geißel,
> Die Uebermüthige, Stolze!

117   Die Majestät der Venus.

Die Horen empfangen die Venus, wenn sie, nach der alten Dichtung,
dem Meere entsteigt; sie ziehen ihr göttliche Kleider an, setzen ihr
aufs unsterbliche Haupt die goldenen Krone, schmücken ihr mit goldenem Geschmeide Hals und Arme, und hängen blitzende Ohrge-
hänge in ihre durchlöcherten Ohren; − so mahlt sich bis auf den
kleinsten weiblichen Schmuck das Bild der hohen Göttin aus. −

Der Venus waren vom Jupiter die G r a z i e n zugesellt − in ihrem
Gefolge waren die Liebesgötter, − vor ihren Wagen waren Tauben
118 gespannt. Alles | ist sanft und weich in diesem Bilde; − doch ist der
Liebesgott mit Bogen und Pfeil bewafnet, und stellt die furchtbare
Macht seiner himmlischen Mutter, der alles besiegenden Göttin, in
sich dar. −

                        Hymnus.

> Die Göttin will ich singen,
> Welche süße Gaben
> Den Sterblichen verleiht,
> Die mit holdem Antlitz
> Immer schalkhaft lächelt. −
> Sey gegrüßt, o Göttin!
> Hauche dem Gesange,
> Der dich rühmend preiset,
> Süßen Wohllaut ein!

Mars.

⟨Abb. 40⟩
119

(Die achte Kupfertafel.)

Auf einer antiken Gemme ist der Kriegesgott und Venus ihm zur Seiten abgebildet. Beide sind im schnellen Lauf begriffen. Sie trägt den Friedensstab in ihrer Rechten und er den Spieß auf seiner Schulter. Mit Sträuben und weggewandtem Blick folgt die sanfte friedliche Göttin dem Mars, mit dem sie verbotener Liebe pflog, ins Schlachtgetümmel. Er aber reißt unwiderstehlich mit gewaltigem Arm sie fort, und macht sie selbst zur Theilnehmerin des verderblichen Zwistes.

## Das Urbild des Mars.									120

Auch dem Furchtbaren und Schrecklichen, dem verderblichen Kriege selber, gab die Einbildungskraft der Alten Persönlichkeit und Bildung, und milderte selbst dadurch den Begriff des Wilden und Ungestümen, das durch die Heere wie ein Wetter hinfährt; Wagen zertrümmert; Helme zerschellt; den Tapfern mit dem Feigen, im wirbelnden Sturme zu Boden wirft; und über der grauenvollen Verwüstung triumphiret.

Die menschenähnliche Bildung, worin die Dichtung diese furchtbare Erscheinung hüllte, und sie dem Chor der seeligen⎪Götter zuge- 121 sellte, gab nun dem Krieger auch ein hohes Urbild, das über ihm in Majestät gehüllt war, und das er durch Kühnheit und Tapferkeit in sich übertrug.

Demohngeachtet verliert sich zuweilen in den Dichtungen die menschenähnliche Bildung des Mars wieder in den Begriff des streitenden Heers. − Als er selbst im Treffen vor Troja, mit Hülfe der Minerva, von dem tapfern Diomedes verwundet wurde, s o b r ü l l t e e r w i e z e h n t a u s e n d M a n n im Schlachtgetümmel, − und Furcht und Entsetzen kam die Trojaner und Griechen an, als sie den ehernen Kriegesgott brüllen hörten. − Dieser aber erschien dem Diomed⎪wie 122 nächtliches Dunkel, das vor dem Sturm hergeht, als er in Wolken gehüllt zum Himmel aufstieg.

Und als er nun hier beim Jupiter sich beklagte, so schalt ihn dieser mit zürnenden Worten: belästige mich nicht mit deinen Klagen, U n - b e s t ä n d i g e r, der du mir der verhaßteste unter allen Göttern bist, die den Olymp bewohnen. – Denn du hast nur Gefallen an Krieg und Streit, – in dir wohnt ganz die G e m ü t h s a r t d e i n e r M u t t e r, – und wärst du der Sohn eines andern Gottes und nicht mein Sohn, so lägst du längst schon tiefer, als Uranos Söhne liegen.

123 Die U n b e s t ä n d i g k e i t des Mars, welche ihm auch Minerva vor-wirft, die|ihn einen U e b e r l ä u f e r schilt, der es bald mit dem einen Heere, bald mit dem andern hält, ist wiederum der Begriff des Krie-ges selber, den die Dichtkunst hier als ein Wesen darstellt, das gleich-sam um sein selbst willen da ist, unbekümmert, wer überwunden wird oder siegt, wenn nur das Schlachtgetümmel fortwährt.

124   Mars und Venus im verstohlenen Liebesbündniß.

Der wilde Mars wußte mit seinem jugendlichen Ungestüm die sanfte Venus selbst zu fesseln, die ihrem Gatten dem kunstreichen bildenden Vulkan, den zerstörenden Kriegsgott vorzog, mit dem sie ein verstohl-nes Liebesbündniß knüpfte. –

Aus diesem verstohlnen Bündniß des Sanften mit dem Ungestü-men, entstand H a r m o n i a, der Venus schöne Tochter, die mit Kad-mus dem Stifter und Erbauer von Theben, sich vermählte. –

Auf der Untreue der Venus verweilt die bildende Kunst der Alten
125 und ihre|Dichtkunst gern. – Vulkanus zürnt vergeblich, die Schönheit bindet sich an kein Gesetz; sie ist über allen Zwang erhaben; und das v e r d e r b l i c h e J u g e n d l i c h e, ist, was ihr wohlgefällt.

126   Der Ungestüm des Kriegesgottes.

So wie Venus mit Zärtlichkeit den Kriegesgott fesselt; so hält Minerva ihn mit Weisheit von seinem Ungestüm zurück. – Denn als einst Jupiters drohendes Verbot den Göttern untersagt hatte, in den Krieg der Trojaner und Griechen sich zu mischen, und Mars vernahm, sein

Sohn Askalaphus sey erschlagen; so ließ er seine Diener, das S c h r e k - k e n und das E n t s e t z e n die Pferde vor seinen Wagen spannen, und legte seine leuchtenden Waffen an.

Zürnt nicht, ihr Götter, sprach er, daß ich den Tod meines Sohnes räche, | wenn Jupiter selbst auch seine Blitze auf mich schleudert. – Da 127 sprang Minerva zu, riß ihm den ehernen Spieß aus seiner Hand, den Helm vom Haupte, den Schild von seiner Schulter. – Rasender, sprach sie, willst du uns alle ins Verderben stürzen, wenn aufs höchste Jupiters Zorn gereitzt ist! – Laß ab zu zürnen, denn mancher ist erschlagen, der stärker war als dein Sohn, und mancher Stärkere wird noch fallen; – wer kann die Sterblichen vom Tode befreien! so sprach sie, und brachte den Mars zu seinem Sitz zurück.

So zürnen die erhabenern und eben deswegen auch sanftern Gottheiten, auf den ungestümen und unbeständigen | Mars, – der aber 128 demohngeachtet als ein hohes Wesen seinen Sitz unter den himmlischen Göttern hat, und dem auf Erden Tempel und Altäre geweiht sind.

Hymnus.

O Mars, mit Riesenstärke
Und Löwenmuth begabt,
Du, mit dem goldnen Helme,
In ehrner Rüstung strahlend,
Mit Spieß und Schild bewafnet,
Auf deinem Götterwagen,
Beschützer des Olympus,
Der den Sieg verleihet,
Helfer der gerechten Rache,
Geber der entschloßnen Kühnheit,
Höre unsre Bitte:
Daß mit unerschrocknem Muthe
Dein göttlicher Einfluß uns beseele,
Damit wir die Gefahr

129

Von unsern Häuptern wenden!
Und daß es uns an Kraft nicht mangle,
Den Zorn in unsrer Brust zu zähmen,
Der ein Kind des Irrthums ist!

130   Vulkan.

(Die neunte Kupfertafel.)

Auf einer antiken Gemme ist Vulkanus abgebildet, auf einem Felsen
sitzend, und auf dem Ambos einen von den Fittichen schmiedend, die
Jupiters Donnerkeile beflügeln. Der kraftvolle Arm hebt sich hoch
empor, um mit dem Hammer auf den Ambos die mächtigen Schläge
zu vollführen, während daß der Blick des kunstreichen Gottes, mit
weiser Aufmerksamkeit auf sein Werk sich heftet.

⟨Abb. 41⟩
131   Das Urbild des Vulkan.

Das Mühsame und Beschwerliche der Arbeit in der mit Rauch und
Dampf erfüllten Werkstatt, zusammengedacht mit der erhabenen
Kunst, die unermüdet hier mit schaffendem Geiste wirkt, hüllte die
Phantasie in eine eigene hohe Götterbildung ein, bei welcher alle
Kraft sich in dem mächtigen Arm vereint, der den gewaltigen Ham-
mer auf den Ambos führt, indeß die gelähmten Füße hinken.

Wetteifernd mit dem Jupiter hatte Juno den Vulkan, wie dieser die
Minerva, aus sich selbst gebohren und erzeugt. – Jupiter aber schleu-
132 derte ihn | vom Himmel herab; er sollte in den glänzenden Reihen des
hohen Göttersitzes nicht aufgenommen seyn. –

Der Rauch, der schwarze Dampf, die halberstickte Flamme, vereinte sich mit dem reinen A e t h e r nicht, und widerstrebte dem Begriff von Klarheit, Schönheit, und hoher Götterwürde. – D i e H ä ß -
l i c h k e i t Vulkans ist ihm ein bitterer Vorwurf.

Und dennoch nahm die Phantasie auch diese Götterbildung unter
den Glanz des Hohen und Himmlischen, durch den Weg des K o -

m i s c h e n wieder auf. − Die seeligen Götter gerathen in ein unendliches Lachen, wenn der hinkende Vulkan das Amt des Ganymed
verwaltend, und│selbst über sein Gebrechen scherzend, den mit Nek- 133
tar gefüllten Becher in der Versammlung der Götter umherreicht.

Die kühne Einbildungskraft der Alten aber wußte das K o m i s c h e
selber wieder mit Göttermacht und Hoheit, und einer über alles
Menschliche erhabnen Würde zu umkleiden, wodurch sie eine Schattirung mehr erhielten, die ihren Dichtungen einen unnachahmlichen
Reitz giebt.

Die Majestät des Vulkan.   134

Der hinkende, wegen seiner Häßlichkeit vom Himmel geschleuderte
Sohn der Juno, welcher unbehülflich das Amt des zarten Ganymed
verrichtet, ist in der mechanischen Kunst vortreflich; bei dieser scha-
den ihm die gelähmten Füße nicht; auch schmälert sein Sturz vom
Himmel die Macht und Hoheit nicht, wodurch er ein Gegenstand der
Verehrung der Völker wird.

In seiner Schmiede führt er auf dem Ambos mit mächtigen Schlägen selbst den Hammer; − aber Luft und Feuer stehen ihm zu Gebote.
− Die Blasebälge│athmen auf seinen Wink, und hauchen die Flam- 135
men stärker oder schwächer an; − jeder seiner Gedanken führt schnell
mit Götterkraft sich aus, und unter seinen bildenden Händen tritt
majestätisch das Werk hervor.

Ihm ist es ein Leichtes seinen Bildungen Leben einzuhauchen; − er
schmiedet zwanzig Dreifüße auf goldenen Rädern rollend, welche auf
seinen Wink in die Versammlung der Götter gehen und wiederkehren. − Auch hat er sich goldne Mägde gebildet, die Leben und Bewegung haben, und ihn im Gehen stützen. −

Wenn er aus seiner Schmiede tritt, so trägt er ein königlich Gewand
und Scepter; − auch ist in ihm die hohe│bildende Kunst, obgleich in 136
unansehnliche Gestalt verhüllt, doch mit der S c h ö n h e i t selbst vermählt; − durch diese Vermählung mit der Venus aber, erhält das
Komische in den Zügen der Götterbildung des Vulkan den höchsten
Reitz, weil auch die Eifersucht sich dazu gesellt. −

137   Die Eifersucht des Vulkanus.

Das künstliche Netz, welches der eifersüchtige Gatte um den Mars
und die Venus schmiedet, und alle Götter herbeiruft, um über sein
Unglück sich zu beklagen, ist in den Dichtungen der Alten unter
Göttern und Menschen zu einer belustigenden Fabel geworden, wodurch der finstre Ernst gemildert, und das Gemüth zu frohem Lächeln aufgeheitert wird.

In der Götterbildung des Vulkan aber findet sich das ganz Entgegengesetzte zusammen, was die Alten vorzüglich in ihren Dichtungen
138 liebten; in ihm | vermählt sich die Häßlichkeit mit der Schönheit
selber; – das Komische ist in ihm mit Würde, die Schwachheit mit der
Stärke, die Lähmung des Fußes mit der Macht des mächtigen Arms
vereint. –

139   Der Kampf des Vulkan mit dem Flußgott Skamander.

Als Vulkan in dem Treffen vor Troja auf den Befehl seiner Mutter sich
mit seinen Flammen dem Flußgott S k a m a n d e r widersetzte, der
mit seinen anschwellenden Fluthen den Achill verfolgte; so begann
ein furchtbarer Kampf zwischen den beiden entgegengesetzten Elementen. Zuerst verbrannte Vulkan das Feld mit allen Todten; – dann
richtete er die leuchtende Flamme gegen den hochaufschwellenden
Strom, daß das Schilf an seinen Ufern verbrannte, das Wasser siedete,
140 und die Fische geängsti-|get wurden. – Da flehte der Flußgott die
Juno um Erbarmung an, – und Vulkan ließ ab ihn zu ängstigen, da
seine Mutter es ihm befahl, und zu ihm sprach: höre auf, es ist nicht
billig, daß e i n   u n s t e r b l i c h e r   G o t t   d e r   s t e r b l i c h e n   M e n -
s c h e n   w e g e n   s o   g e q u ä l t   w e r d e !

141   Vulkan und Minerva, die bildenden Gottheiten.

Vulkan wünschte, obgleich vergeblich, sich mit der Minerva zu vermählen. – Und als er gewaltsam sich ihrer zu bemächtigen suchte,

wurde, während daß er mit der Göttin kämpfte, die Erde von seiner
Zeugungskraft befruchtet, und gebahr den E r i c h t h o n i u s mit
D r a c h e n f ü ß e n, den Minerva selbst in Schutz nahm, und ihn den
Einwohnern ihrer geliebten Stadt Athen zum Könige setzte, wo er,
um seine ungestalten Füße zu verbergen, den vierrädrigen bedeckten
Wagen erfand. –

Die Drachengestalt und Drachenfüße bezeichnen in diesen Dich-   142
tungen fast immer das der E r d e Entsprossene, mit der Erde nah
Verwandte, – so bildet die Phantasie die himmelanstürmenden Giganten, als Kinder der E r d e mit Drachenfüßen; und auch der Wagen
der Ceres, die die Erde befruchtet, ist mit Drachen bespannt.

Schön und bedeutend ist es in diesen Dichtungen, daß die bildenden Götter einander hülfreich sind. – Als Prometheus die Menschen
schuf, so standen Minerva und Vulkan ihm bei – und der Hymnus
preißt den Vulkan und die Minerva wegen ihrer Verdienste um das
Menschengeschlecht:

Hymnus.   143

Sing o Muse mit lieblichen Tönen,
Vulkan, den trefflichen Künstler,
Der mit der blauäugichten Göttin vereint,
Die Menschen auf Erden bildete,
Die vorher, gleich den Thieren des Waldes,
In den Höhlen der Berge wohnten.
Nun aber, vom Vulkan gelehrt,
Bringen sie in ihren Häusern,
Vergnügt und froh ihr Leben zu.
Gott Vulkanus, sey uns gnädig,
Verleih uns Tugend, gewähr' uns Glück!

144

Ceres.

(Die zehnte Kupfertafel.)

Auf einer antiken Gemme ist Ceres abgebildet mit dem Füllhorn in der rechten und Aehren in der linken Hand, auf einem hohen Wagen sitzend, welchen zwei Elephanten ziehen. Um die Elephanten zu regieren, sitzt ein Jüngling auf dem Nacken des einen, auf dem andern ein bärtiger Mann. Die Kolossen der Thierwelt beugen ihren Nacken unter das sanfte Joch der alles ernährenden Göttin.

⟨Abb. 42⟩
145

Das Urbild der Ceres.

Unter den drei hohen Göttinnen, die vom Saturnus erzeugt, und von der Rhea gebohren sind, ist Juno allein die Königin des Himmels. – Ceres und Vesta sind auf Erden wohlthätige Wesen, wovon die eine den nährenden Halm hervorruft; die andre selbst jungfräulich, dennoch den Schooß der Erde mit heiliger fruchtbarmachender Wärme durchglüht.

An die Vorstellung vom Ackerbau, welche den Menschen nachher so gewöhnlich und alltäglich geworden ist, knüpften sich in jenen
146 Zeiten, wo man noch | die Gaben der Natur gleichsam unmittelbar aus ihrer Hand empfing, erhabne und schöne Begriffe an; es war die Menschheit und ihre höhere Bildung selber, die man in dieser einfachen Vorstellung wiederfand, unter welcher man sich auch die ganze Natur mit ihren wunderbarsten abwechselnden Erscheinungen dachte, und sich an dieselbe unter allen ihren Gestalten, so nahe wie möglich anschloß.

147

Proserpinens Raub.

Mit der Ceres erzeugte der Vater der Götter die jungfräuliche Proserpina, welcher des Lichtes süßer Anblick nur kurze Zeit gewährt war – denn nur zu bald wurde Jugend und Schönheit ein Opfer des unerbittlichen Orkus. –

Da sie in sorgenfreier Unschuld mit ihren Gespielinnen auf der Wiese Blumen sammlet, schlingt schon der König der Schrecken die starken Arme um sie her, und hebt die umsonst sich sträubende auf seinen mit schwarzen Rossen bespannten Wagen. –

Zürnend und mitleidsvoll versucht die Nymphe Cyane die schnau- 148 benden Rosse aufzuhalten. – Pluto aber stampft mit seinem zweizackigten Zepter von Ebenholz den Boden, und öfnet sich mitten durch die Klüfte der Erde zu seinem unterirdischen Pallast einen Weg.

Ceres aber, da sie den Raub ihrer Tochter vernimmt, unwissend wer sie entführte, zündet auf dem f l a m m e n d e n A e t n a ihre Fackel an, setzt sich auf ihren mit Drachen bespannten Wagen, und sucht ihre Tochter in den verborgensten Winkeln der Erde, wohin kein Strahl der Sonne drang. – Sie sucht die Nacht zu erleuchten; das Verborgene aufzudecken; u m d a s V e r l o h r n e u n d E n t -| s c h w u n d e n e , w a s i h r s o n a h v e r w a n d t i s t , w i e d e r a n s 149 L i c h t z u bringen. –

Nachdem sie ihre Tochter nun vergebens auf der ganzen Erde gesucht hat, so kam sie endlich in E l e u s i s , einem Flecken in Attika, ermüdet an. –

Mit der Macht der Gottheit verknüpft die schöne Dichtung m e n s c h l i c h e s L e i d e n . – Die erhabene Göttin war jammervoll – sie setzte sich betrübt auf einem Steine nieder – bis der gastfreie Celeus sie in seine Wohnung einlud, ohngeachtet sein Haus voll Trauer war, weil sein geliebter Sohn in letzten Zügen lag.

Die Göttin nahm an dieser Trauer Theil, weil sie den Schmerz über 150 den Verlust eines Kindes in seiner ganzen Größe kannte. – Nun aber that sie, was als Göttin ihr ein Leichtes war; sie machte des Celeus Sohn gesund.

Auch wollte sie die U n s t e r b l i c h k e i t dem blühenden Knaben schenken, indem sie ihn alle Nacht auf ihrem Schooße in Flammen hüllte, um alles Sterbliche an ihm zu tilgen; bis durch den ungestümen Schrei, und durch die unzeitige Furcht der Mutter, welche die Ceres einst bei diesem Geschäft belauschte, auch dieser Wunsch der Göttin vereitelt wurde.

Dennoch setzte sie ihrer Wohlthätigkeit keine Schranken; sie gab
151 dem Trip-|tolemus, des Celeus älterm Sohne, einen Wagen mit
fliegenden Drachen bespannt, und schenkte ihm den edlen Waizen,
daß er ihn auf der ganzen Erde mit vollen Händen ausstreuen, und
Seegen allenthalben seine Spur begleiten sollte.

Endlich entdeckte nun auch der Ceres die allsehende Sonne den
Aufenthalt ihrer Tochter, — da forderte sie die gewaltsam Geraubte
zürnend vom Orkus wieder, — und Jupiter selber bewilligte Proserpinens Rückkehr, unter der Bedingung, daß von der Kost in Plutos
Reiche ihre Lippe noch unberührt sey.

Proserpine aber hatte dem Reitz nicht widerstanden, aus einem
152 Granatapfel | einige Körner zu verzehren, — nun war sie dem Orkus
eigen, und konnte keine Rückkehr hoffen.

Dennoch bewirkte ihre mächtige Mutter, daß sie nur einen Theil
des Jahres beim Pluto verweilen dürfte, den andern aber wieder auf
der Oberwelt des himmlischen Lichts genösse, damit die liebende
Mutter sich alljährlich der wiedergefundenen Tochter freue.

153   Die Deutung von Proserpinens Raube.

Durch alle diese Dichtungen schimmern die Begriffe von der geheimnißvollen Entwickelung des Keims im Schooß der Erde, von dem
innern verborgenen Leben der Natur hervor. — Es giebt keine Erscheinung in der Natur, wo Leben und Tod, dem Ansehen nach,
näher aneinander grenzen, als da, wo das Saamenkorn, dem Auge
ganz verdeckt, im Schooß der Erde vergraben, und gänzlich verschwunden ist; und dennoch grade auf dem Punkte, wo das Leben
154 seine | Endschaft zu erreichen scheint, ein neues Leben anhebt.

Durch den sanften Schooß der Ceres pflanzen sich bis in das dunkle
Reich des Pluto die himmlischen Einflüsse fort. — Pluto heißt auch
der stygische oder unterirdische Jupiter; und mit ihm vermählt sich
des himmlischen Jupiters reitzende Tochter, in welcher die Dichtung
die entgegengesetzten Begriffe von Leben und Tod zusammenfaßt,
und durch welche sich zwischen dem Hohen und Tiefen ein zartes
geheimnißvolles Band knüpft.

Auf den M a r m o r s ä r g e n der Alten findet man oft den Raub der
Proserpina abgebildet, − und bei den ge-|heimnißvollen Festen, wel- 155
che der Ceres und der Proserpina gefeiert wurden, scheint es, als habe
man grade dieß Aneinandergrenzen des Furchtbaren und Schönen,
zum Augenmerk genommen, um die Gemüther der Eingeweihten
mit einem sanften Staunen zu erfüllen, wenn das ganz E n t g e g e n -
g e s e t z t e sich am Ende in Harmonie auflößte. −

Die strafende Macht der Ceres. 156

Unter den hohen Göttergestalten ist C e r e s eine der sanftesten und
mildesten; demohngeachtet ließ sie auch den Erysichthon, welcher an
einem ihr geweihten heiligen Haine Frevel verübte, ihre furchtbare
Macht empfinden. − Sie selber warnte ihn zwar, da er im Begriff war
die heilige Pappel umzuhauen; als er aber dennoch den grausamen
Hieb vollführte, so mußte er für sein Vergehen gegen die alles ernährende Göttin, mit e w i g n i c h t z u s t i l l e n d e m H u n g e r, büßen.

Und als sie ihre verlohrne Tochter auf dem ganzen Erdkreis su- 157
chend, einst lechzend und ermattet in eine Hütte einkehrte, wo sie
begierig trinkend, von einem Knaben verspottet ward, so duldete sie
die Schmach nicht, sondern besprengte den kindischen Frevler mit
Wassertropfen, der plötzlich in eine Eidexe verwandelt, von der
furchtbaren Macht der Göttin ein Zeuge ward.

Hymnus.

Der hohen Ceres töne mein Gesang
Und der jungfräulichen Proserpina!
Sey uns gegrüßt o Göttin,
Seegne unsre Fluren
Sey unsern Liedern hold!

Hymnus. 158

Sey uns gegrüßt, o Ceres,
Allernährende, Allbefruchtende,

Die du den Städten Gesetze gabst,
Die ersten Aehren schnittest
Die ersten Garben bandest,
Und durch der Stiere Tritt
Das erste Korn zermalmtest,
Als Triptolem dein Schüler war. –
Singt ihr Jungfrauen, und ihr Frauen:
Sey uns gegrüßt, o Ceres,
Allernährende Göttin! –
So wie die Trägerinnen
Mit Gold gefüllte Körbe
Auf ihren Häuptern tragen,
So ström' uns Reichthum zu! –
Sey uns gegrüßt, o Göttin;
Erhalt' in Eintracht unsern Staat,
Bring unsre Saat zur Reife,
159   Den Früchten der Erde gieb Gedeihen,
Den Bäumen edles Obst,
Den Stieren fette Weide,
Dem Acker volle Aehren! –
Gewähr' uns süßen Frieden,
Daß der Pflüger erndte,
was er ausgesät!
Erhabne Göttin sey uns gnädig,
Und höre unser Flehn!

160   Vesta.

(Die eilfte Kupfertafel.)

Der Tempel der Vesta, welcher noch itzt in Rom am Ufer der Tiber
steht, ist gewölbt und rund, mit einem Säulengange umgeben, welcher die Vorhalle zu dem innern Heiligthum bildete, das, von einer

Marmorwand umschlossen, die heilige Flamme aus dem Dunkel hervorschimmern ließ, und selber die geheimnißvolle Gottheit bezeichnete, welche über Form und Bildung erhaben, unter der reinen Flamme in diesem Heiligthume verehrt wurde.

Das Urbild der Vesta.

⟨Abb. 43⟩
161

So wie Vulkan die zerstörende, und auch die bildende Flamme, das
verzehrende Feuer, und die alles zerschmelzende Gluth bezeichnet; so
ist der Vesta höheres Urbild das heilige glühende Leben der Natur,
das unsichtbar mit sanfter Wärme, durch alle Wesen sich verbreitet.

Es ist die reine Flamme in dem keuschen Busen der hohen Himmelsgöttin, welche als ein erhabnes Sinnbild auf dem Altar der Vesta
loderte, und wenn sie verloschen war, nur durch den elektrischen,
durch Reibung hervorgelockten Funken, sich wieder entzünden
durfte.

Das heilige Feuer der Vesta.

162

Dieser uralte Gottesdienst verflochte sich mit in das schöne häusliche
Leben der Alten: Man dankte der Vesta jede wohlthätige Wirkung des
Feuers, die auf Erhaltung und Ernährung abzweckt. – Sie war es,
welche die Menschen lehrte, sich auf dem heiligen Heerde die
nährende Kost zu bereiten.

Auch das Häuserbauen lehrte Vesta die Menschen, – und so wie das
umgebende Ganze selber ihr Tempel war, so war auch die schützende
Umgebung des Menschen ihr wohlthätiges Werk, das ihr die Sterb-
lichen dankten; denn der|Eintritt zu jeglichem Hause und der Vorhof 163
waren ihr heilig.

Es war ein reines dankbares Gefühl bei den Alten, wodurch sie jede
einzelne Wohlthat der Natur, unter irgend einem bezeichnenden
Sinnbilde besonders anerkannten; – es war eine schöne Idee, der
heiligen Flamme, welche wohlthätig den Menschen

dient, gleichsam wieder zu pflegen, und unbefleckte
Jungfrauen, als die heiligsten Priesterinnen, ihrem
immerwährenden Dienste zu weihen.

Für das Feuer, welches allenthalben den Menschen nützt, gab es
164 auch einen | Fleck, wo es nie durch den Gebrauch zu menschlichem
Bedürfniß herabgezogen, stets um sein selbst willen loderte, und die
Ehrfurcht der Sterblichen auf sich zog.

Hymnus.

Vesta, Jupiters Vertraute
Sorgsame Beschützerin
Des heiligen Hauses zu Delphos,
Steige zu diesem Hause herab;
Laß unsre Lobgesänge
Dir wohlgefällig seyn!

165   Vesta und Merkur.

Vesta und Merkur waren beide die Menschen lehrende wohlthätige
Wesen, und der Gesang vereint ihr Lob. In allen Häusern und Pallästen der Götter und der Menschen hat Vesta ihren eignen Sitz, und
ihre alte Ehre; der ersten und der letzten Vesta wird bei jedem
Gastmahle süßer Wein mit Ehrfurcht ausgegossen.

Der Sohn des Jupiter und der Maja, der Bote der Götter mit dem
goldenen Stabe, der Geber vieles Guten, bewohnet mit der Vesta die
166 Häuser der Sterblichen, und beide sind einander lieb, | weil beide,
in schöner Uebereinstimmung, nützliche Künste leh-
ren. –

Hymnus.

Der Vesta und dem Merkur.

Heilige Vesta, und du Götterbote
Mit dem goldnen Stabe,

Die ihr vereint der Menschen Werk
Mit eurem Götterhauch beseelet,
Seyd diesem Hause gnädig! –
Sey gegrüßt Saturnus Tochter!
Sey gegrüßt du Sohn der Maja!
Beiden tönt mein Lobgesang.

Merkur.

⟨Abb. 44⟩
167

(Die zwölfte Kupfertafel.)

In reitzender Jünglingsgestalt ist Merkurius abgebildet, um die Rechte den Mantel gewunden, in der Linken den Friedensstab. Auf seinem
Antlitz herrscht die täuschende Miene der Unschuld, hinter welcher
die behende List, und liebenswürdige Schalkheit sich verbirgt.

Das Urbild des Merkur.

168

In diese leichte Götterbildung hüllte die Phantasie der Alten die
Begriffe von schneller Erfindungskraft, List, und Gewand-
heit ein, die sich sowohl in der täuschenden Ueberredung, als
in dem leicht vollführten scherzenden Diebstahl zeigte, worüber
selbst der Beraubte, wenn er die kühne Schalkheit wahrnahm, lächeln
mußte. –

Schalkheit und List ist hier mit der Macht der Gottheit und mit
Unsterblichkeit gepaart, – denn nichts war unheilig in der Vorstel-
lungsart der Alten, was aus dem mannichfaltigen Bildungs-|triebe der   169
Natur hervorgieng, und, wenn gleich durch sich selber schadend,
dennoch den Stoff des Schönen und Nützlichen in sich enthält.

Die Phantasie setzt ihren Göttergestalten keine Schranken, – sie
läßt bei jeglicher den herrschenden inwohnenden Trieb in seinem
weitesten Umfange spielen, und führt ihn gern bis auf den Punkt
des Schädlichen hin; eben weil in diesen Dichtungen die großen

Massen von Licht und Schatten, und die furchtbaren Gegen-
sätze in der Natur sich zusammendrängen, die sonst das Auge nur
zerstreut und einzeln wahrnimmt; und weil gewissermaßen jede Göt-
170 tergestalt, das Wesen der Dinge selbst, | aus irgend einem erha-
benen Gesichtspunkt betrachtet, in sich zusammenfaßt.

In dieser Rücksicht ist die Dichtung vom Merkur eine der schönsten und vielumfassendsten. — Er ist der behende Götterbote — der
Gott der Rede — der Gott der Wege — in ihm verjüngt sich das
schnelle geflügelte Wort, und wiederhohlt sich auf seinen Lippen, wenn er die Befehle der Götter überbringt. —

Darum ist auch sein erhabenstes Urbild die Rede selber, welche
als der zarteste Hauch der Luft sich in den mächtigen Zusammenhang der Dinge gleichsam stehlen muß, um, durch den Gedanken
und die Klugheit zu ersetzen, was ihrer Wirksamkeit an Macht ab-
geht. —

171 Auch lieh die Phantasie der Alten gern dem Worte Flügel, weil es
vom schnellen Hauch begleitet erst hörbar wird; und wenn der Laut
nicht über die Lippen kam, so war ihr schöner Ausdruck: dem Worte fehlten Flügel.

Die Zunge der Opferthiere war dem Merkur geweiht; Milch und
Honig brachte man dem Gott der sanft hinströmenden Unterredung
dar. — Aus seinem Munde senkte sich, nach einer dichterischen Darstellung, vom Himmel eine goldne Kette nieder, bis zu dem lauschenden Ohre der Sterblichen, die der süße Wohllaut von seinen
Lippen mit mächtigem Zauber lenkte. —

172   Merkur der Sohn der Maja.

Nichts ist reitzender als die dichterischen Schilderungen der Alten
von der schnell sich entwickelnden Götterkraft, die gleichsam lange
vorher schon war, und nur in verjüngter Gestalt aus dem Schooß der
Mutter neu geborhen, die Fülle ihres Wesens, welche sie in sich spürt,
nicht lange durch Windeln und durch die Wiege beschränken läßt.

Während daß Juno schlief, hatte Jupiter in verstohlner Umarmung mit der holden Maja den Merkur in einer schattigten Höhle erzeugt. — Und als die | Zeit der Entbindung da war, so wurde am frühen 173 Morgen der Götterknabe gebohren, am Mittag schlug er schon die von ihm selbst erfundene Laute, und am Abend entwandte er die Rinder des Apollo.

Merkur, der Erfinder der Laute. 174

Die Laute erfand er, da er am ersten Mittage sich aus der Wiege stahl, und indem er über die Schwelle trat, eine Schildkröte ihm entgegen kam, deren umwölbende Schaale ihm sogleich ein schickliches Werkzeug schien, um von dem Klange darauf gespannter Saiten wiederzutönen. —

Wenn du todt bist, sprach er zu der Schildkröte, dann wird erst dein Gesang anheben. — Und als er ihr nun das Leben geraubt hatte, und die Umwölbung leer war, spannte er sieben aus Sehnen | geflochtene 175 miteinander tönende Saiten darüber, und schlug sie mit dem klangentlockenden Stäbchen, jeden einzelnen Ton versuchend, der tief im Bauch der Wölbung wiederhallte.

Nun konnte er der Lust zu singen nicht widerstehen, und besang, die Laute schlagend, was nur sein Auge erblickte; die Dreifüße und Gefäße in seiner Mutter Hause; aber er sang auch schon mit höherm Schwunge, Jupiters Liebesbündniß mit der holden Maja, als seiner eigenen Gottheit Ursprung.

Merkur und Apollo. 176

Als nun am Abend die Sonne sich in den Ocean tauchte, war er schon auf den Piräischen Gebirgen, wo die Heerden der unsterblichen Götter weiden. Funfzig entwandte er von Apollos Rindern, und trieb sie mit manchem listigen Kunstgriff über Berg und Thal, daß niemand die Spur des Raubes entdecken konnte, wenn nicht ein Greis, der auf dem Felde grub, den Knaben mit den Rindern vor sich her bemerkt, und ihn dem Apollo verrathen hätte.

Als er nun am Alpheusstrome zwei von den Rindern geschlachtet,
177 und sie | sich selber geopfert hatte, so löschte er wieder das
Feuer aus, verscharrte die Asche in den Sand, und warf die Schuh von
grünem Reisern, womit er die Fußstapfen unkenntlich zu machen
gesucht, in den vorüberströmenden Alpheus, damit auch hier sich
keine Spur mehr zeige.

Dieß alles that er bei Nacht und hellem Mondenschein. –
Als nun der Tag anbrach, da schlich er sich leise wieder in die
Wohnung seiner Mutter, und legte sich in die Wiege, die Windeln um
sich her, die Laute als sein liebstes Spielwerk, mit der Linken haltend.
178 Und als nun Apollo wegen der geraubten Rinder zürnend kam, so
stellte sich der Räuber, als ob er in der Wiege in süßem Schlummer
läge, die Laute unterm Arme. Apollo drohte, ihn in den Tartarus zu
schleudern, wenn er nicht schnell den Ort anzeigte, wo die entwandten Rinder wären.

Da antwortete der listige Knabe mit den Augen blinzelnd: wie
grausam redest du, Latonens Sohn, einen kleinen Knaben an, der
gestern gebohren ist, und dem ganz andre Dinge lieb sind, als Rinder
hinwegzutreiben; der sich nach süßem Schlummer, und nach der
Brust der Mutter sehnt; und dessen Füße viel zu weich und zart sind,
179 als daß sie rauhe | Pfade betreten könnten. – Doch will ich bei meines
Vaters Jupiters Haupte schwören, daß ich die Rinder weder selber
entwandt habe, noch den Thäter weiß.

Und als sie nun beide, um ihren Streit zu schlichten, vor dem Vater
der Götter auf dem Olymp erscheinen, so bringt zuerst Apollo wegen
der entwandten Rinder seine Klage vor. – Merkur aber stand in Windeln da, um durch sein zartes Alter selbst die Klage zu widerlegen.

Seh' ich denn wohl, so sprach er zum Jupiter, einem starken Manne
gleich, der Rinder hinwegzutreiben vermag? – Gewiß sollst du, mein
180 Erzeuger selbst, | die Wahrheit von mir hören: ich lag in süßem
Schlummer, und habe die Schwelle unsrer Wohnung nicht überschritten; – du weißt auch selber wohl, daß ich nicht schuldig bin;
doch will ichs auch durch den größten Schwur betheuern; und jenem
einst sein grausames Wort vergelten; du aber stehe dem jüngern bei!

So sprach Merkur mit den Augen blinzelnd, und Jupiter lächelte über den Knaben, daß er so schön und klug den Diebstahl zu leugnen wußte.

Zugleich befahl er dem Merkur, den Ort zu zeigen, wo die Rinder wären. Als dieser nun Jupiters Befehl gehorchte, ward auch Apollo wieder mit ihm versöhnet; und die vom Merkur erfunde-|ne Laute war der Versöhnung Unterpfand.   181

Denn als der Gott der Harmonien ganz entzückt den lieblichen Ton vernahm, der fähig ist, Liebe und Freude und Schlummer zu bewirken, gewann er auch den klugen Erfinder lieb, und sprach: die Erfindung sey der funfzig geraubten Rinder werth! – Da schenkte ihm Merkur die Laute, und Apollo war über den Besitz des kostbaren Schatzes hocherfreut; damit ihm dieser aber vollkommen gesichert sey, so bat er den Merkur, ihm noch bei dem Styx zu schwören, daß er die sanftertönende Laute ihrem nunmehrigen Besitzer nie wieder entwenden wolle.

Der Friedensstab des Merkur.   182

Apollo schenkte nachher dem Merkur den goldenen Stab, der alle Zwiste schlichtet; – unwiderstehlich ist seine Macht, das Streitende zu versöhnen, und das Mißtönende harmonisch zu verbinden. – Mit diesem goldnen Stabe schlug Merkur zwischen zwei erzürnte miteinander streitende Schlangen, – und diese vergaßen plötzlich ihrer Wuth, und wickelten sich vereint, in sanften Krümmungen um den Stab, bis an die Spitze, wo ihre Häupter in ewiger Eintracht sich begegnen.

Es giebt kein schöneres Sinnbild, um die Versöhnung und den Frie-   183
den, so wie die harmonische Verbindung des Widerstreitenden und Entgegengesetzten zu bezeichnen, als diesen Schlangenumwundenen Stab, der, in der Hand des Götterboten, der Herold seiner Macht ist.

184 ## Merkur der Götterbote.

Merkur wird der Götterbote; – er ist die b e h e n d e M a c h t – d a s
s c h n e l l s i c h B e w e g e n d e unter den hohen Göttergestalten, die
gleichsam fest gegründet in ihrer Majestät, den schnellen erfindungsreichen Gedanken vom Himmel zur Erde senden, und wenn er wiederkehrt, ihn in ihren hohen Rath aufnehmen.

185 ## Merkur der Gott des Ringens.

Auch die Kunst zu ringen, und d u r c h B e h e n d i g k e i t d e r S t ä r k e
überlegen zu seyn, lehrte Merkur die Menschen. Alles, wodurch der
zarte Gedanke, sich in der Dinge geheimste Fugen stehlend, des
mächtigen Zusammenhangs Meister wird, ist das Werk des leichten
Götterboten.

186 ## Merkur, der Führer der Todten.

Er steigt vom hohen Olymp ins Reich des Pluto nieder. – Die Seelen
der Verstorbenen führt er mit seinem Stabe der öden Schattenwelt,
der dunkeln Behausung der Todten zu; er selber steigt wieder zum
Olymp empor, wo ewiger Glanz und Klarheit herrscht. –

Hymnus.

Den Herrscher von Cyllene,
Merkur, den Götterboten,
Den mächtigen will ich singen,
Den Atlas Tochter, Maja,
Dem Jupiter gebahr. –
187 Juno lag im süßen Schlummer,
Während mit dem Gott des Donners,
In der dunkeln Felsengrotte
Maja Liebe pflog. –

Jovis und der Maja Sohn,
Geber schöner Gaben,
Sey gegrüßt Merkur!

Mythologisches

Wörterbuch

zum

Gebrauch

für Schulen,

von

Karl Philipp Moritz,

Königlich Preußischem Hofrath und Professor,
ordentl. Mitgliede der Königlichen Akademie der
Wissenschaften und des Senats der Akademie
der bildenden Künste zu Berlin.

Berlin, 1793.

Bei Christian Gottfried Schöne.

Mythologisches

Wörterbuch

zum

Gebrauch

für Schulen,

von

Karl Philipp Moritz,

Königl. Preußischem Hofrath und Professor.

Nach dessen Tode fortgesetzt
von

Valentin Heinrich Schmidt,

Prorektor der Köllnischen Stadtschule.

Mit dem Bildnisse des verstorbenen Moritz.

Berlin, 1794.

Bei Christian Gottfried Schöne.

Abas. Ein Sohn des L y n c e u s und der H y p e r m n e s t r a , einer 〈3〉
Tochter des Danaus. Er herrschte über Argos vier und zwanzig Jahre,
und erzeugte den Akrisius und Prötus. In Phocis erbauete er eine
Stadt, die er nach seinem Namen Abas nannte. Durch seine Tapferkeit
war er so sehr das Schrecken seiner Feinde, daß selbst nach seinem
Tode, der bloße Anblick seines Schildes sie noch in die Flucht jagte.
Den Namen Abas führte auch der Metanira Sohn, ein Knabe, wel-
cher der Göttin Ceres spottete, da sie ihre verlorne Tochter suchte, und
in der Hütte der Metanira, die ihr Wasser reichte, begierig trank.
Einige Tropfen, die sie auf den spottenden Knaben sprützte, verwan-
delten ihn plötzlich in eine fleckigte Eidexe. So mußte der Sohn der
Metanira seinen Vorwitz büßen.

Abderus. Ein Sohn des E r i m u s aus Lokris, begleitete den Herkules auf seinem Zuge nach Thracien, als dieser dem Eurystheus die
feuerspeienden Rosse des Diomedes bringen sollte. Schon hatte Her-
kules sich der Rosse bemächtiget, als er mit den | Bistoniden in einen 4
Kampf gerieth. Er übergab die Rosse dem Abderus, der, zu schwach
sie zu bändigen, von ihnen getödtet und zerfleischt wurde. Herkules
baute ihm zu Ehren die Stadt Abdera, an dem Orte, wo sich sein Grab
befand.

Abeona. Eine der allegorischen Gottheiten bei den Römern, welche von Abeo, ich gehe weg, ihren Namen führte, und der man die
Abreisenden oder Weggehenden anbefahl. Man legte auf diese Weise
den bloßen Begriffen oder Gedanken Persönlichkeit bei, und schuf
sich auf jede Veranlassung und für jeden besondern Fall eine eigene
Gottheit.

Absyrtus. Ein Sohn des Aeetes, Königs in Kolchis. Als Medea, die Tochter des Aeetes mit dem Jason entfloh, so nahm sie ihren Bruder, den Knaben Absyrtus, gleichsam als Geißel mit; und als sie von ihrem Vater verfolgt wurde, der sie an dem Pontus Euxinus schon einzuholen im Begriff war, so brachte sie den Knaben um, zerstückte seinen Leib, und streute am Ufer seine Glieder aus; Kopf und Hände aber stellte sie auf einen erhabenen Felsen, damit ihr Vater im Vorbeiseegeln die Züge seines Sohns erkennen, und durch diesen Anblick in seiner schnellen | Verfolgung möchte aufgehalten werden. Dies grausame Mittel verfehlte seiner Wirkung nicht; Aeetes hemmte seinen Lauf, und ließ die zerstreuten Glieder des Absyrtus erst sammeln und begraben. Während dieser Zögerung bekam Medea Zeit zur Flucht; von der Zerstückelung des Absyrtus, bekam nachher die Stadt To m i ihren Namen, aus welcher der Dichter Ovidius seine Klagen schrieb, und die noch jetzt von ihrer ehemaligen Benennung den Namen To - m i s w a r führt.

Abundantia. Die Göttin des Ueberflusses bei den Römern. Eine weibliche Gestalt, mit Blumen bekränzt, senkt ein Füllhorn in der rechten Hand zur Erde, und in der linken hält sie ein Bund von Aehren. So findet man diese Gottheit auf Münzen und alten Denkmälern abgebildet.

Acacesius. Der Unschädliche, ein Beiname des Merkur. Eine Stadt in Arkadien führte den Namen Acacesium, und Merkur wurde unter diesem Namen hier verehrt; auch zu Megalopolis, der Hauptstadt Arkadiens, war dem Merkurius Acacesius ein Tempel geweiht. Akakus hieß der Pflegevater Merkurs, Lycaons Sohn. Weil man sich den Mer-|kur in gewissem Verstande als eine listige und schadende Gottheit dachte; so zeichnete ihn der Beiname Acacesius, der Unschädliche, besonders aus, und man verknüpfte hiermit die schöne Dichtung, daß Hygea, oder die Göttin der Gesundheit, dem Merkurius Acacesius am nächsten wohne.

Acarnas. Alkmäons und der Kallirhoe Sohn. Phegeus von Psophis hatte den Vater des Acarnas erschlagen; die Mutter Kallirhoe erflehte vom Jupiter, daß ihre beiden Söhne, Acarnas und Amphoterus, aus

Knaben plötzlich Männer wurden, um ihres Vaters Tod zu rächen. Acarnas und Amphoterus erschlugen den Phegeus und seine Kinder; darauf zogen sie nach Epyrus, und nahmen einen Strich Landes ein, der zwischen dem Flusse Achelous und dem ambracischen Meerbusen liegt, und nachher vom Acarnas den Namen Acarnanien führte.

Acastus. Ein Sohn des Pelias; einer der griechischen Helden, die vor dem Trojanischen Kriege lebten. An den berühmtesten Thaten dieses Zeitraums nahm er Antheil; in seiner Jugend half er den Calydonischen Eber tödten; mit den Argonauten schiffte er nach Colchis, um das goldne Vlies zu erobern.│Als Medea, nach der Rückkunft der 7 Argonauten, durch ihre Zauberkünste, Jasons Vater verjüngt hatte, hinterging sie die Töchter des Pelias, daß diese den Versuch einer ähnlichen Verjüngung mit ihrem Vater machten, welcher darüber sein Leben verlor, weil Medea das rechte Zauberstück die Töchter des Greises nicht gelehrt hatte. Des Pelias Sohn, Acastus, stellte seinem getödteten Vater zu Ehren, feierliche Leichenspiele zu Jolcus an. Die berühmtesten griechischen Helden der damaligen Zeit wetteiferten bei diesen Spielen. Im Wettlauf erhielten Zethus, Calais und Castor den Preis; Pollux im Gefechte mit dem Streitkolben; Telamon mit der Wurfscheibe; Peleus im Ringen; Meleager mit dem Wurfspieße; Bellerophon im Pferderennen; Jolaus mit dem vierspännigen Wagen; Cephalus mit der Schleuder; Eurytus im Schießen mit Pfeilen; Olympus mit der Pfeife; Orpheus mit der Cither; Linus im Singen; und Eumolpus im Singen zu der Pfeife des Olympus. Des Acastus Gemahlin Astydamia verliebte sich bei diesen Spielen in den Peleus; als dieser ihr kein Gehör gab, wälzete sie ihre Schuld auf ihn, und klagte ihn verläumderischer Weise beim Acastus an. Acastus, um sich an dem Peleus zu│rächen, nahm ihn mit sich auf die Jagd und raubte 8 ihm, da er schlief, sein Schwert. Die Centauren überfielen den Unbewehrten, und würden ihn getödtet haben, wenn Chiron ihn nicht gerettet hätte. Peleus überfiel nun, um sich zu rächen, die Stadt Jolcus, nahm Astydamien gefangen, ließ sie hinrichten, ihren Leib zerstückeln, und die Glieder rund umher zerstreuen.

Acca-Larentia. Ihr zu Ehren feierte das römische Volk am 28sten December ein eigenes Fest, welches die Larentinalien hieß. Acca-Larentia war eine Art von römischer L a i s , welche durch den Wucher mit ihren Reizen, sich ein damals fast unermeßliches Vermögen erworben hatte, wovon sie nach ihrem Tode das römische Volk zum Erben einsetzte.

Diese Großmuth deckte nun bei ihr jeden Fehltritt im Leben zu, worüber das dankbare römische Volk einen Schleier hüllte, und ihr Gedächtniß durch ein eigenes Fest verehrte, das von ihr die Benennung Larentinalien führte.

Sie wurde nehmlich beim Ve l a b r u m, in der Gegend, wo Romulus und Remus gefunden waren, und wo jetzt die Kirche S t . G e - orgio im Ve l a b r o | steht, begraben, und jährlich wurde ihren Manen ein Opfer gebracht, wobei man zugleich den Jupiter, in so fern er das Leben giebt und nimmt, verehrte.

Nach einem alten Volksmährchen gelangte Acca-Larentia durch einen sehr sonderbaren Zufall zu ihren großen Glücksgütern. Herkules und sein Tempelwächter würfelten nehmlich einstmals aus Langerweile, wer von beiden dem andern eine gute Abendmahlzeit, und auf die Nacht eine Beischläferin verschaffen solle; Herkules gewann, und der Tempelwächter mußte die Wette bezahlen.

Dieser schaffte also ein Abendessen für den Herkules, und lud die bekannte Acca-Larentia auf die Nacht in dessen Tempel ein. Da nun Herkules es vorzüglich in seiner Gewalt hatte, reich zu machen, so ließ er auch die Acca-Larentia nicht leer ausgehen, sondern rieth ihr, daß sie ja an dem folgenden Tage, von der Gelegenheit, die sich ihr darbieten würde, Gebrauch machen solle.

Nun war sie kaum aus dem Tempel wieder zu Hause angelangt, als ihr der reiche Karucius seine Hand anbot, die sie, auf den Rath des Herkules, nicht ausschlug, und auch sehr bald durch den Tod | des Karucius zum Besitz aller seiner Reichthümer gelangte, wovon sie denn eben das römische Volk zum Erben ernannte.

Einige hielten auch diese Acca-Larentia selbst für die Pflegemutter des Romulus und Remus, welche eben diesen Namen führte, und auch nicht in dem Rufe der Enthaltsamkeit stand; diese sollte sich denn nach dem Tode ihres Mannes, des Faustulus, ebenfalls mit einem gewissen reichen Karucius vermählt, zuletzt ihr ganzes Vermögen dem römischen Volke zum Erbtheil vermacht, und Romulus deswegen ihr zu Ehren, und auch aus Dankbarkeit für die von ihr genossne Pflege, die Larentinalien gestiftet haben.

Achelous. Ein Fluß, der in Griechenland auf dem Berge Pindus entspringt, Aetolien und Akarnanien von einander scheidet, und endlich in das jonische Meer fällt. – Die Verwandlungen des Achelous in eine Schlange und Ochsen sind schöne Anspielungen auf die Krümmung seines Laufes, und auf das brüllende Geräusch, womit er fortströmt. –

In der Stammtafel der Götter ist dieser Fluß ein Sohn des alten Oceans und der Erde.

Er warb zugleich mit dem Herkules um die Dejanira, die Tochter des Oeneus, Königs von Calydonien.   11

Ein Zweikampf zwischen ihm und den Herkules sollte entscheiden, wem die schöne Prinzessin zu Theile würde. – Als nun der Flußgott mit Gewalt nichts mehr gegen den Herkules vermochte, so nahm er zu Verstellungskünsten seine Zuflucht und verwandelte sich in eine ungeheure Schlange.

Herkules aber, der schon in der Wiege zwei Schlangen mit eigener Hand erdrückt, und die vielköpfigte Hydra besiegt hatte, verlachte diesen Angriff, und war im Begriffe, die Schlange zu erwürgen, als Achelous plötzlich in der Gestalt eines grimmigen Stiers erschien.

Herkules aber ergriff den Stier beim Horne, und streckte ihn in den Sand, auch brach er ihm das eine Horn ab; welches darauf zum Horne des Ueberflusses erhöhet wurde.

Achelous erzeugte mit der Kalliope die Sirenen, und seine übrigen Töchter waren Kalirrhoe, Dirce und Castalia. –

Bei seinem Ausflusse ins Meer spülte er so viel Land hinweg, daß fünf Inseln daraus entstanden, | welche ehemals die E c h i n a d i -   12 s c h e n, und jetzt die C u r z o l i s c h e n, Inseln heißen.

Acheron. Unter diesem Namen gab es drei Flüsse: den einen bei
der Stadt Heraklea an dem Pontus, mit einer unergründlich tiefen
Höhle; den andern in Epirus, in der Landschaft Thesprotien; dieser
entsprang unterhalb Dodona, und fiel bei der Stadt Ambracia in die
See; jetzt führt er den Namen Ve l i c h i; den dritten in Italien, in dem
heutigen Kalabrien, der so mit Bergen und Wald umgeben war, daß
ihn weder die aufgehende noch die untergehende Sonne bescheinen
konnte. – In der Stammtafel der Götter ist der Acheron ein Sohn der
Ceres und der Erde. Sein Name heißt o h n e F r e u d e oder der
T r a u e r f l u ß. – Die Titanen tranken aus dem Acheron, als sie sich
gegen die Götter empörten, und den Himmel stürmten. – Darüber
strafte ihn Jupiter, und verwandelte sein süßes in gallenbitteres Wasser. – Ueber den Acheron mußten zuerst die Seelen der Verstorbenen
gehen; in dieser Dichtung deutet er auf des Todes Erstarrung und
Unempfindlichkeit. – Der Acheron zeugte mit der Nacht die Furien,
13 Alekto, Megära und Tisi-|phone; mit der Erde die Styx; mit der Nym-
phe Gorgyra den Ascalaphus; und wiederum mit der Styx die Viktoria.
– Seine Fluth schwillt von den Thränen an, die von den mühebeladenen Sterblichen geweint werden.

Achilles. Ein Sohn des Peleus, und der Thetis. Als er geboren war,
tauchte ihn seine Mutter in den Styx, wodurch er am ganzen Körper
unverwundbar wurde, ausgenommen an der Ferse, woran ihn seine
Mutter hielt. Der weise Centaur Chiron erzog den Knaben Achill, und
unterwies ihn in der Arzneikunde und Musik. Weil seine Mutter
Thetis wußte, daß er in dem Trojanischen Kriege seinen Tod finden
würde, so suchte sie durch List diesem Schicksal vorzubeugen. Sie
verbarg nehmlich den jungen Achill in seinem neunten Jahre in die
Kleidung eines Mädchens, und übergab ihn, unter dem Namen Pyrrha, dem Könige Lykomedes auf der Insel Scyrus, der ihn unter dieser
Gestalt mit seiner Tochter Deidamia erzog, welche aber von dem
jungen Achilles schwanger wurde, und den Pyrrhus gebahr. Der Priester Calchas hatte den Griechen geweißagt, daß sie ohne den Achilles
14 Troja | nicht erobern würden. Ulysses und Diomedes wurden also ab-
geschickt, um in der Behausung des Lykomedes den jungen Achilles

aufzusuchen. Ulysses bediente sich, um den Achilles zu entdecken, der folgenden schönen List: Er ließ unter andern Sachen einen Schild und Spieß in die Wohnung der Mädchen im Hause des Lykomedes bringen, und an der Thür einen Lerm erregen, als ob Feinde vorhanden wären; nun flohen die Mädchen, Achilles aber ergriff den Schild und Spieß, und rüstete sich zur Gegenwehr. Auf diese Weise wurde der junge Held erkannt, und mußte nun mit vor Troja ziehen. –

Was im zehnten Jahre der Belagerung die Eroberung von Troja verzögerte, war d e r Z o r n d e s A c h i l l e s, der mit dem Agamemnon sich entzweite, und eine Zeitlang am Kriege keinen Theil nahm. – Als nehmlich Agamemnon sich weigerte, die gefangne, zur Beute ihm zugefallne, C h r y s e i s ihrem Vater, einem Priester des Apollo, gegen ein Lösegeld, auf sein Bitten, zurückzugeben; so hörte Apollo das Flehen des verwaißten Vaters, und sandte zürnend seine Pfeile in das Lager der Griechen, daß eine Pest entstand, welche verheerend um sich greifend, zahlloses Volk hinrafte.

Durch den Mund des Priesters Kalchas ward es offenbar, durch [15] wessen Schuld die Griechen leiden mußten. Als Agamemnon nun die C h r y s e i s zurückzusenden länger nicht weigern konnte, verlangte er, daß die Griechen ihn für den Verlust seiner Beute schadlos hielten. Da schalt Achill ihn seines Stolzes und seines Eigennutzes wegen; und als ihm Agamemnon drohte, war er schon im Begriff, gegen ihn das Schwert zu zücken, hätte nicht an den gelben Locken Minerva selbst ihn zurückgehalten.

Agamemnon aber, der auf die Schadloshaltung um desto mehr bestand, ließ, um sich zu rächen, die schöne B r i s e i s aus dem Zelte des Achilles in das seinige holen. – Da flehte Achill am einsamen Ufer des Meeres seine Mutter T h e t i s an, sie möchte den Jupiter bewegen, von nun an den Trojanern beizustehn, damit die Griechen ihn vermissen, und seinen Zorn empfinden möchten.

Jupiter gewährte der Thetis Bitte, und gab den Trojanern Sieg, an deren Spitze H e k t o r, der Sohn des Priamus fochte, und sich unsterblichen Ruhm erwarb.

Vergebens suchten nun die Griechen den Achill wieder zu versöh-
16 nen. Sein Sinn blieb unbeweglich. | Bis endlich die Trojaner so weit
vordrangen, daß sie Feuer in die griechischen Schiffe warfen; da gab
Achilles seinem Busenfreunde, dem P a t r o k l u s seine Rüstung, und
schickte ihn statt seiner mit einem Haufen, den Griechen beizustehn.

Des Patroklus Fall war schon beschlossen; allein vorher erwarb er
sich noch glänzenden Ruhm; S a r p e d o n, Jupiters Erzeugter, und
viele andre tapfre Helden fielen vor seinem Schwerte. –

Als aber sein Verhängniß nahte, so stand, in Nacht gehüllt, Apollo
dicht hinter ihm. – Auf Nacken und Schultern schlug er ihn mit der
flachen Hand, daß sich sein Auge verdunkelte; er warf seinen Helm
ihm vom Haupte, daß er unter den Füßen der Pferde rollte; in seiner
Hand zerbrach er den schweren ehernen Spieß, und löste ihm selber
den Panzer auf. – Patroklus stand betäubt mit wankendem Knie;
Hektor gab ihm den tödtlichen Stoß. Die Seele des Patroklus stieg
zum Orkus u n d t r a u e r t e ü b e r i h r S c h i c k s a l, w e i l s i e d i e
j u g e n d l i c h e K r a f t z u r ü c k l i e ß.

Als nun Achilles des Patroklus Tod vernahm, so schwand auf einmal sein Zorn dahin. – Jammernd und wehklagend um den Todten,
17 fand ihn seine Mut-|ter, die aus der Tiefe des Meeres empor stieg. Ob
diese ihm gleich verkündigte, daß nach des Hektors Tode sein Fall
beschlossen sey, so schwur er dennoch des Freundes Tod zu rächen,
gleichviel, was ihn für ein Schicksal treffen möge! Als Thetis ihn fest
entschlossen sahe, suchte sie ihn die übrigen kurzen Tage zu trösten
und aufzuheitern; versprach und brachte ihm eine kostbare Waffenrüstung vom Vulkan geschmiedet, womit Achill ins Treffen ging,
nachdem sich Agamemnon wieder mit ihm versöhnt, und ihm die
B r i s e i s unberührt zurückgegeben hatte.

Nun eilte auch der Zeitpunkt heran, wo Hektor fallen, sein alter
Vater P r i a m u s und seine Mutter H e k u b a um ihn jammern, und
seine Gattin A n d r o m a c h e mit lauter Wehklage ihn betrauern sollte. – Das Heer der Trojaner flüchtete in die Stadt; Hektor blieb allein
zurück, um mit dem Achill den Kampf im Felde zu bestehen; als
dieser ihm aber nahe kam, und die göttliche Waffenrüstung dem

Hektor in die Augen blitzte, ergriff ihn plötzliches Schrecken: – er nahm die Flucht, und dreimal jagte Achill ihn um die Mauern von Troja; so lange hatte Apoll dem Hektor seine Knie gestärkt; als zum viertenmale der Lauf begann, nahm Jupiter die | Wagschale in die Hand, und legte zwei todbringende Loose darauf, das eine des Hektors, das andre des Achilles, und Hektors Schale sank bis zum Orkus nieder. – Da verließ ihn Apollo. 18

Die beiden Helden fochten; Hektor fiel; und Achilles band ihn mit den Füßen an seinen Wagen und schleifte ihn im Staube um die Mauern von Troja, daß H e k u b a heulend ihr Haar zerraufte und der alte Priamus flehend seine Hände ausstreckte.

Das Leichenbegängniß des Patroklus wurde nun mit öffentlichen Kampfspielen im Lager der Griechen gefeiert, während daß Hektors Leichnam unbegraben lag. Allein in nächtlicher Stille vom Merkur geleitet, kam der Greis Priamus selber in des Achilles Zelt, umfaßte dessen Knie, und flehte ihn um den Leichnam seines Sohnes. Die Götter hatten schon des Achilles Herz erweicht; er dachte an seinen alten Vater Peleus, der auch nun bald den Tod seines Sohnes betrauern würde, und gewährte dem Priamus seiner Bitte, der mit dem Leichnam Hektors schnell nach Troja eilte, und ihm mit allem Volk die Todtenfeier hielt.

Auch war das Verhängniß des Achilles nun nicht mehr weit entfernt; nachdem er noch einige ruhm-|volle Thaten vollbracht, traf, vom Apollo gelenkt, des Paris tödtlicher Pfeil ihm in d i e F e r s e , wo er allein verwundbar war. Um seine Waffen entstand ein trauriger Streit; die Griechen sprachen sie dem Ulysses zu, worüber A j a x , welcher nach dem Achill der Tapferste unter den Griechen war, aus Mißmuth sich selbst entleibte. 19

Acidalia. Zu Orchomenus in Böotien war der acidalische Quell, worin die Grazien badeten. Von diesem Quell führte die Göttin der Liebe den Namen: Ve n u s A c i d a l i a .

Acis. Den schönen Schäfer Acis in Sicilien liebte G a l a t e a , eine der N e r e i d e n . – Vergebens warb der ungeheure Polyphem um ihre Gunst – Als er aber einst am Fuß des Aetna die Nymphe den schönen

Acis umarmend erblickte, riß er voll wüthender Eifersucht einen Felsen los, und schleuderte ihn, die Liebenden zu zerschmettern. – Die Nymphe entfloh ins Meer, den Acis traf der Stein, und plötzlich lößte sein Wesen in einen Bach sich auf, der nachher seinen Namen führte.

Acrisius. König zu Argos in Griechenland; des Helden Perseus Ahnherr. Acrisius erzeugte die Danae, und das Orakel weissagte ihm den Tod von│der Hand des Sohnes, den sie gebähren würde. Um die Erfüllung des Orakels zu vereiteln, verschloß Acrisius die Danae in einen ehernen Thurm. Jupiter verwandelte sich in einen goldenen Regen, und senkte sich in Danaens Schooß; auf die Weise erzeugte er mit ihr den Perseus. Als Acrisius dies vernahm, ließ er Mutter und Kind in einen Nachen auf das ungestüme Meer aussetzen, und glaubte, daß sie hier ihren gewissen Tod finden würden. Allein der Nachen trieb an eine Insel, und Danae mit dem Perseus ward gerettet. Das Orakel ging ohngeachtet aller Bemühungen des Acrisius, in Erfüllung. Perseus besuchte, da er im männlichen Alter war, seinen Ahnherrn; und weit entfernt von dem Gedanken, ihn zu tödten, mußte es bei dem Spiele mit der Wurfscheibe der Zufall fügen, daß ein unglücklicher Wurf aus der Hand des Perseus seinen alten Ahnherrn Acrisius traf, und ihn tödtlich verwundete.

Actäon. Ein Sohn des Aristäus und der Autonoe, einer Tochter des Kadmus. Er war ein Zögling des Centauren Chiron, von dem er vozüglich in der Kunst zu jagen unterrichtet wurde. Er hielt sich eine große Anzahl Jagdhunde, deren Namen sogar von den Dichtern des Alterthums der Nachwelt überlie-│fert sind. Allein diese Hunde, welche die Freude seines Lebens waren, brachten ihm auch den Tod. Denn, als er einst im Dickicht jagte, wo Diana sich mit ihren Nymphen badete, enthielt er sich nicht, daß Heiligthum der Göttinn durch seine neugierigen Blicke zu entweihen. Diana spähete den Frevler aus, besprengte ihn mit dem Wasser worin sie sich badete, und auf seinem Haupte wuchs plötzlich ein Hirschgeweih. Er selbst, in einen Hirsch verwandelt, wurde von seinen eigenen Hunden verfolgt und zerrissen. Auf die Weise mußte er für seinen vorwitzigen Frevel büßen.

Adeona. Eine Römische Gottheit. Sie hat ihren Namen von **adeo,** ich gehe hinzu; und wurde angerufen, um den Zugang oder Zutritt zu irgend etwas zu beglücken; so wie Abeona von **abeo,** ich gehe weg, ihren Namen hatte, und angerufen wurde, um den Abschied oder das Verlassen zu segnen.

Ades. Mit diesem Namen benannten die Griechen den Pluto oder den König der Schatten. Ades heißt der Unsichtbare, und deutet auf die dunkle Zukunft jenseit des Grabes.

Admet. Ein König in Griechenland, war mit der Alceste, einer Tochter des Pelias, vermählt und lebte | mit ihr in sehr vergnügter 22 Ehe. Als Apollo vom Jupiter aus dem Himmel verstoßen war, weidete er die Heerden des Admet, und wirkte bei den Parzen aus, daß sie das Lebensziel des Admet verlängern sollten, wenn einer seiner Geliebten freiwillig für ihn zu sterben sich entschlösse. Seine Gattin wußte um dies Geheimniß und weihte sich, als sein Lebensziel herannahete, freiwillig für ihn den Todesgöttern. So wie sie das unwiederrufliche Gelübde gethan hatte, genaß Admet, sie aber sank in Todesschlummer. – Als nun der verwaiste Gatte über seinen Verlust untröstlich war, besuchte ihn Herkules als seinen Gastfreund. Diesem klagte er seinen Kummer, und Herkules stieg in die Unterwelt hinab, und hielt den unerbittlichen Pluto selbst, so lange mit starken Armen fest, bis er seine Beute wieder entlassen hatte. Herkules führte nun dem entzückten Gemahl seine schon betrauerte Gattin wieder zu, und das Leichengepränge verwandelte sich in hochzeitliche Freude.

Adonis. Ein Sohn des Cinyras und der Myrrha. Myrrha wurde gegen ihren eigenen Vater Cinyras durch die Macht der Venus von Liebe entbrannt, und genoß, ihm unbewußt, im nächtlichen Dunkel seiner Umarmung, als plötzlich ihre Amme | mit der Lampe herein- 23 trat, und die entsetzliche Blutschande beleuchtete. Cinyras, der mit Schrecken aus seinem wollüstigen Traum erwachte, verfluchte seine Tochter und verfolgte sie mit entblößtem Schwerdte über Land und Meer. Sie flohe bis nach Arabien, wo die Götter aus Erbarmung sie in den Baum verwandelten, der ihren Namen (Myrrha) führt. Cinyras aber hieb mit seinem Schwerdte noch in den Baum, und aus der

Oeffnung, welche dadurch entstand, ward Adonis geboren. Die Nymphen erzogen ihn, und Venus selber erwählte ihn zu ihrem Lieblinge. Er war der schönste unter den Jünglingen; die Jagd war sein Ergötzen; auch Venus nahm Pfeil und Bogen und verfolgte mit ihm die Hirsche und die furchtsamen Rehe; nur warnte sie ihn vor dem gefährlichen Kampfe mit den grimmigen Thieren des Waldes, weil der drohende Verlust ihres Lieblings ihr schon ahndete. Ihre Warnungen waren vergeblich. Ein wilder Eber stieß dem Adonis im Walde auf. Der muthige Jüngling vergaß der warnenden Stimme seiner schützenden Göttin, er ließ sich in den Kampf ein, und der Zahn des Ebers schlug die tödtliche Wunde in seine Hüfte. Venus auf ihrem mit Tauben bespannten Wagen eilte zu seiner Rettung zu spät | herbei. Sie ritzte sich die Hände ringend in einem Rosenstrauche, und von dem Blute, das aus ihrem Finger floß, rötheten sich die vormals weißen Rosen. Aus der Asche ihres Lieblings, den sie nicht wieder erwecken konnte, ließ sie die Anemone hervorsprossen. Zu Amathunt in Cypern hatte Adonis mit der Venus einen Tempel. Ihm zu Ehren wurde an mehreren Orten jährlich ein Trauerfest gefeiert. Am ersten Tage dieses Festes ging man in Trauerkleidern. Die Frauen klagten mit zerstreutem Haar, und schlugen sich an die Brust. An öffentlichen Orten in der Stadt wurden Bilder eines in der Blüte seiner Jahre hinsterbenden Jünglings aufgestellt. Frauen in Trauerkleidern feierten Leichenbegängnisse, wobei sie weinten und klagten. Man trug Gefäße voll Erde, in welche Getreide, Blumen, Kräuter und Früchte gesäet waren, und welche man Adonis Gärten nannte, umher, und versenkte sie am Schluß des Festes ins Meer oder in einen Fluß. Am letzten Tage des Festes verwandelte sich die Trauer in Freude, weil man die Auferstehung oder Vergötterung des Adonis feierte.

Adrast. Ein König in Argos. Ihm hatte das Orakel geweissagt, daß er die eine von seinen Töchtern mit einem Löwen und die andere mit einem wil-|den Eber vermählen würde. Nun besuchten ihn einst die beiden Helden Polinyces von Theben, und Tydeus von Kalydon, wovon der erstere zum Andenken des Herkules eine Löwenhaut, der andere aber zur Erinnerung an den Kampf mit dem Kalydonischen

Eber, eine wilde Schweinshaut trug. Adrast hielt nun den Orakelspruch für erfüllt, und vermählte mit den beiden Helden seine Töchter. Polinyces war von seinem Bruder, mit dem er die Herrschaft
wechselsweise führen sollte, aus Theben verjagt worden. Adrast
leistete nun dem Polinyces Beistand gegen seinen Bruder; und Theben ward von sieben Helden belagert, welche hier bis auf den Adrast
ins gesammt ihren Tod fanden. Adrast allein rettete sich mit der
Flucht, durch die Schnelligkeit seines Pferdes, das von dem Neptun
erzeugt, den Namen Arion führte. Zehn Jahre nachher zog Adrast aufs
neue mit den Söhnen der erschlagenen Helden vor Theben, welches
er nun eroberte und zerstörte. Er verlor seinen einzigen Sohn, und
starb vor Schmerz über diesen Verlust. Nach seinem Tode wurden ihm
Tempel und Altäre geweiht.

Aeakus. Ein Sohn Jupiters und der Europa. Er herrschte über die
Insel Aegina mit so viel Weis-|heit und Gerechtigkeit, daß ihm zu   26
seiner Zeit das Lob des Besten unter den Königen zu Theile ward. Als
einst in Griechenland eine große Dürre und Hungersnoth herrschte,
ertheilte das Orakel den Ausspruch, daß niemand als Aeakus durch
sein Gebet die Götter zu versöhnen und die allgemeine Noth abzu-
wenden vermöchte. Es kamen daher abgeordnete von ganz Griechenland zum Aeakus und fleheten ihn um seine Vermittelung bei den
erzürnten Göttern an. Auf das Gebet des Aeakus erfolgte sogleich ein
allgemeiner erquickender Regen. Die eifersüchtige Juno aber haßte
den frommen Aeakus, und sandte eine furchtbare Schlange, welche
das Wasser von Aegina vergiftete, wodurch Aeakus in kurzem aller
seiner Unterthanen beraubt wurde. Dieser flehte zum Jupiter, daß er
ihn selbst auch den Tod gewähren oder seine Insel wieder bevölkern
möchte. Während dem Gebete erblickte er einen Haufen Ameisen an
einer alten Eiche, und wünschte sich in Gedanken eine solche Zahl
von Unterthanen, als Jupiter plötzlich seinen stillen Wunsch erhörte,
und aus diesen Ameisen Menschen schuf, die nun auch nach ihrer
Verwandlung noch ihre vormalige Emsigkeit behielten, und eines der
fleißigsten und betriebsamsten Völker wurden. | Wegen seiner Ge-   27
rechtigkeitsliebe wurde der König Aeakus nach seinem Tode zu einem

von den drei Richtern erkoren, welche das Schicksal der Verstorbenen in der Unterwelt entscheiden, und über Strafe und Belohnung den unwiderruflichen Ausspruch thun. Aeakus war mit der Endeis einer Tochter des Centauren Chiron vermählt, und erzeugte mit ihr den Peleus und Telamon. In Griechenland wurde Aeakus nach seinem Tode als ein Halbgott verehrt.

Aega. Eine Tochter der Sonne. Als die Titanen den Himmel stürmten, so wurden sie durch den Glanz der Aega geblendet, und baten ihre Mutter die Erde, sie zu verfinstern. Die Erde verbarg hierauf die Aega in einer ihrer Höhlen, wo sie in Ziegengestalt den jungen Jupiter mit ihrer Milch ernährte. Die Ziegenhaut der Aega diente nach ihrem Tode dem Jupiter zu einem glänzenden undurchdringlichen Schilde, welches den Namen Aegide führte.

Aegäon. Ein Sohn des Himmels und der Erde. Bei den Menschen hieß er Aegäon, bei den Göttern Briareus. Er hatte hundert Arme und funfzig Köpfe. Von ihm wurde der Eingang zum Tartarus bewacht, wo die Titanen eingekerkert waren, die sich gegen die Götter empört hatten.

Aegis. Der furchtbare Schild der Minerva von der schuppigten Haut eines Ungeheuers, das sie selbst erlegt hatte. Homer schildert die Rüstung der Minerva, wie sie sich die Schulter mit der schrecklichen Aegis deckt, von welcher hundert goldne Quasten hangen, und um welche die Furcht und das Schrecken schweben; auf ihrer Oberfläche wohnet die Zwietracht und der Durst nach Blut; in ihrer Mitte droht das Haupt der Medusa, dessen Anblick die Menschen versteinert.

Aeneas. Ein Sohn der Venus, welchen sie vom Anchises gebahr. Bis ins fünfte Jahr wurde Aeneas von den Nymphen des Waldes erzogen, worauf der Centaur Chiron ihn in seine Heldenschule nahm. Als er mannbar war, so vermählte ihm der Trojanische König Priamus seine Tochter Creusa. In der Belagerung von Troja bewieß sich Aeneas als einen der tapfersten Helden. Und als Troja von den Griechen erobert und zerstört wurde, so trug Aeneas seinen alten Vater Anchises auf dem Rücken durch die Flammen, während er seinen kleinen Sohn an der Hand führte, und Creusa ihm folgte. Als er nach einiger Zeit sich umsah, war Creusa verschwunden, und er stürzte sich aufs neue in die Flammen, um | seine verlorne Gattin zu suchen, welche er aber nie 29 wiederfand. Die Griechen verstatteten nun dem kleinen Ueberrest der Trojaner einen freien Abzug, und ließen zugleich durch einen Ausruf kund thun, daß ein jeder mitnehmen könne, was ihm vor allen lieb und werth sey, worauf Aeneas zuerst nach seinen Hausgöttern griff, und diese hinweg trug. Die Dichter welche seinen Ruhm besingen, legen ihm daher auch den Namen des frommen Aeneas bei. Nachdem nun Aeneas lange herumgeirrt war, um für sich und sein gerettetes Volk einen Zufluchtsort zu suchen, wurde er an die Küste von Afrika nach Lybien durch Sturm verschlagen, wo die Königinn Dido ihn gütig aufnahm, und von Liebe gegen ihn entbrannt wurde. Als nun Aeneas auf den Befehl der Götter sie verließ, so brachte sie aus Verzweifelung sich selbst ums Leben. Aeneas landete nun endlich in Italien, welches die Götter zu seinem bleibenden Wohnsitz bestimmt hatten. Hier stieg er mit der Sybille von Kuma zur Unterwelt hinab, wo er den Schatten seines Vaters Anchises, der während der Zeit gestorben war, wieder fand. Nun segelte er weiter, und lief in die Mündung der Tiber ein, wo er landete, und von dem Könige Latinus die Erlaubniß erhielt, eine Stadt zu | bauen. Latinus verlobte auch dem 30 Aeneas seine Tochter Lavinia. Weil diese aber dem Turnus, einem Könige der Rutuler, schon verheißen war, so mußte sie Aeneas erst mit blutigem Streite erkämpfen. Denn Turnus kündigte nun dem Könige Latinus mit seinen Bundesgenossen den Krieg an. Als er nun in zwei Schlachten überwunden war, forderte er den Aeneas zum Zweikampfe auf, worin er seinen Tod fand. Aeneas baute nun der Lavinia zu Ehren die Stadt Lavinium. Nach dem Tode des Latinus erhielt er auch dessen Königreich, und benannte ihm zu Ehren die Trojaner und alten Einwohner des Landes, welche nun zusammen ein Volk ausmachten, mit einem gemeinschaftlichen Namen, die Lateiner. Die Rutuler griffen unter der Anführung des Königes Mezentius aufs neue zu den Waffen, und Aeneas verschwand in einem Gefechte an dem Flusse Numicus aus dem Gesichte der Sterblichen. Ihm wurde

daher an diesem Flusse ein Tempel und Altar errichtet, wo man ihm
göttliche Ehre erwieß.

Aeolus. Der Gott der Winde. In einer großen Höhle in Thrazien
hatte er die Winde eingekerkert, und ließ von Zeit zu Zeit wehen,
31 welchen er wollte. Zuweilen ließ er sich durch die Bitte irgend | einer
Gottheit bewegen, denjenigen Wind wehen zu lassen, welcher ihren
Absichten zuträglich war. Dem Ulysses gab Aeolus einen ledernen
Schlauch mit auf sein Schiff, welcher die Winde in sich enthielt, die
dem Ulysses auf seiner Fahrt entgegen waren. Die Gefährten des
Ulysses bildeten sich ein, daß in dem Schlauch ein Schatz verborgen 1(
wäre, und eröffneten ihn, während daß Ulysses schlief, worauf die
Winde alle heraus flogen, und ein entsetzlicher Sturm entstand, welcher den Ulysses wieder von seiner Bahn verschlug. Die Dichter schildern den Aeolus wie er in seiner weiten Höhle die kämpfenden Winde
mit Gefängniß und Banden zähmet; und wie sie unwillig und mit 1!
Geheul um die Schranken des Berges rauschen. Aeolus auf dem Gipfel, mit dem Zepter in der Hand besänftigt und mäßigt ihre Wuth,
weil sie sonst Meer und Land mit sich fortreissen, und im allgemeinen
Aufruhr die Natur der Dinge zerstören würden.

Aeskulap. Der Gott der Aerzte. Er war ein Sohn des Apollo, wel- 2
chen dieser mit der Koronis, einer Tochter des Königs Phlegyas in
Thessalien, erzeugte. Apollo tödtete die Koronis aus Eifersucht, und
32 da ihr Leichnam schon auf dem Scheiterhaufen lag, ward | Aeskulap,
mit dem sie schwanger war, noch durch die Macht des Apollo, und
durch die Hülfe des Merkur, von ihr genommen. Er ward sogleich 2
dem Centauren Chiron vom Apollo zur Erziehung und zum Unter-
richt übergeben. Dieser unterwieß ihn in Künsten und Wissenschaften, und vorzüglich in der Arzneikunde, worinn es Aeskulap so weit
brachte, daß er zuletzt durch seine Kunst selbst Todte wieder aufer-
weckte. Pluto beklagte sich hierüber beim Jupiter, weil die Ordnung 3
und der Lauf der Dinge dadurch gestört, und die ihm gebührenden
Todesopfer entrissen würden. Jupiter, über diese Auflehnung eines
Sterblichen gegen die Macht der Götter zürnend, tödtete den Aeskulap mit seinem Blitze. Apollo, über den Tod seines geliebten Sohnes

von Zorn entbrannt, erschoß mit seinen Pfeilen die Cyklopen, welche
die Donnerkeile geschmiedet hatten, worüber er vom Jupiter eine
Zeitlang aus dem Sitze der Götter verjagt wurde, und auf Erden dem
Könige Admet seine Heerden weidete. Dem Aeskulap wurden in ganz
Griechenland Tempel und Altäre geweiht. In Epidaurus, seinem Ge-
burtsorte, wurde er vorzüglich verehrt; er hatte hier eine Bildsäule
von Gold und Elfenbein, und noch bei der Stadt einen heiligen Hain,
in welchen weder|jemand sterben noch gebohren werden durfte. Auf 33
einen Ausspruch des Orakels kamen die Römer nach Epidaurus, um
den Gott Aeskulap nach ihrer Stadt zu führen. Eine Schlange, die
unter der Bildsäule des Gottes hervorkam, begab sich freiwillig in das
Schiff der Römer; und als sie die Tiber hinauf fuhren, und an die Insel
kamen, welche sich innerhalb Rom an diesem Flusse bildet, sprang
die Schlange ans Ufer, und verbarg sich in dem Schilfe. Man erbaute
also dem Aeskulap auf dieser Insel einen Tempel, und eine Pest,
welche damals in Rom wüthete, hörte nun plötzlich auf. Noch jetzt
befindet sich auf dieser Insel ein Krankenhospital, und wo der Tempel
des Aeskulaps stand, ist dem heiligen Bartholomeus eine Kirche erbaut.

Dem Aeskulap wurde ein Hahn geopfert, und wenn jemand durch
seine Hülfe glaubte genesen zu seyn, so hing er im Tempel des Aeskulap ein Täfelchen auf, worauf die Arzneimittel, deren er sich be-
dient hatte, verzeichnet waren. Seine Mutter Koronis wurde an verschiedenen Orten mit ihm zugleich verehrt. Aeskulap wurde abgebildet wie ein ältlicher Mann, mit sanftem Blicke, einem langen Bar-
te, in der linken Hand einen knotigen, mit einer Schlange umwunde-|
nen, Stab haltend. Neben ihm findet man zuweilen einen Hahn, und 34
vor ihm zu seinen Füßen zuweilen einen Hund abgebildet. Seine
Söhne waren Machaon und Podalirius, welche mit den Griechen in
den trojanischen Krieg zogen. Seine Tochter war Hygea, die Göttin
der Gesundheit.

Aeternitas. Die Ewigkeit. Eine allegorische Gottheit bei den Römern, welche man auf den Münzen abgebildet findet. Sie hält die
stralenden Häupter der Sonne und des Mondes in ihren Händen.

Auch findet man sie in der Gestalt, wie sie in einem Zirkel eingeschlossen ist, und eine Erdkugel hält, worauf ein Adler sitzt. Auf
andern Abbildungen hält sie eine Schlange in der Hand, welche an
ihrem Schweife nagt. In einer schönen und bedeutenden Darstellung
ist sie mit einem Schleier bedeckt.

Aether. Ein Sohn des Chaos und der Finsterniß, welcher sich mit
dem Tage vermählte und mit ihm den Himmel, die Erde und das
Meer erzeugte.

Agamemnon. Ein König in Griechenland. Sein Bruder war Menelaus, welchem Paris seine Gemalin, die Helena, nach Troja entführte. In dem Kriege, womit die Griechen, dieses Raubes wegen, Troja
überzogen, führte Agamemnon den Ober-|befehl. Als nun das Grie-
chische Heer in Aulis versammelt war, tödtete Agamemnon eine der
Diana geweihte Hindin, und erzürnte dadurch diese mächtige Göttin,
welche eine Windstille sandte, die den Griechen das Auslaufen mit
ihrer Flotte unmöglich machte. Der Zorn der Göttin wurde nicht eher
versöhnt, bis Agamemnon sich entschloß, auf den Ausspruch des
Priesters Calchas ihr seine eigene Tochter Iphigenia zu opfern. Als
nun Iphigenia am Altare stand, und der Opferstahl schon auf ihre
Brust gezückt war, so rückte Diana, von Mitleid bewogen, sie in einer
Wolke hinweg, und an ihrer Stelle stand eine zu opfernde Hindin da.
Nach der Eroberung von Troja erhielt Agamemnon die Cassandra,
eine Tochter des Priamus, zur Beute, und langte glücklich in Griechenland an.

Seine Gemalin war Clytemnestra, eine Schwester der Helena. Diese buhlte während seiner Abwesenheit mit dem Aegisth, und als Agamemnon zurückkehrte, ermordete sie ihn mit Hülfe ihres Buhlen bei
einem Gastmahle, wo sie ihm ein Hemde überwarf, worin er sich
verwickeln mußte, und die Gegenwehr ihm unmöglich gemacht wur-
de. Er wurde | nach seinem Tode von den Griechen wie ein Halbgott
verehrt.

Aganippe. Ein Quell auf dem Berge Helikon. Dieser Quell war
den Musen geweiht, und wer daraus trank, wurde zur Poesie begeistert. Die Musen selber führten von diesem Quelle den Beinamen
Aganippiden.

Aglauros. Die Tochter des Cekrops, eines Königs von Athen. Ihre
beiden Schwestern hießen Herse und Pandrosus. Minerva gab diesen
drei Königstöchtern in einem zugemachten Korbe das Kind Erich-
thonius mit Schlangenfüßen in Verwahrung. Auf Anstiften der
Aglauros hoben sie, wider das Verbot der Göttin, von dem Korbe den
Deckel auf, und wurden alle drei für ihre Neugierde durch eine plötz-
liche Raserei bestraft, welche sie antrieb, sich ins Meer zu stürzen.
Aglauros hatte einen Tempel zu Athen, worin die Jünglinge einen
Eid ablegten, daß sie bis zum Tode für ihr Vaterland fechten wollten.

Ajax. Einer von den Griechischen Helden, welcher Troja belagern
half. Er erzürnte die Göttin Minerva, weil er in ihrem Tempel der
Cassandra, einer Tochter des Priamus, Gewalt anthat. Auf | seiner 37
Rückkehr nach Griechenland ergriff ihn ein Sturm zur See, und Minerva tödtete ihn mit Jupiters Blitzen.

Ajax. Ein Sohn des Telamon, welcher von dem vorigen, der ein
Sohn des Oileus war, unterschieden werden muß. Er zog mit dem
Griechischen Heere, nebst seinem Bruder Telamon, vor Troja. Nächst
dem Achilles war er der Tapferste unter den Griechen. Gegen das
Ende des trojanischen Krieges ließ er sich mit dem Hektor, einem
Sohne des Priamus und dem Tapfersten unter den Trojanern, in einen
Zweikampf ein. Weil sie sich einander an Kräften gewachsen waren,
so blieb nach langem Kampfe der Sieg noch unentschieden; sie gingen
endlich friedlich auseinander, und Ajax verehrte dem Hektor zum
Andenken seinen Gürtel, so wie dieser ihm sein Schwerdt. Beiden
gereichten diese Geschenke zum Verderben; an dem Gürtel schleifte
nachher Achilles den Leichnam des Hektors um die Mauern von Troja, und mit dem Schwerdte entleibte Ajax aus Verzweiflung zuletzt
sich selber. Nach dem Tode des Achilles mußte entschieden werden,
wer seine Waffenrüstung erhalten sollte. Ajax und Ulysses machten
darauf gleiche Ansprüche. Als nun Ulysses auf den Ausspruch der
Grie-|chen sie erhielt, so gerieth Ajax hierüber in Raserei, und wü- 38
thete mit seinem Schwerdte unter einer Heerde von Schafen, die er, so
wie er sie tödtete, mit den Namen der Griechischen Feldherrn be-
nannte, welche der Gegenstand seines Zorns und seiner Rachsucht

waren. Seine Verzweiflung stieg zuletzt aufs höchste, und er tödtete sich mit dem Schwerdte, das Hektor ihm geschenkt hatte. Er wurde auf dem Sigäischen Vorgebürge begraben, und aus seiner Asche sproßte die Hyacinthe hervor. In seiner Vaterstadt Salamin war ihm ein Tempel erbaut, worin sich seine Bildsäule aus Ebenholz befand; auch wurde ihm jährlich hier ein Fest gefeiert. Als Ulysses auf seiner Rückkehr nach Griechenland Schiffbruch litte, so wurden die Waffen des Achilles von den Wellen des Meers wieder an die Küste von Troja und an des Ajax Grabmahl getrieben, gleichsam als ob selbst die leblose Natur das dem Ajax zugefügte Unrecht wieder vergüten wollte. 10

Aidoneus. Ein König der Molosser, welchen die Dichtung auch mit dem Pluto zu einem Wesen schuf. Dieser Aidoneus war es, der die Proserpina, eine Tochter der Ceres, in Sicilien raubte. Theseus und 39 Pirithous wollten ihm die Proserpina wieder|entführen, wurden aber vom Aidoneus gefesselt und gefangen gehalten, bis Herkules zwar 15 den Theseus wieder befreite, aber den Pirithous aus der Gewalt des Aidoneus nicht retten konnte.

Albunea. Die Tiburtinische Sybille. Sie wurde bei Tibur an dem Flusse Anio in einem Haine verehrt.

Alcides. Ein Beiname des Hercules, welchen er von seinem Groß- 20 vater Alcäus erhielt.

Alcinous. Ein König der Phäacier. Die alten Dichter rühmen besonders die Gärten des Alcinous. Als Ulysses auf seiner Rückkehr nach Griechenland Schiffbruch litte, und sich mit Schwimmen an die Insel der Phäacier rettete, so nahm ihn Alcinous gütig auf, und sandte ihn 25 mit einem Schiffe nach Ithaka.

Alkmäon. Ein Sohn des Amphiaraus und der Eryphyle. In dem zweiten berühmten Feldzuge wider Theben wurde er zum Oberhaupte der Epigonen erwählt. Er tödtete den Sohn des Eterokles, Laodamas, in einem Zweikampfe, und eroberte und zerstörte die Stadt The- 30 ben. Die Mutter des Alkmäon hatte dessen Vater durch Verrätherei den Feinden überliefert, und seinen Tod bewürkt. Nun rächte der 40 Sohn diesen Frevel an seiner eignen Mutter; als|er sie aber getödtet hatte, wurde er von den Furien verfolgt, so daß er nirgends eine bleibende Stätte fand. Denn seine sterbende Mutter hatte jedes Land, daß ihn aufnehmen würde, verflucht. Das Orakel befahl ihm ein Land zu suchen, welches erst nach dem Tode seiner Mutter entstanden, und also nicht mit unter dem mütterlichen Fluche begriffen sey. Nach langen Umherschweifen, kam er zuletzt auf eine Insel, welche der Fluß Achelous gebildet hatte; und hier war es, wo zuerst sein Fuß ruhen konnte. Er vermählte sich nun mit der Kallirhoe, einer Tochter des Achelous.

Alkmene. Die Mutter des Hercules. Eine Tochter des Elektryo und der Anaxo. Ihre Brüder waren von den Söhnen des Pterelaus erschlagen, und Alkmene erklärte sich, daß sie nur dem ihre Hand geben wolle, der den Tod ihrer Brüder rächen würde. Amphitryo, des Alcäus Sohn, ging diese Bedingung ein; allein ehe er noch aus dem Kriege gegen die Söhne des Pterelaus siegreich zurück kam, nahm Jupiter selber die Gestalt des Amphitryo an, und genoß der Umarmung der Alkmene eine Nacht lang, welche er bis zu der Dauer von drei Nächten verlängerte, und mit der Alkmene den Herkules erzeugte. Am-|phitryo kehrte also zu spät zurück, und vernahm von dem Wahrsager Tiresias, daß der Donnergott selbst bei Alkmenen seine Stelle vertreten habe. Alkmene gebahr nachher zwei Söhne, den Herkules vom Jupiter um eine Nacht eher, und den Iphiklus vom Amphitryo um eine Nacht später. Ueber der Geburt des Herkules brachte sie sieben Tage und Nächte zu, weil die eifersüchtige Juno die Göttin der Gebährerinnen, Ilythia, schickte, daß sie vor Alkmenens Thür, auf einem Steine sitzend, die Niederkunft der Gebährenden verhindern mußte. Eine Magd der Alkmene, mit Namen Galanthis, bemerkte die Ilithya, und täuschte sie durch die Nachricht, daß ihre Gebietherin schon entbunden sey, worauf die Göttin den Zauber lößte, und Alkmene nun erst entbunden wurde.

Als aber Ilithya den Betrug wahrnahm, so verwandelte sie die Galanthis in eine Wiesel. Alkmene überlebte ihren Sohn Herkules, und starb erst in einem hohen Alter. Nach dem Tode des Herkules wurde sie von dessen Feinde dem Euristeus verfolgt, bis Hyllus, ein Sohn des Herkules, diesen erlegte. Als sie gestorben war, sandte Jupiter den

Merkurius, der sie aus ihrem Sarge emporhob, und an ihre Stelle |
einen Stein in denselben senkte, wodurch der Sarg so schwer wurde,
daß ihn die Träger nicht mehr fortbewegen konnten. Man setzte den
Sarg nieder und fand den Stein darin. Die Thebaner weihten daher
der Alkmene einen Tempel und einen heiligen Hain, worin sie ihr
göttliche Ehre erwiesen.

Alcyone. Die Vermählte des Königs Ceyx, den sie mit vorzüglicher
Treue liebte. Ceyx mußte einst, um das Orakel zu befragen, eine Reise
über Meer thun. Alcyone flehte während dieser Zeit die Götter Tag
und Nacht um seinen Schutz an. Allein ihr Flehen war vergeblich. Als
sie auf seine Wiederkunft harrend einst am Ufer des Meeres stand,
und in die Ferne blickte, um das Schiff zu entdecken, welches ihren
Gatten ihr wieder bringen sollte, sah sie zu ihren Füßen seinen Leichnam schwimmen, den die Wellen ans Ufer trieben. Voll Verzweiflung
stürzte sie sich in die Fluth, die Götter aber verwandelten sie aus
Erbarmen in den Vogel, der ihren Namen führt. Wenn dieser Vogel
gegen den Winter sein Nest baut, so ist gemeiniglich das Meer sehr
still und ruhig.

Alpheus. Ein Sohn des Oceans und der Thetis. Dieser liebte die
Nymphe Arethusa, welche beständig vor ihm flohe. Als sie die Götter
vor der | Verfolgung des Alpheus um Rettung anflehete, wurde sie von
ihnen in der Insel Ortygia in einen Quell verwandelt. Alpheus aber
flehte ebenfalls die Götter an, daß er zu einem Flusse ward, der unter
der Erde und dem Meere fortströmte, um sich mit dem Quell Arethusa zu vermischen.

Althäa. Eine Tochter des Thestius und Vermählte des Oeneus,
Königs von Kalydon. Als sie den Meleager gebohren hatte, und dieser
sieben Tage alt war, so traten die Parzen in ihr Zimmer, und deuteten
auf ein Scheit Holz, das auf dem Heerde brannte: so lange würde
Meleager leben, bis dieß Stück Holz in Asche verwandelt wäre. Althäa
riß daher den Brand, so schnell sie konnte, aus dem Feuer, und verbarg ihn sorgfältig in einen Kasten. Als nun in der Folge Meleager die
Brüder seiner Mutter umbrachte, nahm diese eine schreckliche Rache
an ihrem eignen Sohne, indem sie das lange verwahrte Scheit Holz ins

Feuer warf; und so wie dies von den Flammen verzehrt wurde, mußte Meleager unter zuckenden Qualen sterben. Als sie aber ihres Sohnes Tod vernahm, brachte sie aus Verzweiflung sich selbst ums Leben.

Amalthea. Die Erzieherin des Jupiter auf der Insel Kreta, wo sie ihn mit der Milch einer Ziege ernährte. Diese Ziege zerbrach einst an einem Baume ihr Horn, welches Amalthea aufhob, es mit frischen Kräutern umwand, und mit Früchten angefüllt, dem kleinen Jupiter darbrachte. Dies Horn wurde nun zum Horne des Ueberflusses geweiht, und vom Jupiter unter die Sterne versetzt.

Amazonen. Diese kriegerischen Weiber führten ihren Namen von der Beraubung der einen Brust, welche sie allen Mädchen gleich nach der Geburt abbrannten, damit sie ihnen im Fechten nicht hinderlich sey. Ihr Hauptsitz war in Asien am Flusse Thermodon. Sie hatten ihre eigne Königin, und duldeten unter sich keine Männer. Damit aber ihr Geschlecht nicht unterginge, so begaben sie sich zu gewissen Zeiten an die Gränzen ihres Landes, wo die benachbarten Männer ihnen beiwohnten. Die Mädchen welche sie gebahren, unterrichteten sie in Kriegsübungen, bis sie selbst die Waffen führen konnten; die Knaben tödteten sie entweder, oder brachten sie ihren Vätern wieder; denjenigen, welche sie bei sich behielten, lähmten sie in der Kindheit schon die Glieder, um sie zum Kriegdienste auf immer unfähig zu machen. Keine der|Amazonen durfte eher einem Manne beiwohnen, als bis sie erst einen Feind erlegt hatte. Das Amazonen Kleid bedeckte nur die Knie, und ihre rechte Seite war bis unter die Brust entblößt. Statt der Harnische bedeckten sie sich mit großen Schlangen Häuten, und waren mit Streitäxten bewaffnet. Sie fochten sowohl zu Pferde als zu Fuße. Unter den zwölf Arbeiten, welche Euristeus dem Herkules auflegte, war auch diese, daß Herkules das goldne Wehrgehenk der Königin der Amazonen Orithya erobern mußte, indem er mit neun Schiffen an ihrem Ufer landete. Orithya führte auswärts Krieg; und es war dem Herkules um desto leichter, die Amazonen zu überwinden. Er führte die Schwestern der Orithya, Menalippe und Hippolyte gefangen hinweg; mit der Hippolite vermählte sich Theseus, welcher mit dem Herkules gegen die Amazonen fochte. Orithya kam mit

einem Heere, um ihre Schwester zu befreien; allein sie ward vom
Theseus überwunden, und in die Flucht geschlagen. Penthesilea folgte der Orithya, und zog dem Priamos zu Hülfe nach Troja, wo sie mit
dem größten Theile des Heeres ihren Tod fand. Das Heer der Amazonen wurde nun von Zeit zu Zeit immer mehr geschwächt, und
46 zuletzt von den benachbar-|ten Völkern ganz aufgerieben. Zu Alexan-
ders des Großen Zeiten lebte noch die Amazonenköniginn Thalestris,
welche diesen König besuchte; nachher schweigt die Geschichte ganz
von ihnen.

Ambrosia. Die Speise der Götter, welche von der Unsterblichkeit
selber ihren Namen führte. Wer von dieser Götterspeise kostete, wurde dadurch unsterblich. Thetis bestrich ihren Sohn Achilles mit Ambrosia, als sie ihn in die Flammen legte, damit das Sterbliche an ihm
verzehrt würde.

Amicitia. Die Freundschaft. Eine allegorische Gottheit bei den
Römern. Sie wurde abgebildet wie eine Jungfrau, mit entblößtem
Haupte und einem schlechtem Rocke bekleidet, auf dessen Saume
geschrieben stand: Tod und Leben; auf ihrer Stirne standen die Worte:
Sommer und Winter. Ihre Brust war bis auf das Herz eröffnet, worauf
sie mit dem Finger zeigte, und wo man die Worte laß: fern und nahe.

Ammon. Der Egyptische Jupiter. Als Bachus einst mit seinem Heere durch die Sandwüste von Lybien zog, und man vor Durst beinahe
verschmachtete, erschien ein Widder, welcher, da er verfolgt wurde,
47 das Heer an einen frischen Quell führte, und ver-|schwand; man hielt
diesen Widder für den Jupiter Ammon, und ihm wurde an dem Orte,
wo er verschwunden war, ein Tempel erbaut, wo seine Bildsäule nicht
mit dem Blitzstrale, sondern mit gewundenen Hörnern stand. Durch
den Jupiter Ammon wurde vornehmlich die zurück kehrende Sonne
im Frühlinge bezeichnet, weswegen man auch den Widder zum ersten Zeichen des Thierkreises machte.

Amor. Ist der älteste unter den Göttern. Er war v o r   a l l e n   E r-
z e u g u n g e n da, und regte zuerst das unfruchtbare C h a o s an, daß es
die Finsterniß gebahr, woraus der Aether und der Tag hervorging.

Der komische Dichter A r i s t o p h a n e s führt diese alte Dichtung scherzend an, indem er die Vögel redend einführt, wie sie alle den geheimnißvollen ursprünglichen Wesen F l ü g e l beilegen, um sie dadurch sich ähnlich zu bilden, und ihren eigenen erhabenen Ursprung in ihnen wieder zu finden.

Sie lassen daher den Amor selbst, ehe er das Chaos befruchtet, aus einem E i hervorgehen. Die schwarzgeflügelte Nacht, heißt es, brachte das erste Ei in dem weiten Schooße des Erebus hervor, aus dem nach einiger Zeit der reizende Amor, mit goldenen F l ü g e l n versehen, hervorkam, und indem er sich mit dem g e - | f l ü g e l t e n Chaos 48 vermählte, zuerst das Geschlecht der Vögel erzeugte.

Man sieht also, daß diese Dichtungen, von den komischen Dichtern eben sowohl scherzhaft, als von den tragischen Dichtern tragisch genommen wurden; weil man sie einmal als eine Sprache der Phantasie betrachtete, worin sich Gedanken jeder Art hüllen ließen, und selbst die gewöhnlichsten Dinge einen neuen Glanz und eine blühende Farbe erhielten.

Die Dichtung von Amor bleibt auch selber noch in der scherzhaften Einkleidung des komischen Dichters schön. – Dieser älteste A m o r ist vorzüglich der erhabene Begriff von der alles erregenden und befruchtenden L i e b e selber. – Unter den n e u e n G ö t t e r n wird Amor von der Venus gebohren, und Mars ist sein Erzeuger. – Es ist der geflügelte Knabe mit Pfeil und Bogen. – Die Wirkungen von seinem Geschosse sind die schmerzenden Wunden der Liebe – und seine Macht ist Göttern und Menschen furchtbar.

Amoretten. Liebesgötter. Auch die Göttergestalt des Amors vervielfältigte sich in der Einbildungskraft der Alten; die Liebesgötter, welche allenthalben in den Dichtungen unter reizenden Gestalten erscheinen, sind gleichsam Funken seines Wesens; und | die Dicht- 49 kunst ist unerschöpflich in schönen sinnbildlichen Darstellungen dieser alles besiegenden Gottheit.

So findet man den Liebesgott dargestellt, wie er Jupiters Donnerkeil zerbricht; wie er mit des Herkules Löwenhaut umgeben, und mit seiner Keule bewaffnet ist; oder wie er auf den Helm des Mars tritt, dessen Schild und Wurfspieß vor ihm liegen.

Unter den Griechischen Namen E r o s und A n t e r o s , L i e b e und
G e g e n l i e b e , stellt die bildende Kunst der Alten zwei Liebesgötter
dar, die um einen Palmzweig streiten, gleichsam um den Wetteifer in
der wechselseitigen Liebe zu bezeigen.

In allerlei Arten von Beschäftigungen stellte man die Liebesgötter
dar. So sieht man auf einem alten Denkmahle, wo ein Weinstock sich
um einen Ulmbaum schlingt, oben auf dem Baume sitzend, einen
Liebesgott, der Trauben pflückt, indeß zwei andre Liebesgötter unter
dem Baume stehend warten. – Jagend, fischend, zu Wasser das Ruder,
zu Lande den Wagen lenkend, und sogar die mechanischen Arbeiten
der Handwerker emsig betreibend, findet man die Liebesgötter auf
alten Gemmen und Gemälden. Weil aber in der Vorstellungsart der
50 Alten auch jedes Ge-|schäft s e i n e n G e n i u s hatte, so geht hier die
Dichtung von den Liebesgöttern wieder in den Begriff von G e n i e n
über, und diese zarten Wesen der Einbildungskraft verlieren sich in
einander.

Amphiaraus. Ein berühmter Wahrsager. Er war einer von den
sieben Helden, welche gegen Theben fochten, und alle bis auf den
Adrastus ums Leben kamen. Er sah voraus, daß er dort seinen Tod
finden würde und verbarg sich daher auf das sorgfältigste, um nicht
an diesem Feldzuge Theil zu nehmen. Seine Gemahlin Eryphyle,
welche allein um seinen Aufenthalt wußte, verrieth ihn gegen ein
goldnes Halsband, welches Minerva einst der Harmonia bei ihrer
Vermählung mit dem Kadmus geschenkt hatte, und wodurch in der
Folge Unglück und Unheil gestiftet wurde. Amphiaraus zog also nun
mit gegen Theben, wo er bewieß daß es ihm an Muth und Tapferkeit
nicht fehle. Er tödtete von den Feinden den Melanippus, dessen Ge-
hirn er aus Rache und Grausamkeit verzehrte, und dadurch sich die
Minerva zur Feindin machte. Jupiter selber spaltete mit einem Blitz-
strahle den Boden zu des Amphiaraus Füßen, so daß er mit Pferd und
Wagen von der Erde verschlungen wurde. Die Oropier bauten den
51 Amphiaraus an dem Orte wo|er verschlungen war, einen Tempel, und
errichteten ihm eine Bildsäule, welche man wegen der Zukunft um
Rath fragte. Wer die Zukunft erfahren wollte, mußte einen Taglang

fasten, und drei Tage lang sich des Weines enthalten, alsdenn einen Widder opfern, und sich auf dessen Fell im Tempel des Amphiaraus schlafen legen, worauf ihm dann im Traume die Zukunft offenbaret wurde. Neben dem Tempel war ein dem Amphiaraus geweihter Quell, in welchen diejenigen, welche das Orakel befragt hatten, eine goldene oder silberne Münze werfen mußten. Alcmäon, ein Sohn des Amphiaraus, rächete an seiner eignen Mutter Eryphile den Frevel, welchen sie an seinem Vater verübt hatte, und brachte sie mit eigner Hand ums Leben.

Amphictyon. Ein Sohn des Deukalion. Er herrschte in den ältesten Zeiten über Athen, und war der Stifter des großen Senats von ganz Griechenland, wozu die einzelnen Städte ihre Abgeordnete schickten, welche nach seinem Namen die Amphictyonen hießen. In Themophyle, wo dieser Senat sich versammelte, war auch dem Amphictyon selber ein Tempel geweiht.

Amphilochus. Ein Sohn des Amphiaraus. Ein eben so berühmter Wahrsager wie sein Vater. Er zog mit in den Trojanischen Krieg, und nach Endigung desselben baute er in Epirus die Stadt Amphilochium. Die Oropier verehrten ihn zugleich mit seinem Vater, in Athen war ihm ein Altar geweiht; und zu Mallus in Cilicien ertheilte er Orakelsprüche. 52

Amphion. Ein Sohn des Jupiters und der Antiope, welche aus Furcht vor ihrem Vater sich zu dem Epopeus nach Sicyon begab, und sich mit ihm vermählte. Ihres Vaters Bruder eroberte Sicyon, er schlug den Epopeus, und führte die Antiope gefangen nach Theben zurück. Diese gebahr auf dem Wege den Amphion und Zethus als Zwillinge, und beide wurden ausgesetzt. Ein Hirt fand diese Kinder, und gab dem Amphion seinen Namen von dem Umstande, daß ihn seine Mutter am Wege gebohren hatte. Amphion wurde unter den Hirten erzogen. Apollo selber schenkte ihm eine Leyer, und die Musen waren seine Lehrerinnen. Antiope welche indeß gefangen nach Theben gebracht war, wurde von der Dirce ihres Vaters Bruder Gemahlin, auf das grausamste gequält, bis sie Gelegenheit fand, zu entfliehen. Als nun ihre Söhne Amphion und Zethus das | Unrecht er- 53 fuhren, welches ihrer Mutter wiederfahren war, zogen sie vor Theben, eroberten die Stadt, und rächten an der Dirce die ihrer Mutter zugefügte Schmach. Sie banden nehmlich die Dirce mit den Haaren an einen wilden Stier, und ließen sie von diesem zu Tode schleifen. Amphion erbaute die Mauern von Theben und schloß die Stadt mit sieben Thoren ein. – Die Ueberredungskunst, womit Amphion zu diesem Werke die rohen Einwohner zu ermuntern wußte, hüllt die Dichtung in die schöne Fabel ein, daß er durch die Töne seiner Leyer die Steine selbst bewegt habe, sich zusammen zu fügen, und zu Mauern und Thürmen sich zu bilden. Bei dem Grabe des Amphion zeigte man einige schlechte und grobe Steine, welche sehr heilig gehalten wurden, weil man sie für einige von denen hielt, welche ehmals den Tönen der Leyer des Amphion folgsam gewesen waren, und auf seinen Ruf sich von selber zusammen gefügt hatten. Die Gemahlin des Amphion war Niobe, eine Tochter des Phrygischen Königes Tantalus. Mit dieser erzeugte er sieben Söhne und sieben Töchter, welche vom Apollo und der Diana zu gleicher Zeit mit Pfeilen getödtet | wurden, weil Niobe durch Stolz und Uebermuth die Göttin Latona erzürnt hatte.

Amphitrite. Eine Tochter des Oceanus und der Tethys. Mit ihr vermählte sich Neptun, und erhob sie zur Königinn der Gewässer. Neptun erzeugte mit ihr den Triton. Sie wird neben dem Neptun auf einem Wagen stehend abgebildet, mit einem über ihrem Haupte flatternden Schleier. Zuweilen sitzt sie auf einem Delphine, oder steht auf einem Muschelwagen, welcher von Delphinen gezogen wird.

Amphitryo. Ein Sohn des Alcäus. Eliktryo, König in Mycene, gab dem Amphitryo den Auftrag, ihm die Rinder wieder einzulösen, welche ihm von den Söhnen des Pterelaus geraubt waren, wogegen er ihm seine Tochter Alkmene zur Ehe versprach. Amphitryo brachte die Rinder, war aber so unglücklich, durch einen Wurf mit der Keule, nach einem der Stiere, den Eliktryo zu tödten. Amphitryo mußte daher nach Theben flüchten, wo er von dem Könige Kreon wegen seines unvorsetzlichen Mordes, ausgesöhnt wurde. Alkmene aber wollte sich nicht eher mit ihm vermählen, bis er an den Söhnen des

Pterelaus den Tod ihrer Brüder rächen würde. Kreon leistete nun dem Amphitryo in diesem Feldzuge seinen Bei-|stand. Die Tochter des 55 Pterelaus Komätho verrieth aus Liebe gegen den Amphitryo ihren eigenen Vater, welchem sie sein Haar abschnitt, worin seine Kraft verborgen lag, und dadurch dem Amphitryo die Eroberung dieses Königreichs erleichterte. Als nun Amphitryo siegreich nach Theben zurück kehrte, hatte Jupiter während der Zeit seine Gestalt angenommen, und der Umarmung der Alkmene genossen. Amphitryo erzeugte demohngeachtet noch mit der Alkmene den Iphikles. Diese ward nehmlich von Zwillingen entbunden, vom welchen Herkules den Jupiter, Iphikles aber den Amphitryo für seinen Erzeuger erkannte. Als beide Kinder acht Monat alt waren, nahten sich ihrer Wiege zwei große Schlangen; Iphikles bemühte sich zu entfliehen; Herkules aber ergriff die Schlangen und zerdrückte sie mit seinen kleinen Händen.

Anadyomene. Ein Beiname der Venus welcher ihr Emporsteigen aus dem Meere bezeichnete.

Anaxarete. Sie lebte in der Insel Cypern, und war die Schönste ihres Geschlechts. Ein Jüngling, Namens Iphis, wurde durch die Liebe zu ihr, welche sie verspottet zur Verzweifelung gebracht, und tödtete sich vor ihrem Hause. Als sein Leichnam vorbeigetragen wurde, stand Anaxarete am Fenster, und spottete | des Todten, worauf sie von 56 der Venus zur Strafe in einen Steine verwandelt wurde.

Ancäus. Ein Sohn der Althäa. Er zog mit den Argonauten nach Kolchis, und wurde nach dem Tode des Tiphys zum Steuermanne der Argo erwählt. Er war König von Samos. Hier pflanzte er einen Weinberg, wovon ein Wahrsager ihn prophezeite, daß er dessen Wein nicht kosten würde. Da nun Ancäus schon eine Traube in der Hand hatte, um den Saft aus ihr zu pressen, so verlachte er den Wahrsager. In demselben Augenblick aber kam ein Bote, und brachte die Nachricht, daß ein schrecklicher Eber den Weinberg verwüstete. Ancäus legte daher die Traube aus der Hand, um den Eber zu tödten, von welchem er aber ums Leben gebracht wurde und also von der Frucht seines Weinberges, nach der Prophezeiung des Wahrsagers, keinen Tropfen genoß.

Anchises. Ein Sohn des Assarakus. Er weidete die Heerden bei Troja, und war als Jüngling so schön gebildet, daß die Göttin Venus selber ihn zu ihrem Lieblinge wählte, indem sie unter der Gestalt einer Nymphe zu ihm kam, wo Anchises den Aeneas mit ihr erzeugte, den sie am Flusse Simois gebahr. Als Venus sich dem Anchises zu erkennen gab, so sagte | sie folgende Worte zu ihm: Sey ohne Furcht! d u w i r s t n i c h t s S c h l i m m e s w e g e n m e i n e r L i e b e erdulden. Ich werde nicht, wie Aurora für ihren Tithonus, die Unsterblichkeit für dich erbitten; sondern dich wird das schnelle Alter, so wie die andern Sterblichen überschleichen. Die Nymphen des Waldes aber sollen den Sohn, den ich gebähre, erziehen. − Wenn er mannbar ist, sollst du an seiner Göttergleichen Gestalt dich weiden. Und wenn dich jemand frägt, wer diesen Sohn gebohren, so sollst du sagen: »eine der Nymphen, die diese Berge bewohnen;« − rühmst du dich aber thöricht, daß du in Cytherens Arm geruht, so wird dich Jupiters Blitz zerschmettern! Dieß präge tief dir ein, und fürchte den Zorn der Götter!

Andromeda. Eine Tochter Cepheus, König in Aethiopien, und der Kassiopäja. Als Kassiopäja, stolz auf ihre Schönheit, sich vor den Meergöttinnen, oder den Nereiden, den Vorzug anmaßte, so fleheten diese den Neptun um Rache an. Neptun erhörte die Bitte der Nereiden und überschwemmte des Cepheus Land mit Wasserfluthen; auch schuf er ein verwüstendes Meerungeheuer, welches nicht eher aufhören sollte, das Land zu verheeren, bis Cepheus seine eigne Tochter Andromeda diesem Ungeheuer zu | verschlingen gäbe. Andromeda wurde also an einen Felsen geschmiedet, und erwartete ihren Todt, als Perseus, mit dem Haupte der Medusa bewaffnet, auf dem geflügelten Pegasus in diese Gegend kam, und die leidende Schöne erblickte. Perseus überwand das Ungeheuer, und rettete die Andromeda, welche er sich von ihrem Vater Cepheus zur Gattin erbat. Dieser willigte in sein Gesuch; aber Phineus des Cepheus Bruder, welcher vorher schon mit der Andromeda verlobt war, trat plötzlich bei der Vermählung des Perseus in den hochzeitlichen Saal, und suchte mit den Waffen seine Ansprüche geltend zu machen, als Perseus gegen ihn und seine Anhänger das

Haupt der Medusa kehrte, wodurch sie alle in Stein verwandelt wurden. Perseus, Cepheus, Kassiopäja, und Andromeda wurden unter die Sterne versetzt. Auf die Weise wurden im eigentlichen Sinne die Helden des Alterthums bis an den Himmel erhoben, und ihrem Namen das dauernste und glänzenste Denkmahl gestiftet.

Annaperanna. Man verehrte unter der Benennung A n n a P e r - a n n a etwas I m m e r d a u e r n d e s, W o h l t h ä t i g e s, daß man selber nicht genau zu bestimmen wußte. Das Volk feierte dies Fest unter | freiem Himmel oder unter Zelten, und man trank sich so viele Becher 59 Wein zu, als Jahre man sich einander zu Leben wünschte. Die Idee von F o r t d a u e r des Guten wurde auch schon durch den Namen dieser Gottheit, die man durch frohen Genuß des Lebens ehrte, bezeichnet.

Das Volk erneuerte aber bei diesem Feste noch ein besonderes Andenken an eine Begebenheit, die ihm vorzüglich wichtig war. Es zog nehmlich einstmals, da es sich vom Senat bedrückt glaubte, aus der Stadt, und lagerte sich in einiger Entfernung von Rom auf dem heiligen Berge, so lange, bis ihm die verlangten Tribunen oder Volksvorsteher, die es aus seiner eigenen Mitte wählen konnte, vom Senat bewilligt wurden. Da nun während der Zeit die Lebensmittel, womit man sich versehn hatte, aufgezehrt waren, brachte eine alte Frau Namens Anna, aus dem Flecken Bovillä bei Rom gebürtig, alle Morgen früh mit freigebigen Händen Kuchen dar, die sie selbst zu dem Ende gebacken hatte, und sie noch warm unter das Volk austheilte.

Dankbar erinnerte man sich nun immer noch dieser Wohlthat, und feierte unter der Benennung der Anna Perenna zugleich das Andenken dieser guten Alten, | welcher das Volk schon damals als es wieder 60 in die Stadt zurückkehrte, eine Denksäule errichtet hatte, und die also durch jene wohlthätige Handlung gleichsam unsterblich geworden war.

Angerona. Die Sorgen und Bekümmernisse, welche das Gemüth beängstigen, personificirte man sich zu einer Gottheit, welche A n - g e r o n a hieß, und, wie man glaubte, die Macht besaß, dergleichen Beängstigungen zu verursachen, und auch wiederum davon zu befreien, deswegen man sich mit Gebeten und Opfern an sie wandte, damit sie dergleichen Bekümmernisse des Gemüths sowohl, als auch insbesondre eine körperliche Krankheit, welche Angina hieß, und einst bei dem römischen Volke epidemisch um sich griff, gnädig von den Bittenden abwenden möge.

Antäus. Ein Sohn der Erde und ungeheuerer Riese. Er herrschte in Libyen, und zwang einen jeden Fremden, der sein Gebiet betrat, mit ihm zu ringen. Bei seiner ungeheuern Größe und Stärke aber war es ihm ein leichtes, den Sieg zu erhalten, worauf er denn niemals des Besiegten schonte, sondern ihn ohne Barmherzigkeit ums Leben brachte. Er wohnte in einer Höhle, unter einem großen Felsen, wo er auf der bloßen Erde schlief, weil er aus dieser, | so wie er auf ihr lag, immer neue Kräfte zog. Seine Speise war das Fleisch der Löwen, die er fing. Als Herkules auf seinem Zuge, wo er die Rinder des Geryon dem Euristeus brachte, in Lybien landete, wurde er auch von dem Riesen Antäus zum Zweikampfe aufgefordert. Sie waren sich einander gewachsen, und kämpften lange, ehe der Sieg entschieden war. Endlich warf Herkules den Antäus zu Boden; als dieser aber kaum die Erde berührte, so zog er aus ihr neue Stärke, und erhub sich wieder mit erneuerter Kraft zum Streite. Als dies einigemahl geschehen war, so schloß Herkules, daß die Berührung der Erde seinen Gegner unüberwindlich machte. Er umfaßte ihn also mit unwiderstehlicher Gewalt, hob ihm von der Erde empor, und erdrückte ihn mit seinen mächtigen Armen in der Luft.

Anteros. Ein Sohn des Mars und der Venus. Er war der Gott der Gegenliebe, so wie Amor oder Eros der Gott der Liebe. Die Dichtung sagt, daß Amor in seiner ersten Kindheit nicht habe wachsen wollen, bis Venus erst den Anteros geboren hatte, worauf denn Eros anfing, zuzunehmen, seine Flügel ausbreitete, und vergnügt war, wenn Anteros ihm nicht fehlte, so bald aber dieser sich entfernte, ward | er wieder traurig, und ließ die Flügel sinken. Die Altäre des Eros und des Anteros standen gemeiniglich nebeneinander. Auf einem Gemählde waren Eros und Anteros abgebildet, wie der letztere dem ersteren einen Palmzweig aus der Hand zu winden suchte, wahrscheinlich um den Wetteifer in der Liebe zu bezeichnen.

Antinous. Ein schöner Jüngling aus Bithynien, und Liebling des Kaisers Hadrian. Als dieser Jüngling in dem Nilstrome ertrank, erbaute Hadrian ihm in Ehren die Stadt Antinopolis; er weihte ihn Tempel und Altäre, und ließ ihm göttliche Ehre erweisen. Auch wurde nach seinen Namen ein Gestirn am Himmel benannt. Weil unter dem Kaiser Hadrian die schönen Künste blühten, so findet man mehrere Bildsäulen und Brustbilder vom Antinous, welche uns aus dem Alterthum übrig geblieben sind. Man kennt ihn an dem etwas herabhängenden Haupte und melancholisch gesenkten Blicke.

Anubis. Eine Aegyptische Gottheit. Ein Sohn des Osiris, dessen Jäger er war, wobei er das Fell eines Hundes um sich trug. Er wurde daher auch mit einem Hundskopfe abgebildet, in der Linken einen Merkuriusstab, in der Rechten einen Palmzweig haltend. Ihm waren die Hunde heilig, und in seinem | Tempel waren ihm eigene Hunde 63 geweiht, welche ihm zu Ehren unterhalten wurden. Er wurde sowohl unter die Himmlischen als unterirrdischen Götter gezählt. Als dem himmlischen Gotte wurde ihm ein weißer, als den unterirrdischen aber ein schwarzer Hahn geopfert. Für das Urbild des Anubis hielt man den Hundsstern oder Sirius, dessen Aufgang den Aegyptiern verkündigte, daß der Nil bald austreten, und das Land bewässern würde. Die Bildsäule des Anubis wurde auch an die Wege gestellt, wo sie statt der Beine und Füße in einigen spitzigen Steinen ausliefen, und wegen der Aehnlichkeit mit den griechischen Hermen, den Namen Hermanubis erhielt.

Aphrodite. Einer der gewöhnlichsten Beinamen der Venus, welcher auf ihre Erzeugung aus dem Schaume des Meeres deutet.

Apis. Eine ägyptische Gottheit. Er wurde in der Gestalt eines Ochsen gebildet. Die Kuh, welche diesen Gott gebahr, mußte durch einen Strahl vom Himmel befruchtet seyn. Ein Zeichen dieses heiligen Ochsen war, daß er auf der rechten Seite einen weißlichen Fleck in Gestalt des zunehmenden Mondes hatte. Unter der Zunge mußte er einen Knoten oder schwarzen Fleck haben, welchen man den Käfer nannte. Die-|ser Ochse hatte zu Memphis seinen Aufenthalt, wo ihm 64 eine prächtige Wohnung erbauet war, dessen Vorhöfe mit Säulen

eingeschlossen wurden. In einem dieser Vorhöfe war das Behältniß
für die Kuh, die ihn gebohren hatte. Man ließ ihn zuweilen in diesen
Hof, damit das Volk seines Anschauens gewürdiget wurde. Sonst aber
war es erlaubt, ihn durch ein Fenster in dem Gemache, das er bewohnte, zu betrachten. Er hatte aber zwei Gemächer, die man seine Ru-
helager nannte, und woraus man Glück oder Unglück prophezeihte,
nachdem er in das eine oder in das andere ging. Er ruhte hier auf
kostbaren Teppichen, wurde sauber gewaschen, mit köstlichen Salben
gesalbet, und ihm duftete beständiger Weihrauch. Die schönsten und
auserlesensten Kühe wurden in besondern Behältnissen für ihn aufbewahrt, damit er nach Gefallen, so oft er wollte, seine Lust büßen
konnte. Es waren große freie Plätze, und Vorhöfe für ihn gebaut,
damit es ihm nicht an Raum fehlte, sich mit Laufen und Springen zu
ergötzen. In seinem Bezirke befand sich ein eigener Brunnen, aus
welchem er nur allein getränkt wurde. Die Dauer seines Lebens aber
durfte ihr Ziel nicht überschreiten; sie war auf so viele Jahre festge-
65 setzt, als das ägyptische Al-|phabet Buchstaben enthält, nehmlich auf
fünf und zwanzig. Sobald diese Zeit verflossen war, wurde er in einem
geweihten tiefen Brunnen ersäuft, an einem Orte, der nur den Priestern bekannt war, und den sonst niemand, bei schwerer Strafe, vor-
witzig ausspähen durfte. Starb nun der Ochse vor dieser Zeit durch
Zufall oder eines natürlichen Todes, so wurde ihm ein prächtiges
Leichenbegängniß veranstaltet, wozu alle Aegyptische Provinzen
ihre Beisteuer gaben. Sein Grabmahl war nicht weit von Memphis, in
einem alten Tempel des Jupiter Serapis, dessen Ehrenpforten den
Namen Lethe und Kocytus oder Vergessenheit und Wehklagen führten. Man brachte den Leichnam des Apis auf einem Schiffe hierher,
wo derjenige, welcher ihn in Empfang nahm, mit der Larve des dreiköpfigten Cerberus bedeckt war. Die Priester gebährdeten sich kläg-
lich; das ganze Volk klagte und weinte laut; und man beschor sich den
Kopf zum Zeichen der tiefsten Trauer. Die Wehklagen dauerten so
lange, bis der neue Gott gefunden war, welchen zu suchen, die Priester das ganze Land durchzogen. So bald nun der neue Gott mit allen
erforderlichen Zeichen gefunden war, verwandelte sich das Trauern

in ein allgemeines Freudenfest. Dem | jungen Apis, welcher nehmlich   66
als Kalb schon zum Gott bestimmt war, wurde gegen Sonnenaufgang
eine Hütte gebauet, worin er erst vier Wochen lang gesäuget wurde.
Mit dem Eintritte des Neumondes kamen die Priester und Propheten,
ihn abzuholen, Sie führten ihn nach der Nilstadt, wo er vierzig Tage
lang gefuttert wurde, und wo es allein den Weibern vergönnt war, ihn
zu sehen. Nach Verlauf dieser Zeit wurde er auf einem kleinen Fahr-
zeuge, worauf ein vergoldetes Haus gebauet war, nach Memphis ge-
führet, wohin ihn hundert Priester begleiteten, und andere hundert
Priester ihn empfingen. Weil er nun in seiner Wohnung zwei Gemächer hatte, so gab man wohl Achtung, in welches er gehen würde,
um daraus das Schicksal des Landes zu prophezeihen.

Der Apis war der Sonne und dem Monde geweiht, deren Bilder
man auf geschnittenen Steinen an seiner Stirne findet. Ihm durften
nur rothe Ochsen geopfert werden; befand sich nur ein schwarzes oder
weißes Haar an ihnen, so waren sie zum Opfer untauglich. Der Ge-
burtstag des Apis führte den Namen Gotteserscheinung, und wurde
mit Opfern, Tänzen und Gastmahlen von dem ganzen Volke gefeiert.

Wenn der Apis ausgeführt und dem Volke gezeigt wurde, so mach-   67
ten die öffentlichen Gerichtsdiener vor ihm Platz, geschmückte Knaben begleiteten ihn, und sangen Loblieder ihm zu Ehren.

Man findet den Apis abgebildet in einem kleinen Nachen, die Isis
vor ihm sitzend, und ihn mit ihren Brüsten säugend. Auf den Münzen
des Hadrian findet man ihn abgebildet mit dem zunehmenden Monde, und einem Füllhorne vor ihm. Die Dichtung sagte, daß die Seele
des Osiris in den Apis gefahren, und durch ihn unsterblich geworden
sey. In so fern man sich aber den Stier, als ein Bild des Ackerbaues
dachte, welchen man unter diesem Bilde selbst göttlich verehrte, erhält diese Dichtung ihre würdigste Deutung.